LA LUMIÈRE DES MOTS
*est le trois cent soixante-sixième livre
publié par Les éditions JCL inc.*

Catalogage avant publication de Bibliothèque et Archives Canada

Duff, Micheline, 1943-
    D'un silence à l'autre : roman
    Sommaire : t. 1. [sans titre particulier] -- t. 2. La lumière des mots.
    ISBN 2-89431-362-4 (v. 1)
    ISBN 978-2-89431-366-4 (v. 2)
    I. Titre. II. Titre : La lumière des mots
PS8557.U283D86 2006   C843'.6   C2006-941529-3
PS9557.U283D86 2006

© **Les éditions JCL inc., 2007**
Édition originale : mars 2007
Première réimpression : septembre 2007

La Lumière
des mots
D'un silence à l'autre

Tome II

DE LA MÊME AUTEURE :

D'un silence à l'autre, tome I, Chicoutimi, Éditions JCL, 2006, 396 p.

Jardins interdits, Chicoutimi, Éditions JCL, 2005, 380 p.

Un coin de paradis, collectif, Une île en mots, Éditions Brève, Laval, 2005.

Les Lendemains de novembre, Chicoutimi, Éditions JCL, 2004, 320 p.

Liberté sans frontières, collectif, Brèves littéraires, Société littéraire de Laval, 2004, numéro 67.

Mon grand, Chicoutimi, Éditions JCL, 2003, 236 p.

Plume et Pinceaux, Chicoutimi, Éditions JCL, 2002, 252 p.

Clé de cœur, Chicoutimi, Éditions JCL, 2000, 440 p.

Les éditions JCL inc.
930, rue J.-Cartier Est, CHICOUTIMI (Québec, Canada) G7H 7K9
Tél. : (418) 696-0536 – Téléc. : (418) 696-3132 – www.jcl.qc.ca
ISBN 978-2-89431-366-4

MICHELINE DUFF

La Lumière
des mots
D'un silence à l'autre

Tome II

LES ÉDITIONS JCL

Nous reconnaissons l'aide financière du gouvernement du Canada par l'entremise du Programme d'aide au développement de l'industrie de l'édition (PADIÉ) pour nos activités d'édition. Nous bénéficions également du soutien de la SODEC et, enfin, nous tenons à remercier le Conseil des Arts du Canada pour l'aide accordée à notre programme de publication.

Gouvernement du Québec – Programme de crédit d'impôt pour l'édition de livres – Gestion SODEC

À tous ceux qui connaissent
le bonheur de l'écriture.

« *Mes bouts d'écriture*
Ne sont qu'armure
À cette folle démesure
Qui m'assaille
Et me désarçonne. »

Manon Laguë

La Lumière des mots

Chapitre 1

20 janvier 1966

Bravo, ma chère! Je me sens très fière de moi-même! J'avoue que, pour les mensonges, je suis devenue spécialiste! Mais puisque, cette fois, il s'agissait d'un mensonge pieux, je n'ai pas hésité une seconde, trop contente de ma trouvaille.

Florence et son petit-fils Charles se sont rencontrés grâce à moi. Ils ont même passé la fin de semaine ensemble. Il m'a suffi d'un peu d'imagination et de beaucoup d'audace pour susciter cette rencontre. Quand j'ai vu l'annonce, dans le journal, d'une pièce de théâtre pour enfants sur la rue Ontario, je n'ai pas hésité à appeler ma nièce Nicole pour lui offrir d'y amener son aîné.

J'ai fait miroiter l'élément formateur du théâtre pour enfants, la culture, l'ouverture d'esprit et blablabla, sans négliger d'élaborer en abondance sur mon ennui à l'égard de Charles. À son argument sur l'impossibilité de le conduire à Montréal, ce jour-là, j'opposai le fait que Samuel devait justement accorder un piano près de Berthier. Il pourrait prendre le petit en passant, tôt samedi matin. Nous pourrions le ramener dimanche soir.

Sa mère Nicole ne s'est pas méfiée et a finalement accepté. Florence, elle, s'est fait prier un peu plus longuement, mais elle a mordu à l'hameçon quand je lui ai proposé un dimanche après-midi au théâtre sans préciser, évidemment, qu'il s'agissait de théâtre pour enfants. Elle n'avait qu'à prendre le train de samedi, en matinée. J'irais la chercher à la gare et nous pourrions passer les deux jours ensemble.

Ma sœur a besoin de distraction après tout ce qu'elle a vécu. Je la sens fragile et désarmée, toute seule, là-bas, dans son coin perdu de la campagne. Se remettra-t-elle jamais du refus de ses filles de la revoir? De cette coupure plus terrible qu'un décès? Si le vide causé par la mort résulte de la fatalité et fait partie de l'ordre naturel des choses, le silence dû au rejet volontaire et hargneux de ceux que l'on aime relève de la pire des cruautés humaines. Ma sœur ne mérite pas ça. Elle s'est montrée naïve et irresponsable et a gravement manqué de jugement suite aux folies de son fils, je l'admets, mais de là à la renier et la condamner jusqu'à la fin de sa vie... Elle me fait pitié. Mes nièces Nicole et Isabelle sont méchantes et s'obstinent à ne voir qu'un seul côté de la médaille: le leur! « Tant qu'elle continuera à vivre aux côtés de Désiré, ce violeur, elle peut nous oublier! Elle n'est plus notre mère! » ne cessent-elles de me répondre quand je me fais son avocate. Je crains qu'elles ne pardonnent jamais les gestes de pédophilie de leur frère sur mon fils Olivier et, plus tard, sur le jeune Charles, gestes que Florence n'a pas eu le courage de révéler.

Heureusement, Désiré prend soin d'elle. Il se rachète à sa manière. Depuis sa sortie de l'hôpital, il ne l'a pas lâchée une minute. Moi non plus, d'ailleurs. Mon conjoint Samuel et moi l'avons visitée chaque semaine. Petit à petit, sa santé est revenue et la vie l'a rattrapée. Peut-être a-t-elle accepté ce qu'elle ne peut changer au fond d'elle-même? Elle parle si peu! Ah! ce terrible silence...

Seul mon fils Olivier tient à maintenir les distances. Certes, il a absous sa tante et son cousin Désiré, et il a tourné la page, mais il préfère ne pas se replonger dans l'atmosphère morbide d'autrefois. Je le comprends et respecte cela. Pour lui, retourner à Mandeville et rencontrer ses habitants l'amènerait à revivre des moments qu'il préfère oublier pour l'instant.

Inscrit en thérapie depuis octobre dernier, il a accepté dernièrement de me parler des événements passés et, surtout, du temps présent si inquiétant. Selon ses dires, tout jeune enfant, il prenait un certain plaisir, semble-t-il, aux caresses de son cousin et y contribuait volontiers. C'est seulement en grandissant qu'il a réalisé le côté pervers de la chose. Même oppressé de sentiments coupables, il n'osait refuser les avances de Désiré, sans doute à cause de l'habitude. Je pense qu'au-delà de la sexualité existait une réelle histoire d'amour entre ces deux garçons en mal d'un père adéquat. Amour malsain, amour anormal et défendu, incestueux, mais amour tout de même. Amour inavoué et silencieux...

Quand Olivier a commencé à repousser son cousin vers l'âge de onze ans, de plus en plus conscient du caractère pathologique de ces relations, Désiré n'a pas insisté et a préféré se retirer simplement de l'existence de mon fils, Dieu merci! Il refusait de venir le garder sous prétexte de ses études trop accaparantes. L'éloignement de ma sœur, incompréhensible à l'époque, a aussi contribué à faciliter les choses et à restreindre leurs rencontres.

À la longue, malgré l'interruption des contacts, le secret s'est mis à peser lourd sur la conscience d'Olivier. Trop lourd! Il a cherché l'oubli dans la délinquance et l'alcool et, avec les années, dans la drogue. La marijuana d'abord, puis le LSD et, maintenant, d'autres drogues dures.

Qu'il ait aujourd'hui, à vingt ans, l'envie de vider l'abcès et de se reprendre enfin en main est une bénédiction du ciel. La rencontre de l'automne dernier, à l'hôpital, avec Florence en danger de mort et son Désiré repentant, et le dévoilement de la vérité au sujet de la double paternité d'Adhémar ont sûrement contribué à défaire certains nœuds. Bien sûr, Samuel et moi le soutenons de tout cœur. Olivier parle maintenant de s'inscrire dans l'Armée canadienne afin de poursuivre ses études et y faire carrière. Évidemment, je ne peux m'empêcher de songer à mon frère Guillaume, mort au front vêtu d'un uniforme militaire lors de la Deuxième Guerre mondiale... Mais entre l'armée et les gangs de rue, entre un idéal de soldat et des rêves de drogué, entre la soif d'héroïsme et le culte obsessif d'une autre sorte d'héroïne, je préfère mille fois l'armée, dussé-je me séparer de mon fils durant une grande partie de l'année.

Toujours est-il que, ce fameux samedi, j'ai dérogé aux règles et provoqué une rencontre entre le petit Charles et sa grand-mère. En descendant du train, lorsqu'elle nous a aperçus tous les trois, Samuel, Charles et moi, Florence s'est arrêtée net sur le quai, les jambes coupées. Je la regardais, chancelante et encore amaigrie, son petit chapeau de rien du tout sur la tête et son vieux sac serré sur sa poitrine. Je pensais la voir s'effondrer, mais au lieu de cela, elle a ouvert les bras pour recevoir son petit-fils qui s'est spontanément jeté contre elle. Il est parfois des scènes qui arrachent le cœur et qu'on voudrait voir se prolonger indéfiniment. Ou, peut-être bien, voir se renouveler encore et encore!

Je me suis promis d'y voir. Et je vais tenir cette promesse, parole d'Andréanne Coulombe!

Chapitre 2

Florence ne vit à peu près rien de ce qui se passait sur la scène du théâtre. Elle n'avait d'yeux que pour l'enfant assis à ses côtés qui riait de bon cœur aux frasques d'une marionnette déguisée en méchant loup. Elle avait le sentiment d'être seule au monde aux côtés de Charles, isolée parmi les centaines d'enfants et leurs parents tournés vers l'estrade. Elle se retenait de le prendre de nouveau dans ses bras et de le presser sur son cœur encore et encore, là, au beau milieu de la foule, dans l'espoir que cette étreinte arrive enfin à dissoudre dans l'oubli les agressions sexuelles du passé. Pauvre petit... Mais elle savait pertinemment que, pour éliminer le souvenir de ces souillures chez le garçon, il fallait d'abord et avant tout les effacer de la mémoire des adultes. Y arriverait-elle elle-même? Elle n'ignorait pas que Nicole et ses sœurs entretenaient déjà une haine mortelle à l'endroit de leur mère et de leur frère et s'en souviendraient toujours. À la longue, cette rancœur risquait de devenir contagieuse et de s'infiltrer dans le cœur de chacun de ses six petits-enfants. Ah! Seigneur! s'il fallait qu'ils se mettent à la détester... Les reverrait-elle jamais? Elle poussa un soupir et reporta son attention sur la pièce de théâtre.

Sur la scène, le méchant loup avait plus d'un tour dans son sac et usait de ruse pour amadouer la jolie brebis qui n'y voyait que du feu. Florence ne put s'empêcher de faire un rapprochement entre le loup et

Désiré. Lui aussi s'était montré sournois, traître, perfide... Lui aussi avait dû user de subterfuges pour approcher et enjôler ses innocentes victimes. Quelle abomination! Mais pourquoi donc penser à cela justement aujourd'hui, en ce moment même où une tentative de rapprochement et de reconstruction de nouveaux liens s'établissait enfin entre elle et Charles? Parfois, il fallait bien l'avouer, il lui prenait l'envie de tuer son fils, surtout quand il se montrait distant, enfermé dans son univers de silence. L'assassiner carrément, bêtement, définitivement. Faire disparaître le méchant loup et en finir une fois pour toutes avec ces sales histoires. Ah!...

Mais elle savait qu'elle n'en ferait jamais rien. La plupart du temps, Désiré lui inspirait de la pitié. Et, au-delà de sa volonté, elle aimait toujours intensément ce fils qu'elle voyait encore comme son petit garçon blessé, malgré ses trente-trois ans. De toute évidence, il ne se sentait pas fier de lui et regrettait ses gestes. Mais on ne pouvait refaire le passé, il fallait l'assumer, aussi pourri fût-il. On n'avait pas le choix de se tourner vers l'avant! Malgré son mutisme, Désiré cherchait mala-droitement à se racheter, elle le savait. La souffrance se lisait dans chacune de ses attitudes, dans chacun de ses actes. Une souffrance muette, jamais évoquée, jamais exprimée, malgré les thérapies qu'il suivait toujours. Comme si le silence restait le seul et dernier refuge de Désiré Vachon.

Les applaudissements et les cris de joie ramenèrent Florence à la réalité. Elle sursauta.

«Tu n'applaudis pas, grand-maman?

— Bien sûr, bien sûr! Excuse-moi, j'étais dans la lune. Ainsi donc, le méchant loup n'a pas avalé le mouton?

— Mais non! Il est devenu gentil à la fin, tu n'as pas vu?»

Tout content du dénouement, le garçon affichait un

sourire à désarmer le plus féroce des loups. Qu'il était joli avec ses cheveux blonds ébouriffés et ses grands yeux noisette hérités de son père! Avant longtemps, il deviendrait un homme, lui aussi. Ses jeunes sœurs lui ressemblaient, du moins dans le souvenir que Florence conservait d'elles. Cinq mois déjà qu'elle n'avait rencontré ses petits-enfants. Cinq mois de chagrin et de frustration, cinq mois de noirceur et de silence... À part Charles avec qui elle avait renoué grâce à la débrouillardise d'Andréanne, elle n'avait eu de contact avec aucun des trois autres enfants de Nicole, ni les deux fils d'Isabelle. Même Marie-Claire, sans enfants, refusait de la rencontrer. Quant à sa jumelle Marie-Hélène, toujours à Vancouver, elle persistait dans son statut de célibataire endurcie. Quelqu'un l'avait-il mise au courant des tribulations qui avaient agité la famille, cette dernière année? Chose certaine, elle n'ignorait pas qu'une hémorragie rectale avait failli emporter sa mère dernièrement. Elle lui avait envoyé quelques cartes de prompt rétablissement, sans plus. De tout le reste, des accusations portées contre Désiré, du jugement à la cour, des travaux communautaires qu'il avait eu à exécuter, de l'interruption drastique des liens avec ses sœurs, de leur ressentiment et de leur désir de vengeance, il n'avait pas été question dans ses rares et courtes missives.

« Grand-maman, Samuel nous invite tous à manger au restaurant. Youppi! On s'en va manger des mets chinois! »

Le garçon glissa sa main dans celle de sa grand-mère et la secoua comme pour éloigner toutes les pensées qui semblaient la perturber et n'étaient pas tournées vers lui. Il avait raison, mieux valait chasser les idées noires et profiter plutôt à fond de train de cette précieuse et unique rencontre qui s'achèverait dans quelques heures. Dieu sait quand on pourrait en organiser une autre! Florence frissonna.

17

La veille, ils étaient allés glisser, à la brunante, au pied du mont Royal, avenue du Parc. Samuel et Charles avaient dévalé les pentes à toute vitesse sur leur toboggan, au grand amusement d'Andréanne et de Florence qui ne cessaient de battre des mains en riant. L'homme et le garçon remontaient en courant, la figure rougie par le froid et les vêtements saupoudrés de neige. Le grand semblait s'amuser autant que le petit. L'espace d'un moment, Florence s'était prise à envier sa sœur de vivre avec un si adorable compagnon. Chaleureux, fidèle, sérieux mais capable d'un brin de folie, sensible et artiste, serviable et empressé, le sage Samuel semblait le conjoint idéal pour Andréanne, toujours aussi aventurière et téméraire. De toute évidence, il réussissait à la rendre heureuse.

Soudain, elle avait songé au docteur Vincent parti trop vite sans crier gare, cet homme adoré qu'elle n'avait jamais réellement possédé. Le mari d'une autre femme, le père d'une autre famille, le médecin de campagne appartenant à ses patients davantage qu'à elle-même... Bien sûr qu'ils auraient pu être heureux ensemble, elle n'en avait jamais douté. Elle aurait dû accepter son offre de déménager chez lui, à Saint-Didace, à la suite de l'une de ses crises aiguës de colite ulcéreuse. Mais l'orage provoqué par les folies de Désiré l'avait tout à coup emportée bien loin des simples préoccupations d'amour. Puis le raz-de-marée avait surgi dans son existence et arraché d'elle tous ceux qu'elle aimait, la mort de Vincent d'abord, puis la rupture brutale d'avec ses enfants et ses petits-enfants. Elle était restée seule avec son fils brisé.

À cinquante et un ans, pouvait-on encore se permettre de songer à l'avenir et de rêver à l'amour? Pouvait-on encore espérer qu'une main masculine arriverait, un jour, à dessiner un arc-en-ciel dans son firmament charbonneux? Était-il permis d'aspirer au conjoint idéal?

«Viens, grand-maman. Arrête de penser, là! C'est à ton tour de glisser avec moi!

— Tu es fou! Pas à mon âge!

— Oui, viens! On ne va pas aller trop vite!»

Son âge, son âge... Était-elle vraiment si vieille que cela? Elle s'était redressée, avait pris une grande respiration, et s'était installée hardiment sur le traîneau derrière le petit Charles. Que ne ferait-elle pas pour cet enfant-là? Son seul... Quand la traîne sauvage s'était mise à prendre de la vitesse, elle avait lancé un grand cri. Et ce cri à la fois empreint d'exaltation et de détresse avait retenti dans toute la montagne pour dire à l'univers que la joie de vivre n'était pas morte dans le cœur de Florence Coulombe-Vachon. Elle existait encore, teintée d'un relent de jeunesse qui ne demandait qu'à rejaillir radieusement.

De retour à la maison d'Andréanne, rue Sherbrooke, un délicieux bœuf aux légumes les attendait, cuisiné le matin même par Samuel, suivi d'un excellent «pudding chômeur». Olivier était venu les rejoindre pour le souper. Il occupait un emploi de vendeur de souliers chez *Morgan's*, ce qui lui procurait une certaine indépendance financière et lui donnait l'occasion de perfectionner son anglais. Dans quelques mois, il partirait pour le Collège militaire de Saint-Jean, et ce rêve, plus que n'importe quoi, l'aidait à se maintenir à la surface. En l'entendant rire avec son petit cousin, Florence avait songé que les dommages causés à ces deux-là par Désiré ne s'avéraient peut-être pas aussi irréparables qu'elle le croyait. La vie elle-même, sinon l'oubli, finirait par redonner à chacun le goût du bonheur.

Ce soir-là, la grand-mère et son petit avaient dormi serrés l'un contre l'autre sur le canapé-lit du salon. Moment de grâce aux saveurs de fruit défendu... L'enfant saurait-il garder le secret et ne rien révéler à sa famille au sujet de ces heures dérobées aux interdits de sa mère Nicole? C'était lui, pourtant, qui avait vendu la mèche au sujet des perversions sexuelles de Désiré. Mais ce jour-là, Florence se sentait redevable envers sa sœur pour son initiative charitable et elle se promit de ne pas oublier, pour le reste de ses jours, cette fin de semaine merveilleuse entre toutes.

La séparation, à la gare Windsor, fut cruelle. Longtemps après que le train fut sorti de la gare, Florence garda la tête collée contre la vitre du wagon, non seulement pour dissimuler ses larmes aux autres passagers, mais pour ne pas embrouiller, en regardant ailleurs, l'image de Charles qu'elle voulait garder intacte dans son esprit. Andréanne lui avait pourtant promis, main sur le cœur, de renouveler l'expérience. Désespérée, Florence s'était agrippée à cette promesse pour trouver le courage de se séparer de son petit-fils et de monter dans le wagon.

À l'arrivée du train à la gare de Saint-Charles-de-Mandeville, Désiré trouva une mère fatiguée, la mine défaite, mais il décela tout de même une petite lumière au fond de son œil. Quelque part, insidieux et vacillant mais réel, un espoir brûlait. Si le bonheur n'existait pas à long terme et à large spectre dans la vie de Désiré Vachon et de sa mère, il ménageait tout de même des moments enchantés auxquels s'accrocher. À leur façon, ces moments pouvaient générer le regret ou l'espoir. Regret de ce qui aurait pu se reproduire fréquemment et à ciel ouvert, ou espoir de voir ces heures bénies se renouveler de temps à autre comme un cadeau du ciel. Florence choisit l'espoir.

Cette nuit-là, elle rêva que le méchant loup se transformait en gentil chevalier. Le lendemain matin, elle demanda à son fils s'il avait une objection à ce qu'elle se serve de sa machine à écrire.

Chapitre 3

L'histoire symbolique du *Gentil méchant loup* s'étalait sur quatre pages. À vrai dire, il s'agissait d'un petit loup, Dédé, mal aimé par son père. Malgré ses tendances agressives, Dédé avait grandi en conservant son cœur de louveteau grâce aux attentions de sa mère. À bien y penser, il n'était pas bien dangereux en dépit des apparences. Devenu grand, il rencontra un jour l'amour d'une douce louve blanche. Il se transforma alors en gentil loup. Le plus gentil de tous les loups de la terre.

Une fois son conte terminé, Florence glissa le manuscrit au fond d'un tiroir. Bizarrement, d'avoir imaginé cette histoire enfantine lui avait fait du bien. Mais l'avait-elle réellement inventée? Dédé, le louveteau malmené, ressemblait à s'y méprendre à Désiré enfant. Petit être sans défense et assoiffé d'amour, détesté et battu par son père, il s'était transformé en bête dangereuse.

Hélas, la réalité semblait bien différente de l'histoire qu'elle avait inspirée: la louve blanche, l'amoureuse salvatrice, n'existait pas. Elle s'obstinait à ne pas apparaître dans l'existence du loup. Malgré les souhaits ardents de sa mère, Désiré demeurait un homme solitaire, casanier, replié sur lui-même. Florence restait obstinément la seule et unique louve de sa vie, une louve grise, vieillie prématurément par le chagrin et sans pouvoir sur son fils sauf celui de continuer à l'aimer. Elle ne lui connaissait pas d'autres amours, ni au féminin ni au masculin. On aurait dit un être devenu asexué, renfermé, secret. Étrange même.

La maison rouge constituait son unique repaire, mises à part ses deux visites hebdomadaires, l'une à la maison d'édition Lit-Tout de Montréal pour laquelle il travaillait, l'autre à la clinique pour la thérapie. Dans son bureau installé au grenier, il bûchait dur, du matin jusqu'au soir, le nez dans la correction de ses piles de manuscrits. Il avait insisté auprès du directeur pour se spécialiser dans la révision de publications d'ordre scolaire plutôt que dans la littérature pour la jeunesse. Le plus il se tenait éloigné de l'univers des petits, le mieux cela valait pour lui. Il avait eu sa leçon. La prudence faisait partie des outils de la réhabilitation définitive et durable du pédophile, on le lui répétait chaque semaine lors des séances de thérapie.

Esseulée la plupart du temps dans sa grande cuisine silencieuse, Florence écoulait des jours calmes. Des jours trop calmes, teintés d'amertume. Elle se languissait de ses filles, et leur ressentiment restait le plus difficile à supporter. Elle conservait la folle espérance qu'à l'occasion d'un Noël ou d'un événement quelconque, on casserait enfin la glace et renouerait avec elle. Mais ses lettres, ses cartes d'anniversaire, ses appels au pardon restaient infailliblement sans réponse. Si Désiré ne manifestait pas de frustration devant le silence rancunier de ses sœurs, il en était autrement pour sa mère. Florence en souffrait profondément, et la révolte ne cessait de gronder en elle.

Un jour, n'y tenant plus, elle se rendit à Berthier par les transports en commun et sonna à la porte de Nicole. Elle allait lui expliquer, lui demander pardon, se mettre à genoux s'il le fallait, faire n'importe quoi pour mettre un terme à cet éloignement insupportable. Mais elle se buta à un visage rébarbatif et glacial. Sa fille ne la laissa même pas entrer dans le vestibule.

«Qu'est-ce que tu fais ici?

— Nicole, j'aimerais qu'on se réconcilie... Je n'en peux plus!

— Jamais! maman, tu m'entends? Jamais!

— Laisse-moi au moins t'expliquer...

— M'expliquer quoi? Que tu as laissé mon frère violer mon fils Charles?

— Je ne le savais pas.

— Oh! si, tu le savais! Mon cousin Olivier a été abusé pendant des années et tu n'as pas bronché. Va-t'en! Va-t'en encore tripoter le beau grand monstre qu'est mon frère!

— J'ai été témoin deux seules fois de ce qui s'est passé, Nicole, je te le jure! Et je n'ai rien vu de précis. Je n'arrivais pas à le croire, même que j'en doutais! Je...

— Si tu penses que je vais te faire confiance, surtout que tu vis encore avec lui! Oublie ça, maman, et passe ton chemin. Il n'y a plus de place pour toi ici.

— Mes petits-enfants...

— Il n'est pas question, pour tes petits-enfants, de courir le même danger. Trop périlleux de fréquenter leur grand-mère et l'oncle malfaisant qu'elle abrite encore dans sa maison rouge! Regarde ce qui est arrivé à mon Charles. Une vraie honte! Pire qu'une honte, un crime! Un crime impardonnable. Mon frère mériterait de rester enfermé pour le reste de ses jours. Encore si tu l'avais mis à la porte...

— Nicole, Nicole... N'y a-t-il pas moyen de tout recommencer à zéro? De donner une chance à chacun de nous?

— Pas question!

— Désiré s'est repris en main. Il se fait soigner et mérite qu'on l'aide. Je ne peux pas l'abandonner, ne peux-tu pas comprendre cela?

— Pauvre maman! Ne me dis pas que tu crois encore à la réhabilitation de mon frère! Voyons donc!

— Tu ne veux plus rien savoir de nous, n'est-ce pas?

— Ni de toi ni de lui. Tu as tout compris! Et ne compte pas sur mes sœurs non plus, tiens-toi-le pour dit. Mets une croix sur nous, ce sera plus facile pour tout le monde! Va-t'en, tu n'es plus ma mère!»

Florence s'en est retournée la tête basse, anéantie, tiraillée par le mal de ventre. L'espoir était bel et bien mort.

***

Ce jour effroyable marqua néanmoins une étape dans l'existence de Florence. Elle prit la décision de tirer un trait définitif sur sa famille sauf Désiré et le jeune Charles. Et, bien entendu, Andréanne et les siens. À tout le moins essayer. Tant mieux si ses filles lui revenaient un jour, sa porte leur resterait toujours ouverte. Mais, pour le moment, elle devait mettre un terme à ses vaines attentes, sinon elle n'y survivrait pas. Il fallait à tout prix faire son deuil, renoncer, agir comme si elles et ses petits-enfants n'existaient plus. Mettre une croix comme l'avait recommandé Nicole, cette vilaine, cette sans-cœur, cette lionne, cette...

Et puis, non! Elle devait éviter la rancune pour ne pas que la haine surgisse et grandisse comme du chiendent dans le terreau de son cœur. Après tout, Nicole et Isabelle avaient à protéger leurs enfants, cela pouvait se comprendre. Mieux valait se tourner vers un horizon nouveau, clair et transparent, recommencer sur un autre rivage à l'abri des orages. Pour ne pas mourir, pour contrer la faucheuse qui rôdait, déguisée en colite ulcéreuse. Pour donner une chance à la lumière d'éclater...

***

À partir de ce moment, Florence se mit à écrire des histoires pour enfants, jour après jour, comme une forcenée. Afin de ne pas déranger Désiré au grenier et le priver de sa machine à écrire, elle utilisait un stylo. Installée confortablement sur le fauteuil du salon, à côté du piano de plus en plus silencieux, elle barbouillait inlassablement des pages et des pages qu'elle empilait dans la commode. Évidemment, à la fin, toutes les aventures se terminaient bien. Même le loup se métamorphosait en prince charmant et devenait roi d'un royaume sans frontières.

Elle ne voyait pas le temps passer. Les mots, porteurs de libération, la vidaient, la délestaient du poids trop lourd de l'amertume. Elle vivait tout à coup dans une autre dimension, un monde candide et imaginaire pourtant bien réel dans son esprit. Un monde où se réfugier et qui n'appartenait qu'à elle. Un monde où, enfin, pour la première fois de sa vie, elle exerçait un certain pouvoir et avait la mainmise sur ce qui se passait. Un monde où Florence Coulombe-Vachon contrôlait tout et retournait les événements à sa manière, ouverte et positive. Un monde où elle prenait une sorte de revanche sur son destin. Un monde plus lucide, plus lumineux...

Elle ignorait pour qui elle écrivait vraiment. Était-ce pour les petits-enfants qu'on lui avait cruellement arrachés? Ou pour le souvenir de ses propres enfants trop vite devenus grands et qui lui filaient maintenant entre les doigts? Ou encore pour ces élèves d'autrefois auxquels elle avait tant rêvé durant ses études et qu'elle avait échappés pour l'amour d'un beau ténébreux aux yeux verts?

Sans doute écrivait-elle pour tous ces petits dont elle aurait voulu se sentir entourée et qui brillaient par leur absence. Malgré elle, chacun habitait encore son esprit et se trouvait au cœur de son imagination. Et d'écrire pour eux lui tenait lieu de catharsis, comme une voie essentielle d'évacuation pour son trop-plein de tendresse. Ils ne liraient peut-être jamais ces contes, et elle les jetterait probablement à la poubelle un de ces jours. Mais pour l'instant ce nouveau centre d'intérêt lui sauvait la vie. Et puis, ne lui restait-il pas Charles, son amour de petit Charles? À onze ans, il ne s'intéresserait peut-être pas aux histoires de lapin et de loup, mais il représentait tous les autres enfants venus après lui. Elle les lui ferait lire, pour sûr!

Elle l'avait revu une seconde fois, au début de l'été. Samuel et Andréanne les avait amenés en gondole sur le lac artificiel du parc Lafontaine. Ils avaient ensuite mangé en pique-nique en face de la fontaine multicolore. Le bonheur... Le garçon avait grandi et semblait plus mature. Les premières minutes face à sa grand-mère, il avait éprouvé une certaine gêne, sans doute l'effet d'une trop longue absence. Et cela avait chaviré le cœur de Florence.

Le lendemain, de retour à Mandeville, elle s'était mise à écrire l'histoire du petit garçon trop timide. Il avait beau se couvrir le visage de farine, rien n'y faisait. Dès qu'il rencontrait quelqu'un, il se sentait rougir impitoyablement. Sa marraine la fée lui offrit le don de la confiance en soi pour son anniversaire, et elle lui apprit à écouter son cœur sans se préoccuper de l'opinion des autres. Plus tard, il devint un des hommes les plus importants du pays. Cette histoire-là plairait à Charles, sans contredit. Comme pour les autres contes, elle rangea ses feuilles dans le tiroir.

Un jour, Désiré descendit de l'étage et surprit sa mère en train de noircir des pages éparpillées un peu partout autour d'elle.

«Maman, as-tu oublié le dîner? Il passe deux heures!
— Quoi? Tu aurais dû me le dire!»

Florence bondit de sa chaise en échappant quelques

feuilles. Elle s'empressa de tout ramasser et de se précipiter à la cuisine.

« Qu'est-ce que tu faisais? Tu écrivais?

— Oh! rien de particulier. Il m'arrive de temps à autre de rédiger mon journal ou d'écrire n'importe quoi. Ça m'aide à passer le temps. J'aime bien jouer du piano, mais à la longue, cela ne remplit pas une journée. Que veux-tu, les heures me paraissent longues, ici, toute seule dans cette maison.

— Dois-je prendre cela pour un reproche, maman? Je ne m'occupe pas beaucoup de toi et je reste là-haut toute la journée, je te le concède. Mais je suis débordé de travail, tu le sais bien.

— Je ne disais pas ça pour cette raison, voyons! »

Désiré resta songeur. De toute évidence, la langueur de sa mère l'ennuyait, il n'en avait pas suffisamment pris conscience. Il avala un demi-sandwich du bout des dents, remonta aussitôt dans son antre pour en redescendre quelques minutes plus tard.

« Allez! fais-toi belle, ô femme de ma vie! Je t'emmène magasiner et manger dans un restaurant de Joliette ce soir. Nous avons des emplettes très spéciales à effectuer. »

Quelques heures plus tard, de retour à Mandeville, Désiré eut à sortir une lourde boîte du coffre de la voiture. Elle contenait une machine à écrire. N'eût été de l'obscurité sur le côté de la maison, il aurait pu apprécier le sourire transporté de joie de sa mère.

Chapitre 4

28 décembre 1966

Noël s'annonçait plutôt morose en l'absence de mon Olivier retenu au camp militaire de Kingston. J'espérais recevoir aussi des nouvelles de Florence, incertaine de sa venue. Elle attendait toujours le retour tardif de son fils d'un voyage d'affaires aux États-Unis pour la maison Lit-Tout.

Mais tout s'est finalement bien passé. Olivier a surgi par surprise, la veille de Noël, magnifique dans son uniforme bleu. Ah! que j'aime voir son regard franc et direct, ce front haut et fier, cette assurance nouvelle que je ne lui connaissais pas. Mon fils grand et fort, mon fils récupéré, mon fils beau... Beau comme l'était son père! Et beau comme son demi-frère Désiré! Si ce n'était de la dizaine d'années qui les sépare, ces deux cousins-là pourraient passer pour des jumeaux.

Toujours est-il que l'après-midi du vingt-quatre décembre, alors même que j'attendais l'appel de Flo au sujet de son arrivée, on se mit à sonner frénétiquement à la porte. Oh là là! j'ai failli perdre pied quand la première personne du groupe s'est littéralement jetée dans mes bras. Alexandre! Mon frère ici, à Montréal! J'avais l'impression de rêver.

C'est fou, je me suis mise à sangloter comme un bébé et lui aussi, juste là, au beau milieu de la porte grande ouverte. C'est à ce moment-là seulement que j'ai aperçu les autres. Ils étaient tous là, excités, riant et criant à tue-tête: Florence et Désiré, notre frère Alexandre et sa femme, leur fille aînée avec son mari et leur bébé, et leurs trois autres filles encore aux études. Tous venus d'Albany, É.U., dans deux fourgonnettes remplies à ras bord de cadeaux et de victuailles. Je n'en croyais pas mes yeux et me suis remise à pleurer de plus belle. Pour une surprise, c'en était toute une!

Florence me prit à part, manifestement contente de ses manigances. Selon elle, Désiré y avait largement mis du sien. À la suggestion de sa mère, il a profité de son voyage à New York pour s'arrêter à Albany et visiter son oncle et sa famille, et les convaincre de venir passer Noël avec nous, à Montréal. Quand, au téléphone, il lui a annoncé leur venue, Florence ne tenait plus en place. Elle a même songé à appeler Olivier à Kingston pour l'avertir de cet événement. Dieu merci, il a pu obtenir une permission spéciale.

Devant mon air épaté, ma Flo jubilait, trop contente d'avoir réussi à maintenir le secret qu'elle a failli me dévoiler à maintes reprises, paraît-il. « Comme toi, j'ai pu aussi garder le silence sur quelque chose de beau. » Elle appréhendait un peu la réaction d'Alexandre au sujet des bêtises passées de Désiré. Ils ne s'étaient pas vus depuis cette époque, et notre frère américain, père de famille, aurait bien pu avoir la même réaction que les filles de Florence... Mais non! Lui et Désiré se sont longuement parlé et tout semble rentré dans l'ordre. Mon neveu aurait-il trouvé en lui un nouveau père?

Ce « silence sur quelque chose de beau » de ma sœur faisait allusion aux trop rares rencontres clandestines avec Charles, organisées par moi, je m'en doutais bien. C'est surtout lui qu'elle aurait voulu rencontrer à Noël, évidemment! Malgré la joie qui éclairait tous les visages, ce jour-là, j'ai bien décelé une note de tristesse dans le regard de ma sœur. Alexandre et les siens font partie de sa famille éloignée, certes, mais ses proches, du moins ceux qui auraient dû l'être, manquaient tous à l'appel. À part Marie-Hélène, aucun autre de ses enfants ne daigna l'appeler pour lui souhaiter joyeux Noël.

Nous sommes tous allés à la messe de minuit à l'Oratoire Saint-Joseph, longue messe chantée dans la basilique par les voix d'anges des Petits Chanteurs du Mont-Royal. Pour le réveillon, Florence avait tout prévu: les tourtières, les marinades, les cretons, les beignes, la bûche que Désiré sortit du coffre de sa voiture, sans oublier quelques bonnes bouteilles de Saint-Émilion.

Une fois les estomacs bien repus, Samuel a sorti son violon et je me suis installée au piano. Ma sœur a choisi ce moment précis pour me remettre un cadeau enveloppé dans du papier rouge et vert. Il contenait une pile de chansons de sa propre composition avec la partition musicale. Sur le dessus de la pile se trouvait une feuille chiffonnée portant mon écriture et une date : Chanson de la petite misère, décembre 1933. Ah! quel souvenir!

C'était assez pour que je me remette à pleurer, non seulement parce que cela remuait des réminiscences des temps durs d'autrefois, mais aussi parce que les autres chansons de Florence, toutes plus magnifiques les unes que les autres, me démontraient hors de tout doute qu'après les durs événements des derniers temps, ma sœur va bien et reste plus vivante que jamais en dépit de son extrême solitude.

Les Américains ne sont repartis qu'aux petites heures, le matin de Noël, pour aller dormir à leur hôtel de la rue Saint-Denis. On s'est donné rendez-vous pour l'après-midi, à l'île Sainte-Hélène. Alexandre nous a tous invités à souper au luxueux restaurant Hélène de Champlain.

Mon frère, drapé dans sa fierté de grand-père, semblait en pleine forme, heureux, à l'aise et fort prospère, à n'en pas douter. Il me rappelle mon père, le Maxime des dernières années, solide et fier. Puisse-t-il continuer sur cette travée... En l'entendant rire, de son beau grand rire jovial et communicatif, j'ai eu une pensée secrète pour notre autre frère Guillaume, enterré à vingt-deux ans dans un cimetière perdu quelque part en Angleterre. Soudain, j'ai pris une conscience aiguë de son absence. Je n'ai pu m'empêcher de serrer de nouveau sur mon cœur mon Olivier en grande conversation, en anglais ma chère, avec ses cousines nouvellement découvertes. Dans quelques heures, il repartirait vers un univers qui m'effrayait malgré moi. Seul Désiré est demeuré un peu à l'écart, perdu dans quelque pensée obscure.

31

Ce n'est qu'au moment de s'en retourner à Mandeville, le lendemain matin, que Florence me remit une boîte enrubannée directement sortie de sa valise. Elle me pria de la donner à Charles à la première occasion.

J'ai eu envie de m'enquérir de la nature du présent, mais quand je la vis se mordre les lèvres et s'essuyer furtivement les yeux d'une main tremblante, je décidai de me taire. Cela ne me regardait nullement.

Je me promis d'organiser d'autres retrouvailles entre la grand-mère et son ange au cours de la nouvelle année.

Chapitre 5

Florence lut et relut dix fois plutôt qu'une le télé-gramme qu'elle tenait à la main. Le bureau de poste l'avait appelée durant les premiers jours de janvier pour l'aviser qu'un câble l'attendait. Malgré la tempête qui sévissait, elle s'était rapidement habillée pour s'aventurer à pied sur le chemin du village balayé par la poudrerie. À vrai dire, on ne voyait ni ciel ni terre, et il eût été plus raisonnable d'attendre le retour de Désiré pour qu'il la conduise dans sa voiture. Mais la curiosité et une certaine appréhension l'avaient emporté.

Que se passait-il donc? Alexandre et les siens avaient-ils éprouvé des problèmes en s'en retournant à Albany au lendemain de Noël? Ou Olivier avait-il subi une mésa-venture lors de son retour à Kingston? Il avait raconté mener là-bas une vie dure, parsemée de nombreuses et interminables périodes d'entraînement en terrain dangereux et dans des conditions difficiles. Se serait-il blessé? Un malencontreux incident, une altercation ou quelque chose du genre aurait pu aussi survenir. Mais pourquoi l'avertir, elle, plutôt qu'Andréanne? Elle savait son neveu vulnérable et parfois démuni devant les problèmes. Six ans d'abus sexuels et quelques années de délinquance ne s'effacent pas facilement, même dans l'armée! L'enfant trop sensible d'autrefois avait gardé une certaine fragilité, elle le sentait malgré les préten-tions ingénument optimistes d'Andréanne. À vingt et un ans, Olivier avait devant lui un avenir prometteur, certes, mais il fallait user de prudence. Peut-être réclamait-il l'aide de sa tante?

Elle décacheta difficilement l'enveloppe d'une main paralysée par le froid.

Maman, j'arriverai de Vancouver par le vol AC 452, jeudi après-midi le huit janvier à trois heures. De l'aéroport de Dorval, je prendrai la navette jusqu'au centre-ville, puis le train pour Saint-Charles-de-Mandeville. Désiré pourrait-il venir me chercher à la gare, car j'aurai une tonne de bagages. J'ai hâte de te voir et de te faire la bise.
Marie-Hélène

Florence ne savait si elle devait se réjouir ou s'inquiéter de l'annonce de cette visite inattendue, communiquée de façon plutôt précipitée. Elle prit le parti de célébrer l'arrivée impromptue de cette fille qu'elle croyait perdue à jamais. À la sortie du bureau de poste, fidèle à ses habitudes, elle pénétra dans l'église située juste à côté, autant pour se réchauffer que pour calmer ses esprits. Le temple baignait dans le silence et la pénombre. Le passage de Florence dans l'allée fit vaciller, une fraction de seconde, la centaine de petites flammes des lampions bleus ou rouges étalés de chaque côté de la nef.

Elle s'agenouilla devant la statue de la Vierge à l'Enfant. Marie non plus n'avait pas obtenu un grand succès avec son fils : on l'avait mis en croix comme un voleur, condamné par les autorités et hué par la foule. Florence, elle, n'avait guère mieux réussi avec ses enfants. Elle n'avait su garder aucune de ses filles auprès d'elle. Et voilà que tout à coup, sans crier gare, l'une d'elles, absente depuis plusieurs années, venait réinstaller ses pénates dans le nid familial. Nid plutôt désert, en réalité! Mais puisqu'elle annonçait trans- porter une tonne de bagages, Florence ne douta pas un instant que Marie-Hélène réintégrait son foyer pour un certain temps. Pour quelle raison?

«Ah! bonne Sainte Vierge, faites que tout se passe bien! Je n'arrive pas à y croire! Un de mes enfants rentre à la maison, m'attribue une certaine importance, me demande l'hospitalité. J'existe soudain pour quelqu'un d'autre que Désiré, très Sainte Vierge, je n'en reviens pas! Ah! oui, faites que tout se passe bien, que je redevienne une bonne mère, que je ne gâche pas la sauce, que je ne fasse pas d'erreurs, ne commette pas de bêtises, que je sois à la hauteur, que... et que...»

Elle sortit son chapelet de son sac à main et se mit à réciter les Ave machinalement, comme un automate, l'esprit emporté vers quelque fantasme fou où l'enfant prodigue rentrait joyeusement au bercail. À la fin, elle fit trois génuflexions plutôt qu'une, oublia son foulard sur le banc, heurta le dernier prie-Dieu avant de laisser s'enclencher brutalement la lourde porte derrière elle.

Elle rentra au plus vite à la maison rouge. Un passant aurait pu croire qu'elle volait au-dessus de la chaussée, emportée par la bourrasque plutôt qu'elle ne marchait. Florence Coulombe-Vachon avait retrouvé ses ailes: une de ses filles lui revenait! Le huit janvier, c'était déjà demain! Vite! Il fallait faire le ménage, préparer la chambre, installer des draps frais, cuisiner un repas. Un pâté chinois, Marie-Hélène ne préférait-elle pas ce plat entre tous?

***

Florence ne remarqua pas tout de suite le gabarit de sa fille, dissimulé sous le large manteau de drap rouge. Elle n'avait d'yeux que pour le beau visage de la jeune femme. Aux abords d'une trentaine épanouie, ses yeux bruns hérités de sa mère, rieurs comme ceux de sa jumelle, le bout du nez retroussé des Coulombe, Marie-

Hélène paraissait resplendissante. Les deux femmes n'en finissaient plus de s'étreindre, puis de se regarder, puis de s'étreindre de nouveau, encore et encore. Depuis tant d'années...

Devant ces démonstrations affectueuses, Désiré semblait mal à l'aise. Sa sœur était-elle au courant de ses bourdes passées? Sur le chemin entre la gare et la maison, on n'avait parlé que de santé, du temps pluvieux de Vancouver et des hivers impitoyables du Québec. Elle s'était informée sur son emploi de correcteur, il l'avait questionnée sur son travail de dessinatrice de mode. Que des généralités et des banalités!

Une fois à la maison, Florence ne put réprimer un cri devant le ventre proéminent de Marie-Hélène.

« Mais, ma foi...

— Eh oui! maman, je suis enceinte de six mois!

— Eh bien! Pour une nouvelle, c'en est une! Et... »

Florence porta la main sur le ventre de sa fille sans oser dire le fond de sa pensée.

« Je sais, je sais... Tu te demandes où se trouve le père. Je... je vais tout te raconter plus tard. Pour l'instant, si on prenait une bouchée? Je meurs de faim, moi! Ça sent rudement bon, ici d'dans! »

Marie-Hélène remarqua-t-elle à quel point son frère demeurait silencieux à table? À bien y penser, elle l'avait toujours connu ainsi: peu loquace et renfrogné.

« Et toi, le frérot, pas de blonde dans le décor? Ne me dis pas que tu vas faire un vieux garçon!

— Ben quoi? Tant que je ne dérange personne, je n'y vois aucun inconvénient! Et puis, je prends soin de ma mère, moi! »

De toute évidence, il faisait référence à ses autres sœurs, mais Marie-Hélène ne saisit pas la perche. Il aurait pourtant préféré mettre les cartes sur table dès maintenant, décrire leur réalité telle qu'il la vivait avec sa mère, s'assurer que sa sœur connaissait réellement l'histoire de leur famille. Se trouvait-elle au courant de ses folies, impardonnables certes, mais aussi de l'abandon pur et simple par ses autres sœurs, des rencontres obligatoirement clandestines avec le petit-fils Charles, grâce à la bienveillance d'Andréanne et de Samuel, et surtout, surtout, des eaux troubles dans lesquelles Florence réussissait à surnager, vaille que vaille? Par exception, Désiré Vachon aurait accepté de rompre le silence, cette fois, si seulement Marie-Hélène avait voulu l'écouter.

Mais elle répondit évasivement et préféra s'informer à Florence de leur cousin Olivier.

« Il ne va pas mal, mais s'esquive à la plupart de nos rencontres. Cela peut très bien se comprendre, je pense. »

Là encore, Marie-Hélène ne releva pas le sous-entendu. À la fin du repas, Désiré monta rapidement à son bureau en prétextant un travail urgent à remettre pour le lendemain.

« Salut! Je ne crois pas redescendre ce soir. Vous avez sûrement plein de secrets à vous raconter entre femmes. On se revoit tôt demain matin, car je dois retourner à Montréal. »

Il avait haussé le ton sur le « entre femmes » et Florence comprit sa frustration de se sentir exclus des confidences. Pour une fois que son fils manifestait l'envie de parler...

Il ne se trompait pas: elles avaient des millions de choses à se dire. Elles jasèrent toute la nuit, entre deux tisanes, puis deux verres de lait et des biscuits, puis entre deux tasses de café avec le lever du jour. Marie-Hélène admit tout savoir sur le passé de son frère et réprouva l'attitude rancunière de ses sœurs.

« Devant lui, je me sens incapable d'en parler. C'est trop affreux, maman... Je lui ai pardonné, et je veux bien croire qu'il a été puni, qu'il ne recommencera plus. La preuve, c'est que j'accepte de le fréquenter de nouveau, de lui donner sa chance, de faire comme si... Mais ne me demande pas d'en discuter ouvertement avec lui, ça, non! Pour moi, il s'agit d'un dossier clos.

— Lui en veux-tu encore pour... pour ce qu'il a fait à Olivier et Charles?

— Quand j'étais là-bas, à Vancouver, et que je pensais à mon frère, je le voyais toujours dans mes souvenirs en train de se faire violenter par papa. Encore aujourd'hui, j'ai du mal à m'enlever ces affreuses images de la tête. Le monstre, c'était notre père! Comment voulais-tu que Désiré devienne un être équilibré et bien dans sa peau? Il va encore en thérapie, je crois? N'est-ce pas là un bon signe d'espoir? Mieux vaut l'aider que de lui jeter la pierre.

— Comment sais-tu qu'il va encore en clinique? Qui t'a dit ça?

— Mes sœurs me l'ont écrit. Elles savent tout, maman, elles épient tout. Il faut dire qu'Andréanne les tient au courant des bons coups de leur frère. Ta sœur travaille pour toi, ne crains rien.

— Veux-tu entendre qu'il n'existe pas de raison de croire au retour de tes trois sœurs et de leurs petits?

— Comment pourrais-je le savoir? Leur colère est justifiable, leur prudence aussi. Je ne suis pas surprise de la réaction draconienne de Nicole et d'Isabelle, c'est leur genre. Mais de la part de ma jumelle Marie-Claire, cela me surprend de la voir couper les ponts, surtout qu'elle n'a pas d'enfant... »

Florence prit une courte inspiration et posa la question qu'elle retenait depuis l'arrivée de sa fille, en posant la main sur son poignet comme si ce geste pouvait contribuer à la retenir auprès d'elle.

« Et toi, ma chérie, parle-moi de ce petit que tu portes là, dans ton ventre...

— Ce petit est l'enfant de Liu Won, un Chinois de Hong Kong venu pour affaires à Vancouver. Depuis un an et demi, j'ai pris l'habitude de le rencontrer à chacune de ses visites en Colombie-Britannique, soit environ quelques jours par mois. Une idylle amoureuse s'est développée entre nous. Du coup, j'ai vu en lui l'homme de ma vie. Je rêvais de devenir sa femme, j'étais même prête à m'expatrier jusqu'à Hong Kong pour le suivre. Hélas! l'oiseau rare s'est vite enfui dès qu'il a appris mon état. S'est envolé dans sa patrie pour ne plus revenir, le scélérat! J'ai appris de source sûre qu'il est toujours vivant et en santé, auprès d'une belle petite famille dont il ne m'avait jamais parlé. Le lâche s'est fait remplacer pour les transactions commerciales de sa compagnie au Canada. Les hommes sont tous des pissous!

— Ne dis pas cela, ma chérie. Les hommes ne sont pas pires que les femmes. Il s'en trouve des bons et des mauvais. Il s'agit de choisir avec discernement, je suis bien placée pour t'en parler! Mais je préfère te voir seule que liée pour la vie avec ce... cet être sans-cœur.

— Maman, pourrais-tu m'héberger le temps de me trouver un travail et un logement? Je n'ose demander à Nicole ou Isabelle. Elles ont déjà leurs maris, leurs enfants, leur vie organisée. Quant à Marie-Claire, c'est une autre histoire...

— Comment cela?

— Ma sœur a déjà assez de problèmes. Je n'ai pas envie de m'installer chez elle et de supporter les avances de son mari cavaleur, moi!

— J'ignorais cela! »

Marie-Hélène ne remarqua pas l'effet néfaste de ses dernières paroles sur sa mère et poursuivit le fil de sa pensée.

« Après la naissance du bébé, j'ai l'intention de retourner au boulot. Je peux très bien gagner ma vie et celle de mon enfant avec mon métier, tu sais. »

Florence pressa sa fille sur son cœur. Cette demande représentait pour elle un cadeau du ciel inespéré en ce début d'hiver prometteur de solitude et de froidure. Bien sûr que Marie-Hélène était la bienvenue! Mais la pensée de l'autre jumelle aux prises avec des problèmes de couple jeta néanmoins de l'eau sur le feu.

L'aube trouva les deux femmes endormies et serrées l'une contre l'autre sur le vieux sofa du salon. C'est Marie-Hélène qui se réveilla la première et saisit doucement la main de sa mère pour la porter sur son ventre.

«Maman, le bébé bouge! Le sens-tu? Tu as un petit-fils bien vivant, ici, ce matin, dans ta maison! Ou peut-être une petite-fille?»

Chapitre 6

24 avril 1967

Quand elle a sonné à ma porte, Nicole m'est apparue déchaînée par la rage. Elle brandissait très haut la série de contes dactylographiés signés « De ta grand-mère qui t'aime », trouvés sur le bureau de Charles.

J'avais pourtant bien recommandé au garçon de dissimuler ces écrits. Le pauvre a dû les oublier quelque part, et Nicole n'a pas manqué de l'interroger sur leur provenance. Devant son air coupable, elle a dû lui faire avouer la vérité, toute la vérité, sur les rencontres, les lettres, les appels téléphoniques, le cadeau de Noël, tout!

Ma nièce hurlait plutôt qu'elle ne parlait. Il était hors de question de laisser son fils garder des liens avec ce monde pourri! Même à travers d'innocents contes pour enfants. Elle refusait catégoriquement de laisser Charles rencontrer sa grand-mère, ni chez moi ni ailleurs, à son insu et sans sa permission! À l'entendre, je l'avais flouée, et ne valais guère mieux que ma sœur! Elle ne me ferait plus jamais confiance!

Je l'appelai au calme et lui expliquai en long et en large que Charles n'avait vu Florence qu'ici, en présence de Samuel, et sans jamais avoir croisé Désiré. Elle n'avait pas le droit, ni elle ni ses sœurs, de priver leur mère de ses petits-enfants. C'était une honte! Elles avaient dû hériter cet esprit infâme de leur père, tiens!

Elle ne voulut rien entendre. « Ce qui s'est passé est trop sérieux, je ne pardonnerai jamais! » Telle fut sa réponse radotée sur tous les tons. Réponse de mère traquée, prête à tuer tout ce qui bouge pour défendre ses petits... Réponse bien compréhensible, au fond!

Je voulais respecter son choix, mais devant son obstination et son refus de considérer mes arguments, je me sentais capable de requérir les services d'un avocat pour défendre les droits de ma sœur si jamais Nicole et Isabelle détruisaient définitivement les liens entre Florence et Charles. Au moins avec cet enfant-là... Les autres, on y verrait plus tard. Florence a des droits de grand-mère et elle a moralement besoin de rencontrer son petit-fils de temps à autre pour survivre. Rien de plus normal et de plus légal. Il y a toujours bien des limites à la vengeance!

Je savais pertinemment que Florence refuserait en tous points d'aller réclamer la présence des siens devant un juge, flanquée d'un parfait étranger habillé en avocat! La tendresse ne se force pas à coups de règles juridiques. Et j'ignorais totalement si elle avait la moindre chance de gagner selon la loi. Si jamais une loi existe à ce sujet!

Mais la menace de poursuite judiciaire a eu raison de Nicole. Elle a fini par baisser pavillon et accepter que Charles continue de venir en visite chez moi, à l'occasion, à la condition de ne jamais le laisser en présence de Désiré. Je ne suis pas folle! Comment pouvait-elle croire que je prendrais de tels risques?

Je tentai de la rassurer et jurai que Désiré n'apparaît à peu près jamais dans le décor. Elle devait arrêter de voir son frère comme une créature monstrueuse et puante. Il a commis de graves erreurs, certes, mais il s'est racheté depuis. Elle devait au moins admettre cela. Il s'est repris courageusement en main, il gagne sa vie honnêtement et, de plus, il s'occupe gentiment de sa mère, lui!

Nicole se contrefichait de Florence. Incapable de lui pardonner, elle la tenait aussi responsable que Désiré, en quelque sorte, des agressions sur son fils et le mien. Responsable aussi de la jeunesse délinquante d'Olivier. « Ton fils n'est pas détraqué pour rien... » Elle se montra effarée à la pensée de Marie-Hélène sur le point de mettre un bébé au monde dans cette maison-là. La maison du diable...

Dans un certain sens, elle n'avait peut-être pas tort. Si une certaine part de responsabilité incombait à ma sœur, elle avait l'excuse de l'inconscience et de la négligence involontaire, je n'en doutais pas un instant. Cela ne méritait pas notre condamnation, toutefois. Quel être humain pouvait jurer de ne s'être jamais trompé? Tant pis pour mes nièces si elles choisissaient de vivre avec la rancune, ce sentiment plus nauséabond qu'une crotte sur le cœur!

Après le départ de Nicole, je ramassai les huit contes éparpillés sur le plancher. Elle les avait lancés avec rage avant de claquer la porte. Je les rangeai soigneusement dans mon coffre aux trésors avec les chansons offertes par Florence à Noël. Hum! mieux vaut ne jamais raconter cette scène à ma Flo, elle en aurait trop de chagrin. Le silence est d'or, paraît-il.

Quelques minutes plus tard, un haut-le-cœur s'empara de moi et, secouée de sanglots, j'allai vomir le trop-plein visqueux de mon écœurement.

Chapitre 7

Si sa vie, ces derniers temps, s'était écoulée platement comme les eaux boueuses d'un long fleuve trop tranquille, Florence connut néanmoins quelques remous avec l'arrivée de Marie-Hélène.

La jeune femme, pétillante et débordante d'énergie, mit la maison rouge sens dessus dessous en quelques jours, jonchant les meubles d'objets disparates, oubliant sa blouse sur la rampe de l'escalier, ses bottes au milieu de l'entrée, la vaisselle sale sur le comptoir. Elle faisait fonctionner la radio à tue-tête dès son lever et ne la refermait que le soir. Trop contente de découvrir les beautés de la chansonnette française inexistante à Vancouver, elle apprenait les chansons par cœur à force de les turluter à voix haute à longueur de journée. Elle n'avait pas mis de temps à se dénicher une voiture d'occasion pour sortir, incapable de rester enfermée plus d'une journée dans ce qu'elle appelait le «terrible et délicieux isolement de la campagne». Elle sollicitait sans cesse sa mère pour l'accompagner dans les magasins à la recherche de la couchette de bébé la plus confortable, des couvertures les plus douces, de l'édredon le plus joli, des pyjamas les plus douillets.

Florence se laissait trimballer, donnait son opinion, portait les paquets, savourait chaque instant. La vie revenait enfin, et reprenait ses droits. Soudain, elle avait trente ans de moins, elle attendait un bébé. L'avenir lui appartenait. Enfin, elle pouvait y croire, rêver, espérer, attendre un événement heureux prévisible, réaliste et concret. L'envie lui prenait de tout chambarder dans la maison, repeindre les murs, tout décorer à neuf. La grand-mère assassinée revivait enfin et reprenait des couleurs. Le miracle s'accomplissait pour la plus prodigieuse des résurrections.

Même Désiré se laissait prendre à l'effervescence et avait timidement offert ses services pour fabriquer un berceau, une table à langer et, pourquoi pas, une chaise haute. Florence s'était débarrassée de ces objets, l'automne dernier, lors d'un retour du village avec, à la main, deux enveloppes adressées à Nicole et à Isabelle. Les lettres étaient revenues par la poste sans avoir été ouvertes, une fois de plus. C'en était trop! Ce jour-là, elle avait envoyé ses filles au diable et, de rage, avait fracassé les meubles d'enfant de la maison sur le tronc du grand érable, près de la maison.

Pour la première et unique fois de sa vie, Florence Coulombe avait perdu le contrôle sur elle-même. Elle avait frappé l'arbre de toutes ses forces avec la chaise haute de bois et les montants de la couchette, encore et encore en expirant bruyamment à chaque coup. Ces gestes de rage l'avaient soulagée et libérée de cette souffrance qui lui tordait le cœur et les entrailles. Ses filles ne voulaient plus venir? Elles ne voulaient plus lui amener leurs bébés? Soit! Elle n'avait plus besoin de ces objets encombrants dont l'immobilité et l'inutilité la narguaient constamment. Elle avait ensuite ramassé les débris épars et les avait brûlés un à un sur la plage en l'absence de Désiré. Perdu dans sa bulle, il ne s'était jamais aperçu de leur disparition, de toute façon.

De temps à autre, Marie-Hélène recevait une enveloppe oblitérée de timbres d'origine chinoise. Ces missives intriguaient Florence, mais elle n'osait s'informer si elles provenaient du père de l'enfant ou d'une vague copine. La future mère restait très discrète à ce sujet et n'en parlait guère. Ce silence inquiétait Florence encore davantage. Sa fille paraissait très à l'aise financièrement et, curieusement, semblait ne plus éprouver de révolte à l'égard du Chinois pour sa fuite et son lâche abandon. Aurait-elle renoué avec lui sans en parler? S'agissait-il de chèques? Reconnaissait-il enfin sa paternité? Peut-être avait-il l'intention d'immigrer au Québec?

Tant d'interrogations s'agitaient dans son esprit. Les réponses se trouvaient à l'intérieur de ces enveloppes qu'évidemment Marie-Hélène se gardait bien de laisser traîner. Florence se dit que le temps, à sa manière, finirait bien par lui dévoiler la vérité. Tout cela ne la regardait pas, mieux valait ne pas s'en mêler.

Les choses paraissaient différentes quand Marie-Hélène rendait visite à ses sœurs, à Berthier. Florence, qui croyait avoir réussi à tirer un trait définitif sur elles et leurs petits, la regardait partir chez l'une ou chez l'autre avec un pincement au cœur. Elle aurait tout donné pour l'accompagner. Timidement, elle lui confiait un gâteau ou une boîte de sucre à la crème. «Pour les enfants...» recommandait-elle d'une voix faible. Au retour, Marie-Hélène ne reparlait jamais de ces modestes offrandes. Comme si de vulgaires friandises allaient suffire à détruire des barricades devenues infranchissables et à sortir la famille de l'impasse dans laquelle elle s'enlisait de plus en plus!

Elle ne cessait de bombarder sa fille de questions dès son retour. Les garçons d'Isabelle avaient-ils grandi? Comment réussissait-elle à concilier sa vie familiale et son nouvel emploi dans la pépinière de son mari? Et pour les filles de Nicole, comment ça allait à l'école? Et son Charles, son amour de petit-fils, s'ennuyait-il un peu de sa grand-mère? Et la jumelle Marie-Claire, allait-elle enfin se décider à avoir un petit?

Marie-Hélène répondait évasivement sans trop

donner de détails, jetant sur sa mère un regard empathique empreint de désolation.

«Pauvre maman, tu te fais du mal pour rien. Mes sœurs ne méritent pas que tu te tracasses de la sorte pour elles.»

Florence baissait la tête et s'en allait en reniflant. Au moins, il lui restait Charles. Elle l'avait revu chez Andréanne à de trop rares reprises, et elle avait reçu comme une grâce ces moments de douceur qui auraient dû normalement faire partie de sa vie ordinaire.

Un jour, Marie-Hélène lui avait rapporté une carte écrite de la main du garçon.

Bonjour grand-maman, je m'ennuit de toi et j'ai âte de te revoir. J'ai perdu les contes que tu m'a donné l'autre jour, pour noël. Pourrait-tu m'en écrire d'autres? Ils sont un peu bébé mais je les aimes pareil.
Charles qui t'aime

Il n'en fallait pas plus pour que Florence se remette à l'écriture malgré le brouhaha dans lequel la tenait Marie-Hélène. Tant pis si ses histoires ne convenaient plus à Charles devenu trop grand; ses autres petits-enfants, tous plus jeunes, les liraient peut-être un jour, qui sait?... Pendant des heures, tard le soir ou tôt le matin, dans le silence de sa chambre, elle laissait sa plume tracer d'émouvantes historiettes. Dissimulés dans l'écrin des mots, ses aspirations, ses désirs, ses rêves s'exprimaient inconsciemment et coulaient de source. Douce-Claire, la brebis blanche, se réconciliait avec le vilain bélier et mettait finalement au monde d'adorables agneaux de laine; le vieil écureuil grincheux Zieuvert se réconciliait subitement avec sa famille; la grand-mère lapine Flo-Flo partait en excursion avec son petit-fils; la mère renarde Mirlène, après de multiples périples, revenait d'une région éloignée pour élever sa progéniture dans son ancien patelin.

Cette dernière inspiration au sujet de la mère lointaine faisait toutefois frémir Florence. Et si la renarde s'emparait du petit et l'amenait dans son pays éloigné sans considération pour la grand-mère? Elle imagina une fin heureuse à l'histoire et cela la rassura quelque peu.

Le jour, pendant ses temps libres, elle recopiait les textes sur sa machine à écrire, le dictionnaire sur les genoux et le regard perdu vers quelque paysage issu de son imagination. La musique ne jouait plus son rôle de défoulement dans la vie de Florence Coulombe, elle avait cédé la place à l'écriture en train de rafler tous ses intérêts et son énergie. Parfois, Marie-Hélène venait la retrouver avec un café fumant.

« Qu'est-ce que tu écris là, maman?

— Oh! pas grand-chose... Des histoires pour enfants.

— Ah! oui? Je peux les lire?

— Euh... elles vont t'ennuyer. Ce sont des récits banals pour bambins de six ou sept ans. Je m'amuse simplement, pour passer le temps.

— Laisse-moi voir. »

Cela ne plaisait guère à Florence de laisser sa fille lire ses écrits sans doute maladroits et mal rédigés. Seul Charles y avait un droit de regard. Lui seul. Et, un jour, qui sait, les autres petits-enfants... Ces histoires la confirmaient en quelque sorte dans son rôle de grand-mère, et Marie-Hélène n'avait pas le droit de s'immiscer dans ses affaires personnelles. Elle lui tendit la pile de feuilles avec une certaine hésitation et se mit à l'observer, en train de lire assise à califourchon sur le bras du divan.

Des deux jumelles en bas âge, c'était Marie-Hélène la plus hardie et la plus espiègle, toujours sur une patte ou sur l'autre, celle qui exploitait sa sœur sans vergogne et la menait constamment par le bout du nez. Marie-Claire, plus douce et plus passive, ne protestait même pas! Encore maintenant, malgré sa grossesse avancée, Marie-Hélène trouvait le moyen de bouger continuellement, à en étourdir sa mère. Comment arriverait-elle à élever son enfant toute seule financièrement, affectivement et psychologiquement? Florence se promettait de l'aider, bien sûr, mais la jeune femme ne passerait certainement pas sa vie à Mandeville. Tôt ou tard, elle partirait, elle dont l'univers semblait aux antipodes de celui de Florence et de Désiré. Elle l'avait dit d'ailleurs: «Je resterai le temps de me trouver un emploi et un logement.» De toute évidence, cela sous-entendait un départ après la naissance de l'enfant.

L'autre jour, elle avait amené sa mère magasiner à Montréal, «dans l'ouest». Florence n'en revenait pas de la voir converser en parfait anglais avec les vendeuses du magasin Eaton's. Chez Ogilvy's, l'établissement le plus cher en ville, elle s'était acheté, sous le regard horrifié de sa mère, un foulard d'une valeur de cinquante dollars en solde à quarante. Ce fut plus fort qu'elle, Florence ne put retenir un cri de protestation.

«Deviens-tu folle, Marie-Hélène? Tu peux te procurer des foulards à cinq dollars dans tous les commerces de la rue Sainte-Catherine. Pourquoi payer un tel montant, c'est de la pure folie!

— T'inquiète pas, maman, j'ai les moyens.»

Non seulement elle avait acheté le fameux foulard, mais elle y avait joint, sur le comptoir, la broche de rubis en forme de coquelicot sur laquelle Florence s'était pâmée à l'entrée du magasin. Puis elle tendit le foulard et le bijou à sa mère.

«C'est pour toi, maman. Pour te remercier de ton hospitalité.»

Émue, Florence serra longuement le bijou dans sa main. Sa fille pouvait-elle se douter qu'autrefois, à l'âge de dix-sept ans, elle brodait des coquelicots sur des taies d'oreiller en rêvant au bonheur? Tiens! Elle devrait écrire l'histoire du lièvre tombé malade d'avoir mangé trop de coquelicots. Les coquelicots ne sont pas bons à digérer...

Marie-Hélène interrompit brusquement sa lecture et fit sursauter sa mère perdue dans ses pensées. Elle brandit en l'air l'un des textes.

«Mais ces contes sont merveilleux, maman! Même à mon âge, ils m'ont captivée! Cette histoire de retrouvailles dans une famille d'écureuils, c'est génial. Où donc prends-tu tes idées?

— Je ne sais trop...»

Elle se garda bien de préciser leur origine dans les fantasmes qui hantaient ses nuits et les rêves qui, au bout du compte, la maintenaient en vie. Au fond, ses contes exprimaient tout ce qui fermentait sous le couvert du silence et qu'elle n'arrivait pas à exprimer tout haut. Elle le prêtait à des créatures innocentes comme des lapins ou des souris et l'offrait comme un bouquet à l'être le plus cher de son existence. Charles interprétait ces histoires anodines au premier degré pour l'instant et, avant longtemps, elles l'ennuieraient. Mais plus tard, avec le recul, qui sait s'il ne décèlerait pas entre les lignes la vérité des drames qui les avaient inspirées?

«Tu devrais essayer de les publier, maman.

— Jamais de la vie! Je n'écris aucunement dans ce but-là.»

Chapitre 8

28 avril 1967

Dans son message d'ouverture de l'Exposition universelle de Montréal, le maire Drapeau a souhaité la bienvenue chez nous à tous les étrangers. Il ne croyait pas si bien dire puisque, ce jour-là, non seulement la petite Lili a fait son entrée au monde, mais son père de Hong Kong s'est manifesté de façon inattendue. Florence ne savait plus où donner de la tête, semble-t-il, en voyant apparaître le Chinois dans sa porte, à l'instant même où elle s'apprêtait à partir pour l'hôpital avec une Marie-Hélène déjà en douleurs et un Désiré passablement énervé d'avoir à conduire tout ce beau monde à Joliette.

Mais tout s'est bien passé, la mère et l'enfant, le père, l'oncle et la grand-mère s'en sont tous bien tirés et, selon les dires des infirmières, Lili a compté parmi les bébés les plus mignons de la pouponnière.

Le baptême s'est avéré une autre histoire. Liu Won, bon prince, a accepté de laisser baptiser chrétiennement sa fille malgré sa propre adhésion à la religion bouddhiste. Croyant bien faire et considérant ma maison comme un territoire neutre vis-à-vis de la famille Vachon, j'ai pris l'initiative d'organiser la réception chez moi après la cérémonie à l'église. Je voyais là une occasion en or pour ma Flo et son fils de renouer avec les autres. Qui sait si après avoir assisté au cérémonial du renoncement à Satan et à ses pompes, les rancunes ne tomberaient-elles pas d'elles-mêmes?

Balivernes! Il n'en fut rien, et absolument rien ne tomba! Les trois filles de ma sœur se présentèrent à l'église accom-

pagnées de leurs conjoints mais sans leurs enfants. Je les avais pourtant invités avec insistance. Devant leur mère et leur frère, ni Nicole, ni Isabelle, ni Marie-Claire ne bronchèrent. Aucune salutation, aucun signe de tête, aucun regard. Elles avaient choisi de rester de glace et d'ignorer complètement leur présence dans le banc de l'autre côté de l'allée.

Florence le prit durement. Flanquée de Désiré, dressée comme un coq et essayant de se concentrer tant bien que mal sur la cérémonie où Marie-Claire et son mari faisaient office de parrain et de marraine. Je la vis se mordre les lèvres et serrer les poings à s'en blanchir les jointures.

À un moment donné, elle fit un geste sans équivoque qui dut tuer dans l'œuf, je n'en doute pas un instant, la moindre chance de rapprochement de la part de l'une de ses filles, si jamais il en avait existé une. Elle passa allègrement son bras sous celui de Désiré et se serra contre lui avec ostentation. À bon voyeur, salut! Si jamais l'un ou l'une parmi les siens tentait un pas vers elle, il le ferait vers la mère et le fils ensemble, ou pas du tout!

Ils ne le firent pas du tout, à part Marie-Claire et son mari qui acceptèrent timidement de venir prendre un verre chez moi, à la santé de Lili. Fonction baptismale oblige... Sur le parvis de l'église, les autres serrèrent la main de Marie-Hélène et de son Chinois, leur offrirent leurs présents emballés de papier rose et s'esquivèrent au plus vite en s'excusant maladroitement de ne pouvoir assister à la fête chez moi. Ils n'ont même pas daigné diriger un simple regard vers Florence. Je leur aurais tordu le cou!

Ma sœur les regarda partir en silence, sans protester. En y repensant longtemps après, je me demande si son visage ne portait pas, à ce moment précis, l'ombre d'un obscur sentiment de haine que je ne lui avais jamais connu. Aussi bien comme ça! Elle devra bien, un jour, accepter l'évidence. Chose certaine, l'envolée joyeuse des cloches a eu l'effet d'un glas sur chacun de nous.

C'est Olivier qui brisa la consternation et ramena un peu de couleur sur les visages en les envoyant tous au diable avec leurs bébittes! « Ça nous fera plus de champagne à boire, voilà tout!» Les bébittes des uns et le champagne pour les autres ont eu le mérite de dérider la petite assemblée.

À l'entrée de ma maison, Marie-Claire parut mal à l'aise en présence de Florence et de Désiré. Dès le début du drame, en l'absence de sa jumelle, elle avait adopté l'attitude hostile de ses autres sœurs. Mais au fond, elle ne possédait pas d'enfant et n'avait rien à voir directement avec les gestes de son frère et la dissimulation de sa mère. Pourquoi étirer sa rancune jusqu'à la fin de sa vie et détruire définitivement les liens entre elle et Florence? L'alcool aidant, la tension finit par se relâcher, les langues, se délier, les attitudes, redevenir plus naturelles.

On commença par se dire des banalités et parler de température et de politique. À un moment donné, Florence et Marie-Claire se sont penchées au-dessus du berceau en même temps, tout à fait par hasard. Mais était-ce bien le hasard? La marraine s'empara du bébé et le pressa d'abord sur son cœur. Puis, réalisant que ma Flo se trouvait à côté d'elle, elle le lui tendit spontanément. «Tiens, maman, tu mérites bien ton rôle de grand-mère. Prends-le, il t'appartient un peu, ce bébé-là!»

Florence eut alors un geste que je n'oublierai jamais: elle a ouvert les bras et a enlacé longuement à la fois le bébé et Marie-Claire, cette fille trop longtemps absente et qu'elle croyait perdue à jamais. Je vis la jumelle se laisser couler contre la poitrine de sa mère et se mettre à pleurer silencieusement. Elles restèrent là devant tout le monde, muettes d'émotion et sans bouger, durant de longues minutes.

Miracle du pardon, de l'amour réinventé, de l'affection retrouvée. Miracle du petit enfant qui, dans son innocence, rapproche les têtes et répare les blessures qu'on croyait fatales. Miracle de la vie.

Olivier ouvrit une autre bouteille de champagne et ordonna de cesser de brailler. Le temps n'était-il pas à la réjouissance, que diable?

On se mit à rire. Et Liu, le Chinois, se bidonna plus haut et plus fort que les autres. À bien y penser, je me demande s'il a compris un traître mot de ce qui se passait...

Chapitre 9

Liu Won, pour de multiples raisons, semblait un personnage insaisissable. Il ne disait pas un traître mot de français à part son « *bohn-jeur médamme, bohn-jeur hemsieu* » qu'il prononçait fidèlement chaque matin devant Florence et Désiré avec moult courbettes. Les échanges se terminaient forcément là, affublés d'un éternel sourire. Avec sa face de lune et ses yeux bridés, on ne pouvait savoir si cet homme souriait ou était sérieux. Il avait quarante-deux ans, mais on lui en donnait quinze de moins. À peine deux ou trois fils d'argent striaient sa chevelure d'un noir brillant. Florence se demandait si Lili ressemblerait à son père. Pour l'instant, son teint légèrement bistre, le fin duvet de sa tête déjà foncé et ses yeux en amande pouvaient laisser croire que les caractères asiatiques l'emporteraient sur ceux de la race blanche.

Marie-Hélène semblait fort amoureuse du père de l'enfant et tenait avec lui de longues conversations en anglais dont ni Florence ni Désiré ne comprenaient grand-chose. Avec le retour du beau temps, il fut décidé que la petite famille habiterait le chalet de la plage, en attendant de prendre une décision sur l'orientation de leur avenir. Désiré avait retapé et habité la cambuse quelques années auparavant, et il suffit de quelques heures de corvée où tous y mirent la main pour la rendre de nouveau habitable.

Le couple semblait y couler des heures heureuses,

mais restait plutôt discret sur ses projets. Florence apprit que Liu était propriétaire, à Hong Kong, d'une grosse compagnie d'exportation de textiles à l'échelle mondiale. Le Canada représentait un de ses plus importants clients. Marie-Hélène avait travaillé pour lui comme dessinatrice de mode à la succursale de Vancouver, et ils s'étaient épris l'un de l'autre. Hélas, l'homme était marié et possédait femme et enfants en Chine capitaliste. Tiraillé entre ses deux ports d'attache, il menait en quelque sorte une double vie. Malgré les chèques aux montants faramineux que son amant n'avait pas manqué de lui envoyer depuis le début de sa grossesse, Marie-Hélène refusait de jouer le rôle de second violon. Tôt ou tard, placé devant l'ultimatum, Liu Won devrait fixer un choix définitif.

Florence priait secrètement pour qu'il penche du côté de sa fille et, mine de rien, multipliait les gentillesses afin qu'il se sente accepté dans son futur pays d'adoption. Elle refusait d'envisager une vie sans père pour la petite Lili, et sans amoureux pour Marie-Hélène. « Pour une fois, Seigneur, pour une fois enfin, que les choses se passent simplement et normalement, sans heurt... » Elle adressait cette prière tout aussi bien pour elle-même que pour sa fille et sa petite-fille.

Vivre dans la paix, enfin... Elle le méritait bien! La colite ulcéreuse avait presque totalement disparu de son existence outre quelques crampes occasionnelles dans ses moments d'énervement. Désiré, quant à lui, donnait l'impression d'un semblant de sérénité inscrite dans sa petite routine tranquille et sans trop de soubresauts. À part les lundis et les jeudis où il se rendait à Montréal, il écoulait invariablement ses jours à Mandeville, le nez dans ses manuscrits scolaires, et ne quittait son bureau du grenier qu'aux heures de repas pour avaler silencieusement sa pitance.

La présence de Marie-Hélène avait quelque peu

chamboulé ses habitudes de célibataire endurci. Elle le dérangeait sans cesse pour poser un clou, réparer une bricole, donner un coup de main pour transporter un meuble. L'arrivée de Liu n'avait pas amélioré les choses. L'homme faisait plutôt collet monté, incapable de lever le petit doigt et fort malhabile de ses mains.

À quelques reprises, la jeune femme réussit à traîner son frère de force, ce bloc immuable, jusqu'à l'Expo 67 en compagnie de Liu et de Florence. On donnait parfois rendez-vous à Marie-Claire à la gare de l'Expo-Express, sur l'île Notre-Dame.

La jumelle semblait filer un mauvais coton. Florence apprit que le ménage de sa fille n'allait pas bon train. Francis, son époux, un bonhomme plutôt louche, n'était pas sans lui rappeler son défunt mari Adhémar. Indépendant, imprévisible, dragueur, il donnait l'impression d'un homme négligent et irres-ponsable. Marie-Claire n'avait pas d'enfant et sa mère en remerciait maintenant le ciel. Mais elle ignorait si cette infertilité s'avérait involontaire ou, au contraire, planifiée grâce aux pilules anticonceptionnelles nou-vellement mises sur le marché.

Il lui prenait l'envie, parfois, de la mettre en garde et de lui conseiller de laisser passer plus de temps avant de se lancer dans l'aventure familiale. Cet homme lui semblait le dernier des derniers aptes à remplir le rôle de père. Mais Florence n'osait s'aventurer sur ce terrain glissant si peu de temps après avoir retrouvé les bonnes grâces de sa fille. Toutefois, devant ses yeux rougis et son mutisme qui en disaient long, elle se promettait de briser ce silence à la première occasion.

Quand Marie-Claire se joignait au groupe sur les terrains de l'Expo, il lui arrivait d'emmener Charles, à la grande joie de Florence. On écoulait alors la journée à visiter les pavillons et à flâner le long des canaux, le bébé Lili dormant à poings fermés dans sa poussette et le jeune garçon tenant lieu de cavalier pour sa grand-mère. Florence s'émerveillait et n'avait pas assez d'yeux pour découvrir toutes les merveilles du monde concentrées sur ces îles enchanteresses. Elle redevenait la jeune fille d'autrefois fouinant dans ses livres d'histoire et de géographie en rêvant de faire découvrir le monde à ses élèves. Elle expliquait tout ce qu'elle connaissait à Charles avec l'impression d'en savoir très peu.

À bien y penser, elle n'avait pas découvert grand-chose de l'univers au cours de son éprouvante existence. À part Montréal, la ville de Québec constituait sa destination la plus éloignée. Et encore, elle ne s'y était retrouvée qu'une seule et unique fois! À ce moment-là, durant cette fin de semaine inoubliable et bénie des dieux, Vincent lui avait parlé de prendre sa retraite et de l'amener avec lui dans les «vieux pays». Là où fleurissent les vrais coquelicots... Elle avait repoussé cette offre du revers de la main pour ne pas abandonner son fils suicidaire qui ne méritait pas un tel sacrifice. Mais peut-être bien le méritait-il?... Désiré serait-il encore en vie, aujourd'hui, si elle avait obtempéré à la proposition du docteur?

Elle ne savait plus... Les soirs répétitifs où il soupait en tête-à-tête avec sa mère dans un silence complet avant de remonter à l'étage en lançant un «bonsoir» indifférent, non, elle ne le savait plus. Parce qu'elle avait le sentiment de ne pas représenter autre chose pour lui qu'un simple meuble dans la maison. Un meuble utile, voire nécessaire. Une machine à laver son linge et à préparer ses repas. Un meuble sur lequel il s'appuyait aveuglément. Un meuble à son service, mais un meuble tout de même, aussi précieux soit-il! Un quelconque mais indispensable meuble...

D'autres jours, par contre, quand Désiré semblait s'apercevoir de sa présence, quand il cherchait à se rendre utile, quand il offrait de la reconduire ou qu'il lui rapportait une boîte de chocolats, elle savait qu'elle avait fait le bon choix. Sur les terrains de l'Exposition, les rares fois où il avait accepté de l'accompagner et qu'elle le voyait savourer une bière glacée en compagnie de Liu pendant que mère et grand-mère s'affairaient autour du bébé, elle savait que, sans elle, cet homme-là n'aurait pas réussi, tout seul, à se reprendre en main pour mener une existence à peu près normale.

Elle n'avait jamais oublié sa tentative de suicide ratée alors qu'il avait vingt ans. Des lunes s'étaient écoulées depuis ce temps, mais qui sait s'il ne lui prendrait pas l'envie de recommencer un de ces jours? Pour aimer la vie, il faut y mordre à belles dents, vivre des expériences passionnantes, cultiver la fierté de soi, ne jamais quitter des yeux la petite lumière qui nous guide au bout des tunnels que le destin ne manque pas de jeter sur notre chemin de temps à autre. Il faut connaître l'amour au moins une fois...

Désiré, lui, semblait vivre en eaux tièdes et en terri-toire ombragé une existence égale, sans passions ni flammes. Trop égale et trop ordinaire! Trop neutre! Com-ment un homme cultivé et intelligent comme lui pouvait-il se contenter d'une vie aussi monotone et banale à la campagne, auprès d'une mère esseulée et inconsolable d'avoir été rejetée par certains de ses enfants? Florence avait au moins sa musique et, maintenant, l'écriture. Mais lui? Elle ne lui connaissait d'intérêt pour rien. À moins qu'il ne lui ait caché quelque liaison à Montréal... Sinon, comment pouvait-il se contenter de toutes ces heures, penché au-dessus d'ennuyeux manuscrits, traités de grammaire ou de philosophie vulgarisée pour adoles-cents absolument peu intéressés à les lire?

La venue de Marie-Hélène avait tout chambardé et bouleversé le programme, et l'ours s'était senti obligé de sortir plus souvent de sa tanière. L'ours? Tiens, tiens! Elle pourrait bien écrire l'histoire d'un ours un peu «malcommode» qui délaisse enfin sa grotte un bon matin pour aller découvrir le monde. L'ours Dési pourrait tomber amoureux de Bleucielle, vivre heureux avec elle et avoir de nombreux d'enfants! Pourquoi pas? Après tout, Désiré était aussi joli garçon que son père, et les Bleucielle ne devraient pas lui résister!

Florence retournait s'asseoir devant sa tablette à écrire et laissait couler ses rêves dans l'encre de son stylo. Là se trouvait maintenant son étincelle magique et rédemptrice. Quand elle relevait la tête, elle pouvait parfois apercevoir Liu Won en train de promener sa femme et son bébé dans la vieille barque, sur les eaux calmes du lac Mandeville. Allons! le bonheur restait possible...

***

Le père de Lili disparut aussi subitement et mystérieusement qu'il était apparu deux mois plus tôt. Marie-Hélène aurait sombré dans la dépression profonde sans la présence de sa jumelle Marie-Claire, celle d'Andréanne et, surtout, celle de Florence. Même son adorable poupée de porcelaine, déjà souriante à tout venant, n'arrivait pas à la tirer de sa torpeur. C'était Florence qui la portait sans cesse dans ses bras, la berçait continuellement, dormait avec elle, ne tolérait pas qu'elle pleure une seule seconde.

«Tu vas la gâter sans bon sens, maman!

— À cet âge, les enfants ont besoin d'être dorlotés. À tout âge d'ailleurs! Agrippe-toi à ta fille, Marie-Hélène, sinon tu vas perdre le goût de vivre. Un orage ne dure pas toujours, ne l'oublie pas. Lili représente maintenant ta planche de salut, une raison suffisante pour surnager. Profite donc d'elle chaque jour! Il ne faut rien manquer, tu ne sais jamais quand les choses vont changer...»

Bien sûr, elle faisait allusion à Nicole et Isabelle, deux de ses raisons de vivre d'autrefois. Elles aussi, elle les avait adorées, cajolées, dorlotées. Elle en avait profité... Elle se souvenait de certains soirs où, enceinte des jumelles, elle les avait bercées toutes les deux sur la berceuse de la cuisine, une de chaque côté, en attendant Adhémar qui s'obstinait à ne pas rentrer ou à rentrer à quatre pattes. Quand il rentrait! Elle aussi s'était accrochée à ses enfants comme à une bouée de sauvetage pour réussir à surnager dans les eaux tumultueuses où la maintenait son mari. Mais un jour, les adorables petites filles avaient grandi et s'étaient retournées contre leur mère comme si le temps des berceuses n'avait jamais existé. À cause d'une erreur involontairement commise. Une grave erreur. Celle d'avoir choisi le silence.

Mais que servait de ressasser le passé? Aujourd'hui, en cet été mil neuf cent soixante-sept, le temps présent de Florence redevenait de nouveau insupportable à cause, précisément, d'une adorable petite fille de trente ans qui pleurait la perte d'un amour dans les bras de sa mère.

Alors sa mère la berçait tendrement en même temps que sa petite-fille. Tant pis pour le reste!

Chapitre 10

10 mars 1968

Ma nièce Marie-Hélène a pris l'avion pour Vancouver hier après-midi, à l'aéroport de Dorval. Après avoir embrassé chacun de nous, elle a remis Lili entre les bras de Florence avec un sanglot. Puis elle a pivoté et franchi la porte presque en courant, sans se retourner. L'enfant comprit-elle ce qui se passait? Pour la première fois, elle balbutia «maman-ma-man», les yeux tournés vers le lieu où sa mère venait de disparaître.

Dommage, Marie-Hélène vient de manquer les premiers mots de sa fille, et elle va probablement manquer ses premiers pas, car Lili semble sur le point de marcher d'une journée à l'autre. Florence tenta d'exorciser l'angoisse de chacun en assurant que quinze jours, c'est vite passé, et que la petite n'aurait pas le temps d'oublier le visage de sa mère.

Ma sœur crédule s'imagine-t-elle vraiment que Marie-Hélène nous quitte pour seulement deux petites semaines? «Le temps de faire le point avec Liu Won et de prendre une décision définitive», a-t-elle répété à plusieurs reprises, au cours des adieux. Hé! J'ai ma petite idée là-dessus!

D'après moi, après neuf mois d'absence, le Chinois aurait très bien pu revenir au Québec pour «faire le point et prendre sa décision définitive»! Mais j'ai préféré ne pas donner mon opinion. Florence semble assez troublée comme ça. Marie-Hélène ne se rend pas compte à quel point elle a perturbé la vie de sa mère. L'arrivée impromptue, la grossesse, la naissance du bébé, la venue précipitée du père, son départ, la déprime et maintenant le gardiennage pour une période indéterminée.

Oh là là! Dire que Florence se plaignait d'une vie ennuyeuse!
En un peu plus d'un an, Marie-Hélène a tout bousculé.

Au fond, j'envie ma sœur. Enfin il lui arrive des choses positives! Ce bébé constitue un véritable rayon de soleil pour elle en remplacement des autres petits, disparus de sa vie à part son petit-fils Charles. Hélas! Nicole, la mère du garçon, a développé plus d'un tour dans son sac pour éviter les rencontres entre eux. Mes menaces de prendre un avocat ont perdu leur efficacité avec le temps. La finaude! Tous les prétextes sont bons: un rendez-vous chez le médecin pris «par erreur» à l'heure précise où je devais aller le chercher, la menace d'un mal de gorge non déclaré exigeant «absolument» le repos, une visite inattendue des grands-parents paternels venus de loin «exprès pour voir les enfants», l'ignorance crasse déguisée en «oubli involontaire» d'une date pourtant déterminée à l'avance depuis longtemps... Toutes les manigances méchantes sont permises pour entraver les rendez-vous de la grand-mère avec l'unique petit-fils qu'il lui est permis de rencontrer.

Néanmoins, le contact est sauvegardé. Florence continue de lui écrire des histoires, de longues et magnifiques histoires que je ne manque pas de savourer moi-même. Je me demande bien où elle prend toutes ces idées. Et le temps pour les écrire! Avec le bébé à soigner, la pauvre va devoir ranger sa plume.

Quoique certains écrivains travaillent mieux sous contrainte, paraît-il...

Chapitre 11

Les semaines d'absence de Marie-Hélène se comptèrent bientôt en mois, puis en années. Un peu moins de deux ans s'écoulèrent. La jeune femme téléphonait de temps à autre pour s'informer beaucoup de sa fille et un peu moins de sa mère. Réalisait-elle à quel point Florence se sentait harassée quand elle se couchait le soir?

Ce printemps-là, quand les outardes commencèrent à traverser le ciel de Mandeville en jacassant joyeusement, Lili contracta une mauvaise grippe qui tourna en pneumonie. Elle pleurait sans cesse, dormait mal et refusait de manger. Il fallut la conduire à la clinique la plus proche où on lui prescrivit des antibiotiques. Pour comble de malheur, elle développa une allergie au médicament et Florence la trouva, un matin, hurlante et couverte d'urticaire. Re-visite chez le médecin, re-examens, re-médication, et re-épuisement de la grand-mère gardienne.

Elle tenait le coup pourtant, vaille que vaille. Son amour pour l'enfant lui donnait tous les courages. Cet amour, et aussi le souvenir de Vincent, emporté trop vite par un infarctus. Le beau docteur lui manquait tout à coup, non seulement comme amant mais comme le précieux médecin de famille d'autrefois. Elle se rappelait sa vigilance et son empressement quand les enfants tombaient malades. Elle pouvait se reposer tout entière sur lui, il prenait la situation en main, se faisait à la fois réconfortant, protecteur et consolateur. Tandis que maintenant, Désiré faisait bien de son mieux, le pauvre, il s'offrait pour conduire sa mère et la petite à la clinique ou pour porter une ordonnance à la pharmacie, mais sa sollicitude s'arrêtait là. Il ne disposait d'aucune habileté pour rassurer sa mère.

Dans le secret de son cœur, Florence parlait souvent à Vincent. Jamais elle ne l'aurait avoué, mais le disparu existait toujours dans son esprit, omniprésent et bien vivant. «Tu ne m'as jamais abandonnée, Vincent, je le sais.» Plus qu'un souvenir, il demeurait son confident, son compagnon, son ami.

Le message, au cours des appels de Marie-Hélène, semblait répétitif:

«Maman, je ne rentrerai pas encore cette semaine... Liu a de nouveau besoin de moi, tu comprends.»

Florence comprenait que Liu Won s'avérait plus important que Lili, et elle se retenait pour ne pas détester cet homme. Là-bas, Marie-Hélène avait développé d'autres centres d'intérêt sans doute plus passionnants que le soin d'un bébé dans une région rurale, auprès d'un frère taciturne et d'une mère ordinaire. Pourquoi tardait-elle tant à revenir? Un enfant, ça a besoin de sa mère, bon Dieu de la vie!

Liu Won, paraît-il, instaurait une nouvelle compagnie chinoise en Colombie-Britannique afin de mettre sur le marché une collection dernier cri de vêtements haut de gamme. Si tout se passait bien, ils porteraient bientôt le sigle *Marie-Hélène*. Signature à consonance française, exotisme nord-américain, dessinatrice au talent prometteur, lignes audacieuses, qualité, exclusivité, tout pour plaire à une clientèle internationale exigeante qu'il fallait séduire et reconquérir à chaque changement de saison. Si cette collection de vêtements griffés de son nom marchait bien, l'avenir de Marie-Hélène et de sa fille était assuré.

Mais tout cela ne satisfaisait pas Florence. Au téléphone, elle insistait.

«Entretenez-vous d'autres projets, Marie-Hélène?

— Avec la compagnie? Oh oui! Tout semble aller sur des roulettes.

— Non, non! Je veux dire au sujet de... de Lili et... de ta petite famille?

— Pas encore, maman, mais ça viendra. Pour l'instant, nous sommes trop pris par notre travail. Tu fais bien la bise à ma fille, hein? Dis-lui que sa maman l'aime beaucoup. Je te rappelle dimanche prochain. Prends soin de toi, maman. Bye!»

Au bout de plusieurs mois, Florence comprit que sa fille ne reviendrait pas de sitôt, complètement obnubilée par la passion des affaires avec son conjoint chinois. La jeune femme annonça d'abord son départ pour Hong Kong en vue d'un stage d'information à la maison-mère de la compagnie. Elle partit ensuite pour un voyage de promotion dans les plus grandes villes du monde: Paris, Londres, New York, Rio, Tokyo.

Florence éprouvait une certaine hargne envers cet homme qui, sans vergogne, privait deux mères de, chacune, leur fille. Elle se sentait déçue, convaincue que Marie-Hélène ne faisait pas le bon choix. Qu'est-ce qu'une business en regard d'une enfant qui s'ouvre comme une fleur, un petit être fragile et sans défense qui ne demande pas mieux que ses parents pour l'aimer? Pour découvrir le monde avec elle? Pour lui enseigner à aimer la vie?

Florence prenait la relève et ne s'en plaignait pas trop. Tant pis pour Marie-Hélène! La grand-mère avait su redevenir une bonne mère. Redevenir? Pourquoi «redevenir»? Ne s'était-elle pas toujours comportée comme une mère convenable? Avait-elle tant dérogé autrefois? À bien y penser, sa famille ne paraissait pas particulièrement réussie. Les déviations sexuelles de son fils, la rancune de Nicole et d'Isabelle, et l'indifférence actuelle de Marie-Hélène envers son enfant démontraient, hors de tout doute, les maladresses de l'éducation reçue par leur mère. Bien sûr, la présence néfaste d'Adhémar n'était pas sans avoir eu des répercussions. Son héritage génétique, son alcoolisme, son exemple de mollesse et de libertinage, son détachement, ses infidélités, ses injustices, sa violence, sa fainéantise, ses mensonges, ses longues absences devaient bien compter pour quelque chose.

Tout de même... elle se trouvait là, elle aussi! C'était trop facile de tout mettre sur le dos du disparu. Jusqu'à quel point pouvait-on tenir les parents responsables des bévues de leur progéniture? Chose certaine, elle leur avait donné le meilleur d'elle-même, elle avait sincèrement fait de son mieux. « N'est-ce pas, Vincent? Tu le sais, toi! » Elle voyait, en la présence de Lili, l'occasion rêvée de se rattraper. Cette fois, elle ne commettrait pas d'erreur et elle n'échouerait pas.

Elle se le promettait, le soir, quand les appréhensions au sujet de l'enfant la maintenaient dans une sorte de demi-sommeil, déchirée entre le remords de sa négligence passée sur les problèmes de Désiré et l'attente interminable du pardon, entre le regret de n'avoir pu rien changer et la confiance envers le meilleur à venir, entre l'envie d'élever elle-même cette enfant et celle, plus conforme, d'insister pour la remettre entre les mains de sa mère. Toutefois, elle se demandait si la présence d'une fillette dans la vie mondaine de Marie-Hélène s'avérait la solution idéale. Quand une vie semblait se résumer en une série de cocktails, parades de mode, dîners d'affaires, discussions obsessives sur des questions de design ou d'argent, rencontres sociales à l'opéra ou au club de golf, restait-il une place pour une puce aux yeux noirs en amande qui tendait les bras, avide d'attention et de tendresse?

L'idée d'une séparation d'avec son adorable Lili la remplissait d'effroi. Ce petit bout de femme avait transformé sa vie. Elle la regardait trottiner allègrement dans la maison, pleine de vie. La perdre lui arracherait le cœur. Elle se languissait aussi de Marie-Hélène en passe de redevenir une étrangère. Trop d'éloignement et trop de silence...

Toutes ces pensées empêchaient Florence de dormir. Elle se tournait et se retournait sur l'oreiller sans arriver à trouver la paix du juste. Dans sa création boiteuse que le Christ lui-même avait qualifiée de «vallée de larmes», Dieu avait tout de même laissé aux humains un lieu de délices et de ressourcement incomparable, un lieu de repos absolu d'où l'homme revenait frais et dispos, prêt à réinventer un jour nouveau: le sommeil. Jamais, durant sa vie, Florence n'avait connu ce lieu de toutes les bienfaisances. Nuits de solitude, nuits d'attente, nuits de peur, nuits blanches, nuits de chagrin... Pour elle, trop souvent la nuit avait ressemblé à une vallée de larmes. Et le matin la trouvait invariablement fripée et les yeux cernés.

Cependant, depuis la venue de Lili, elle retrouvait son énergie et un appétit vorace de vivre dès le premier contact du matin avec l'enfant. Une caresse, une étreinte, une joue chaude contre la sienne, un éclat de rire au-dessus d'une rangée de quenottes brillantes, des petits pas qui traversent un rayon de soleil sur le linoléum frais ciré, un ourson de peluche qui monte la garde au pied de l'escalier, une menotte frêle réfugiée dans sa grande main ridée, et le bonheur réparait les mauvaises nuits de Florence pour redessiner tranquillement la suite des jours.

Marie-Claire venait faire son tour de temps à autre. La jumelle se montrait de plus en plus sombre et taciturne. Florence se demandait si la brisure entre elle et ses filles ne demeurerait pas éternellement irréparable. Marie-Claire avait pardonné, certes, mais elle s'obstinait à maintenir une certaine distance jamais comblée. Florence soupçonnait la présence de Désiré dans la maison de nuire à la reconstruction d'une relation saine et transparente avec sa fille. De toute évidence, elle en voulait encore à son frère. Il suffisait de le voir apparaître quelques minutes dans le décor pour qu'elle s'empare de Lili et la serre contre elle dans un geste inconscient de protection. Le pardon avait peut-être accompli son miracle, mais la méfiance demeurait, insidieuse et destructrice. Florence réalisait que cette hantise, autant que la haine, contribuait à désunir cruellement les membres de sa famille.

Un jour qu'elle était venue porter des bulbes de fleurs à sa mère, Marie-Claire s'était attardée auprès de Lili en train de jouer à l'extérieur. Elle se mit à lui chanter une comptine où il fallait faire une ronde, battre des mains puis lever les bras en l'air pour simuler le battement d'ailes d'un canard. À la fin, Marie-Claire faisait tournoyer la bambine en la tenant à bout de bras. Florence les entendait rire à travers la porte. Elle envia la force et la patience de sa fille. Elle-même n'avait pas ce zèle, trop vite fatiguée d'avoir à se pencher ou à soulever le poids de l'enfant. Depuis quelques jours, un mal de dos lancinant l'avait même obligée à ralentir ses activités. La jeune femme et la petite fille entrèrent en trombe dans la cuisine, le souffle court et le visage rayonnant.

«Maman, tu devrais me laisser garder Lili en attendant que Marie-Hélène vienne la chercher. Je pourrais l'amener à Berthier et...

— Marie-Hélène ne viendra pas la chercher, elle va revenir s'installer au Québec avec son Chinois.

— Tu crois ça, toi?

— Non, pas du tout... Mais je prie très fort pour ça!

— Pauvre maman, cesse de te fabriquer de faux espoirs!»

Marie-Claire reposa l'enfant par terre. Celle qui

s'égosillait à tue-tête quelques instants plus tôt devint tout à coup songeuse.

« Aucun homme au monde ne vaut la peine de se priver d'un enfant. Ma sœur commet une grave erreur en la laissant ici. »

Florence s'approcha et posa la main sur son épaule.

« Ça ne va pas, toi, hein? »

Il n'en fallut pas plus pour que se rompent des écluses trop longtemps retenues et qu'un torrent de larmes ne déferle sur le beau visage de la jeune femme.

« Francis est parti avec une autre femme sans m'avertir. Je suis sans nouvelles depuis deux semaines. Je n'en peux plus, maman, je n'en peux plus. Nous aurions dû avoir un bébé, cela l'aurait retenu à la maison.

— Rien de plus faux, ma fille. Ton père... »

Florence ne termina pas sa phrase. Que servait de ternir davantage le souvenir d'Adhémar déjà bien assez brumeux dans la mémoire de ses enfants?

« Je voudrais demander le divorce, maman. Cette vie m'est devenue intolérable. Mais je ne possède rien. Je n'ai ni métier, ni argent, ni endroit où aller... Prendre soin de Lili me changerait les idées, je t'assure!

— Viens demeurer ici, si tu veux, le temps de prendre une décision. Mais ne me joue pas le tour de t'en aller vivre à Vancouver, toi aussi!

— Merci de ton offre, maman, mais je vais plutôt me tourner vers Montréal. Il y a plus de possibilités de trouver du travail là-bas. »

Le même soir, comme tous les autres soirs d'ailleurs, Florence se réinstalla devant sa machine à écrire, une fois Lili endormie. Charles avait passablement vieilli ces derniers temps et, à cause de lui, les contes de la grand-mère s'étaient transformés. Les souris et les éléphants avaient cédé la place aux chevaliers, princes, fantômes et aventuriers de tout acabit, et les enquêteurs rivalisaient de finesse avec les guerriers, les découvreurs et les champions athlétiques. Florence ne trouvait plus l'inspiration dans ses propres expériences de vie mais dans son imaginaire en explosion où fourmillaient d'incroyables idées, à son grand étonnement. Quand la pénombre descendait sur le lac Mandeville, seul le clic-clic de la machine à écrire venait troubler le silence de la maison rouge, au rythme des aventures vécues par Florence soudainement devenue princesse, muse, marraine ensorceleuse ou policière.

Ce soir-là, pourtant, elle ne put résister à l'envie d'écrire l'histoire de la mère goéland partie pour un long voyage en délaissant son petit sur le bord de la falaise. Une vieille mouette le prit sous son aile et le protégea contre le vautour qui rôdait. L'histoire aurait pu mal tourner et le vautour n'en faire qu'une bouchée. Ou encore la mouette aurait pu s'occuper du petit et le défendre jusqu'à ce qu'il vole de ses propres ailes. Mais, malgré elle, Florence décida d'un dénouement différent et plus logique : par une nuit de pleine lune, la mère goéland revint secrètement chercher son petit. La pauvre vieille mouette, hélas! ne le revit jamais.

Une fois de plus, Florence eut du mal à s'endormir, obsédée par la pensée du petit oiseau menacé. Où donc se trouvait ce fameux danger? Et si Désiré était le vautour? Si, mine de rien, il guettait sa chance pour abuser de Lili? Olivier avait environ le même âge lors des premiers assauts du pédophile. La réaction de Marie-Claire pour protéger l'enfant en sa présence lui avait mis la puce à l'oreille. Non, non! Foutaises que tout cela! Désiré était guéri, le vautour n'existait plus. L'oiseau pouvait grandir paisiblement sous l'aile de la grand-mère mouette. Tant pis pour la nuit de pleine lune!

Le lendemain matin, Florence reçut en surprise un appel de Charles.

«Grand-maman? Ma mère est sortie, j'en profite pour t'appeler. Je m'ennuie de toi, tu sais. Beaucoup, beaucoup.

— Tu vas te faire attraper, mon grand. On va inscrire ton appel sur la liste des interurbains de ce mois-ci et, quand ta mère recevra le compte, elle va vite comprendre que tu n'as pas observé la consigne. Appelle-moi plutôt à frais virés.

— Vas-tu m'envoyer d'autres histoires bientôt?

— J'en ai écrit une, hier soir, pour les tout-petits. Je ne crois pas qu'elle puisse t'intéresser. Je vais plutôt l'ajouter à la série de contes pour enfants. Une histoire de mouette...

— Je veux la lire quand même. Je veux les lire toutes!

— Charles, je t'adore!

— Moi aussi, je t'aime, grand-maman.

— Je t'envoie mon conte par l'entremise de Marie-Claire. »

La vieille mouette se lissa les ailes. Malgré tout, la vie était belle.

Chapitre 12

6 novembre 1970

Colifichets, gants, accessoires pour les cheveux, babioles, rubans, quelques bijoux et eaux de toilette, et maintenant une collection de chandails et de foulards signés **Marie-Hélène**... *Si je ne réalise pas des affaires d'or avec tous ces alléchants articles pour dames, je fais aussi bien de fermer boutique! La marchandise griffée au nom de ma nièce est superbe. Et archi-chère! Cela me fait tout drôle de savoir qu'elle a été dessinée par Marie-Hélène et mise sur le marché par la compagnie de son mari. Ou plutôt de son conjoint. Et que ces produits se vendent à travers le monde. Oh là là! cela s'appelle une grande réussite!*

Pour ma part, ma petite réussite personnelle tient à de grandes décisions prises récemment. Tout d'abord, varier le choix de produits offerts dans mon magasin. Avec l'abandon de la pratique religieuse, les chapeaux se portent de moins en moins, à part les tuques et les bonnets de fourrure pour l'hiver. Ces dames envahissent maintenant le marché du travail et se soignent davantage avant de sortir de leurs maisons. Elles coiffent savamment leurs chevelures, se maquillent, se pomponnent, se parent de bijoux, ma chère, à qui mieux mieux... et à mon grand contentement d'entendre résonner plus souvent ma caisse enregistreuse!

Mon autre décision a été de prendre une semi-retraite. Finies les semaines de six jours écoulées exclusivement au magasin! Marie-Claire a pris la relève et elle s'occupe merveilleusement bien du commerce. Disponible, sérieuse, responsable, honnête, et belle par surcroît! Les femmes apprécient sa gentillesse, les hommes se cherchent des prétextes pour venir lui acheter un «petit rien pour leur blonde» et solliciter ses conseils. Un jour, j'en suis certaine, un beau monsieur viendra chercher un «petit rien pour sa mère» et attendra ma nièce à la fermeture pour lui offrir le présent. Elle a pris la sage décision de venir habiter à Montréal et, surtout, de demander le divorce. Ce Francis ne méritait pas une telle femme.

Ainsi donc, me voici libre comme le vent plusieurs jours par semaine. J'en profite pour me remettre à flot, faire du ménage, redécorer mon appartement et consacrer de nouveau du temps à la musique. Samuel, lui, continue d'accorder des pianos à temps perdu et de jouer du violon dans les mariages, banquets et grands restaurants.

Hier soir, justement, j'ai invité Florence à manger au nouveau restaurant **Altitude 737** de la Place Ville-Marie pour son anniversaire. De là-haut, on peut admirer un panorama fantastique sur la ville. Pour les prochains mois, Samuel y jouera du violon aux tables. Elle a refusé mon invitation, incapable de trouver quelqu'un pour garder Lili. Elle aurait pu la laisser à Désiré, pour un soir, cela ne l'aurait pas fait mourir, que je sache!

À vrai dire, je soupçonne ma sœur de redouter secrètement son fils. Elle n'a peut-être pas tort, une récidive reste toujours possible. S'il fallait... Ah! mon Dieu! Mon neveu me semble parfaitement guéri, correct, sobre et transparent, mais... sait-on jamais! On ne lui connaît pas d'amour, pas d'ami, personne d'autre que sa mère et son travail comme centres d'intérêt. Tout cela me paraît anormal. Qui sait si de la chair fraîche et innocente à portée de la main ne le ferait pas basculer de nouveau dans sa folie? Bien sûr, il choisissait autrefois ses victimes parmi les petits garçons mais... il ne faut pas tenter le diable! Je pense que Lili devrait retourner auprès de sa mère. Ma sœur ne le clame pas tout haut, mais... j'ai bien lu son conte sur la mère goéland!

Ma pauvre Flo, comme elle doit se sentir mal! Va-t-elle

devoir traîner ce cauchemar pour le reste de ses jours? Le temps des orages ne pourrait-il pas se terminer enfin dans sa misérable vie? Plus que n'importe qui, elle mériterait de vivre en paix.

Elle ne le sait pas encore, mais je lui ménage une surprise, une belle et extraordinaire surprise. La surprise du siècle.

Chapitre 13

Il passait deux heures du matin quand Florence se réveilla en sursaut. Une clarté rougeoyante tremblait au loin à travers la fenêtre de sa chambre. Elle bondit aussitôt sur ses pieds et vit avec horreur le chalet de la plage dévasté par le feu. Les flammes, activées par le vent, montaient jusqu'à la hauteur du toit.

Sa première idée fut de réveiller Désiré. Elle monta les marches quatre à quatre et appela son fils à tue-tête.

« Désiré, Désiré! Vite! Le chalet est en feu! »

Mais personne ne fit écho à ses appels. Elle avait beau frapper à grands coups de poing sur sa porte de chambre, rien ne bougeait. Elle décida d'ouvrir brutalement et resta un instant stupéfiée en constatant l'absence de Désiré. Même son lit n'avait pas été défait. Éberluée, elle redescendit aussitôt pour aller chercher Lili. Puis elle se ravisa. Pourquoi tirer l'enfant de son sommeil et la bouleverser sans raison? Elle n'encourait absolument aucun danger à dormir calmement dans la maison située à quelques centaines de pieds de la plage. L'incendie ne risquait pas de se propager ailleurs, malgré la bourrasque, le chalet se trouvant parfaitement isolé sur un sol de sable. Et personne ne l'habitait en ce moment.

Quoique... Qui sait si Désiré n'avait pas décidé d'aller dormir là, à la fraîcheur du lac, en ce soir de canicule? Jamais il n'avait agi de la sorte, mais cette idée saugrenue aurait pu le prendre tout à coup. Il se montrait si rembruni ces derniers temps... Mais alors? Peut-être était-il en train de brûler à l'intérieur? Il aurait pu s'endormir avec une cigarette allumée ou bien déclencher un court-circuit dans le système électrique désuet.

Elle se mit à courir vers le chalet en hurlant. Non, non, son fils n'allait pas périr dans ce brasier, voyons! Ce n'était pas possible! Il avait dû faire une promenade nocturne sur le grand chemin, cela lui arrivait de temps à autre. Il allait apparaître rapidement en entendant les appels désespérés de sa mère.

Elle se sentait prête à se jeter sur le brasier pour le sauver, mais dut s'arrêter à bonne distance à cause de l'intensité de la chaleur. Les flammes sortaient par les fenêtres et léchaient les parois et la corniche, dévorantes et insatiables. Elle dut se rendre à l'évidence : impossible de s'approcher davantage et encore moins de pénétrer à l'intérieur pour y chercher âme qui vive.

Impuissante, elle joignit les mains et se mit à prier en sanglotant. «Mon Dieu, j'ai peur. Sauve mon fils! Protège mon petit garçon!» C'est alors qu'elle vit, appuyé contre un arbre, un bidon vide. Que faisait-il là? Qui l'avait laissé traîner à cet endroit? S'en serait-on servi, par hasard, pour verser de l'essence sur le feu? Une main criminelle aurait-elle provoqué cet incendie? Le chalet n'était même pas assuré; qui aurait eu intérêt à l'incendier? Il s'agissait d'un vieux camp aux fondations à moitié pourries. On l'avait quelque peu retapé, certes, au moment où Désiré y avait séjourné pour un court laps de temps, jadis. Marie-Hélène et Liu Won l'avaient aussi habité, après l'arrivée de Lili. Mais le bâtiment n'avait aucune valeur.

Alors?... Quelqu'un leur en voulait-il au point d'y mettre le feu? Une des anciennes victimes de Désiré, peut-être? Après tout ce temps, c'eût été plutôt surprenant. Ou le voisin? Il avait entrepris la construction d'une série de petits chalets touristiques sur son terrain. La présence de cette chiotte dans leur champ de vision sur le lac nuisait sans doute à ses arguments de vente. À moins que des voyous incendiaires n'aient rôdé aux alentours à son insu. Mais Florence n'avait jamais vu personne.

Elle s'apprêtait à revenir à la maison en courant pour téléphoner aux pompiers quand une main l'arrêta net. Elle lança un cri d'effroi.

« Désiré! Ah! merci, mon Dieu! Tu es vivant! Je craignais que tu ne sois à l'intérieur... »

Elle se jeta sur lui et s'agrippa désespérément à sa chemise. Il resta impassible et ne prononça pas une parole, se contentant de caresser les cheveux de sa mère d'une main tremblante.

« Qui a fait ça, Désiré, qui a fait ça? Et pourquoi? Le sais-tu pourquoi? »

Il hocha la tête sans répondre.

« Tu te rappelles? Nous avions passé là tout un été à la naissance des jumelles. Andréanne était venue m'aider. Ce chalet était rempli de nos souvenirs.

— Justement! »

Il n'alla pas au bout de sa pensée, mais ce « justement » prononcé d'une voix rageuse fit sourciller Florence. Son fils avait certainement des souvenirs précis à enfouir... ou à brûler! Ce chalet avait été le témoin de moments émouvants ou pathétiques, mais il en avait vu d'autres aussi, plus troublants, dont des scènes assurément insoutenables. Non seulement Désiré y avait été battu par sa sœur Nicole pour avoir abusé de Charles à cet endroit, mais ces murs en train de brûler avaient également assisté aux viols dont Olivier avait été l'innocente victime pendant tout un été.

Florence se retourna d'un bloc et prononça intérieurement une malédiction en brandissant le poing. « Brûle donc, maudit chalet, et que le diable emporte ton souvenir dans l'oubli éternel!» S'il était vrai que le feu purifiait, c'en serait fini, enfin, avec toutes ces histoires sales.

Quand l'aube vint jeter quelque lumière sur les cendres noires et puantes et que Lili, encore chaude de sommeil, vint se blottir dans ses bras, Florence se dit que le chalet aurait risqué de devenir à nouveau un lieu de tentation pour Désiré. Cette bambine à la peau douce abandonnée sur sa poitrine pouvait paraître bien attirante pour le désaxé aux fantasmes fous. Évidemment, son fils avait réglé ces problèmes-là, mais il ne fallait pas jouer avec le feu, justement! Ce «justement» lui rappela celui, courroucé, prononcé par Désiré la nuit dernière. Et cela la fit frémir.

Elle se leva précipitamment et alla vérifier l'existence du bidon vide sous l'arbre. Peut-être avait-elle rêvé? Elle constata avec désarroi qu'il avait disparu. Abasourdie, elle mit quelques secondes à retrouver ses esprits et à se ressaisir. Puis elle serra les dents. Ah non! Cette fois, elle ne laisserait pas de place au doute et ne prendrait pas de risques. Aucun risque. Désiré verrait qu'on ne réglait pas des problèmes de pédophilie par un incendie. Il ne toucherait pas à Lili, il aurait à marcher sur le corps de Florence Coulombe auparavant.

À dix heures du matin, elle décrocha le combiné et demanda d'une voix ferme la communication téléphonique pour Vancouver. Avec le décalage horaire, il était sept heures du matin là-bas, elle ne risquait pas de rater Marie-Hélène.

***

Quand Désiré descendit de sa chambre, vers midi, il trouva sa mère en larmes, affalée sur la table de la cuisine, la tête entre ses mains.

«Qu'est-ce qui se passe, maman? Ne me dis pas que

tu pleures pour cette vieille cambuse dont nous voilà bien débarrassés. Un vrai nid à vermines!»

Elle se demanda à quelles vermines il faisait référence, mais préféra ne pas relever l'allusion.

«Désiré, Lili va partir pour Vancouver dès la semaine prochaine.

— Comment ça? Ma sœur vient subitement de dénicher des sentiments maternels au fond de sa poche?

— Ne sois pas méchant, Désiré. Elle et Liu ont maintenant une vie stable et bien organisée. Ils peuvent désormais s'occuper de leur enfant.

— Ce n'est pas trop tôt, la petite a presque quatre ans. Franchement!...

— Ma petite Lili va me manquer sans bon sens. Elle met tellement de vie dans la maison. Elle est mon rayon de soleil, mon trésor, mon ange, ma petite-fille adorée. Ma seule! La reverrai-je jamais? Vancouver n'est pas à la porte...»

Par la fenêtre de la cuisine, on pouvait voir la fillette se bercer sur la balançoire installée par Désiré sous les branches du grand érable. Ses longs cheveux noirs battaient au vent et on pouvait la voir tirer de toutes ses forces sur les cordages en soulevant le buste ou les jambes dans l'air pur et bleu. Tableau enchanteur, image charmante que Florence aurait voulu fixer à jamais au creux de sa mémoire.

«Mon amour...»

Désiré aussi gardait les yeux braqués sur la fillette. Florence crut déceler un certain attendrissement dans son regard, immobile et silencieux. Cette attitude lui déplut et sonna l'alarme de nouveau. Il n'avait pas le droit de la regarder avec douceur, il n'avait pas le droit de l'aimer, de s'émouvoir pour elle, de la contempler longuement en la trouvant belle. Les grands-mères disposaient de ce droit, pas les oncles! Pour les détraqués sexuels, existait-il une frontière entre «belle» et «désirable»? Entre «attachement» et «attouche-ment»? Ces cinglés hantés par leurs fantasmes et obsédés par l'idée d'établir un lien entre «désirable», «désirée» et «abusée»...

Non, pas ça! Elle n'avait pas le droit de songer à cela. Elle ne disposait d'aucune preuve, absolument aucune preuve. Qu'est-ce qui lui prenait tout à coup? Il suffisait d'un incendie mystérieux et d'un vieux bidon qui traîne pour réveiller des craintes morbides auxquelles elle ne pensait plus depuis des années. Elle n'allait pas se remettre à vivre ça tout de même! Cette fois, elle ne le pourrait pas. Elle se détesta d'entretenir de tels soupçons envers son fils.

Tout cela résultait de son imagination. Désiré n'avait pas récidivé depuis six ans, il gardait le parfait contrôle, se comportait de façon impeccable, conti-nuait de rencontrer régulièrement un psychologue, revenait fidèlement de Montréal à heures fixes. Pourquoi donc cette résurgence du passé, pourquoi se remettait-elle à trembler de frayeur en redoutant ce qui pourrait se produire de nouveau? Sans doute la haine de ses filles contribuait-elle à la prolonger, cette menace d'enfer dont le souvenir trop vivant, trop vibrant avait encore le pouvoir d'obscurcir le ciel de son existence.

Ce bidon sous l'arbre... Désiré aurait-il décidé de mettre le feu au chalet pour éviter d'avoir à le trans-former, une fois de plus, en un lieu de perdition, une tanière où libérer ses bas instincts? Et puis non! Pourquoi songer que ces bas instincts existaient tou-jours? Pauvre, pauvre Désiré... Même sa propre mère ne lui faisait plus confiance et refusait de croire à sa totale guérison. Le malheureux, comment arrivait-il à sur-vivre dans cet univers de méfiance et d'intolérance? Soudain, elle comprenait les raisons évidentes de son retranchement insolite, là-haut, dans le silence et la paix de son grenier. Là où personne ne le considérait d'un œil suspicieux.

Elle sentit son cœur se gonfler. Au fond, il valait mieux bénir le ciel pour cet incendie. Le vieux camp n'existait plus maintenant, et cela représentait une tentation de moins pour son fils, un danger de moins pour Lili, et une inquiétude de moins pour sa grand-mère.

Bien sûr, au téléphone, elle s'était gardée de confier ses véritables tourments à Marie-Hélène. Au lieu de cela, elle avait parlé de son extrême fatigue et de la recrudescence de la colite ulcéreuse, ce qui s'avérait totalement faux. Mais un pieux mensonge valait certainement mieux que d'énerver sa fille avec des doutes stupides et non fondés au sujet de son frère. Elle espérait que la jumelle comprenne entre les lignes que sa mère ne pouvait plus désormais s'occuper de Lili à temps plein.

Si le prix à payer était une séparation radicale pour éviter le retour de la tourmente et assurer la protection de l'enfant et, par le biais, celle de son oncle, Florence, magnanime, se sentait prête à faire face à ce supplice de la rupture. Bravement. Avec tout son amour de mère et de grand-mère.

«Tu parles d'une coïncidence, maman, j'allais précisément t'appeler cette semaine pour faire venir Lili à Vancouver. Il est temps de m'occuper de ma fille, tu ne penses pas? Liu, Lili et moi allons désormais former une vraie famille. Liu a choisi de devenir officiellement mon conjoint au détriment de son autre famille de Hong Kong. Il l'a définitivement quittée. Nous nous sommes acheté une maison sur le bord de la mer. C'est magnifique! Lili va adorer. Un jour, maman, tu vas venir. Je vais t'offrir ce voyage pour te remercier de tout ce que tu as fait pour nous.

— C'est moi qui me sens en dette envers toi, Marie-Hélène. Contrairement à deux de tes sœurs, tu es revenue dans ma vie, tu m'as pardonné et redonné ta confiance. Et surtout, tu m'as prêté ton adorable Lili. Tu as changé ma vie...»

«Et mon existence sans elle redeviendra la même qu'auparavant: une interminable série de jours ternes marqués au sceau de l'ennui et de la solitude...» faillit-elle ajouter. Mais elle s'en garda bien. Le règne du silence avait déjà recommencé.

On prit des arrangements pour la venue de Marie-Hélène dès la semaine suivante.

En écoutant sa mère évoquer d'une voix chevro-tante son appel du matin à Vancouver, Désiré eut un geste de compassion envers sa mère et posa sa main sur son épaule.

«Hum! Ce départ va faire mal à ce cœur-là, je pense.»

Elle se contenta de baisser la tête sans répondre.

***

Le même jour, après le repas du midi, Désiré ne monta pas immédiatement dans sa chambre. Florence le vit sortir et s'affairer tranquillement autour de sa voiture, sur le côté de la maison. À un moment donné, il souleva le capot et versa de l'eau dans le radiateur à l'aide du fameux bidon, celui-là même qu'elle soupçonnait d'avoir servi à verser de l'essence sur le feu. Il lança le reste de l'eau sur le toit du véhicule et se mit à l'essuyer avec un chiffon propre.

Elle ne put résister à l'envie de sortir sur le balcon.

«Que fais-tu là? Tu laves ton auto?

— Ouais... Mais je manque d'eau, la pompe sur le côté fait défaut.

— Où as-tu déniché ce bidon? Il me rappelle quelque chose.

— Il traînait sous la remise derrière le chalet. Il a

toujours été là, que je sache! Je m'en sers pour me dépanner. Hier soir, en revenant de la ville, mon moteur s'est mis à chauffer. Faute de boyau d'arrosage, je me suis servi de ce bidon.»

Florence se rappela qu'Adhémar, dans le temps de sa «run de lait», transportait des bidons semblables. Elle poussa un soupir de soulagement.

«Maman, tu devrais appeler la police au sujet du feu de cette nuit. Il faut éviter que ça recommence ailleurs. J'ai vu rôder des voyous sur la plage, l'autre soir, et leur ai dit de s'en aller.

— Tu leur as parlé?

— Oui, oui, je crois même avoir reconnu le fils du nouveau marchand général au village. Un vrai bum! Sa gang s'amuse à allumer des feux un peu partout dans la région. Ils ont fait brûler une vieille grange, la semaine passée, du côté de Saint-Didace, d'après ce qu'on raconte.»

Après avoir terminé le lavage de la vieille Ford, Désiré s'essuya les mains et remonta au grenier.

«Bon. Au boulot maintenant!»

Une fois assurée qu'il ne redescendrait pas, Florence s'en fut à l'extérieur pour s'emparer du bidon et se fourrer le nez dans l'orifice. Aucune odeur d'essence ne s'en dégageait. Elle rentra et demanda à la téléphoniste le numéro de la Sûreté du Québec.

Puis elle s'approcha de Lili pour lui dire que c'était l'heure de la sieste.

«Aujourd'hui, grand-maman va dormir à côté de toi.»

Elle s'allongea près de l'enfant et passa son bras autour d'elle en se disant qu'il ne lui restait plus beaucoup de temps pour répéter de tels gestes. Malgré une immense fatigue, elle n'arriva pas à dormir.

Chapitre 14

24 avril 1971

Ça y est! Notre Lili chérie s'est envolée avec sa mère pour la Colombie-Britannique, hier matin. À l'aéroport, ma sœur faisait pitié à voir, essayant de sourire à travers ses larmes. Une telle déchirure ne se répare jamais sans laisser de douloureuses cicatrices. Cette enfant a révolutionné positivement l'existence de sa grand-mère. La lui arracher aussi brutalement me paraît dur et cruel. Mais la mère a des droits, les premiers de tous les droits.

Tôt ou tard, ce départ devait se produire. Et il aurait dû se produire des années auparavant! Il n'incombe pas aux grands-mères de prendre en charge l'éducation de leurs petits-enfants, surtout quand les parents forment un couple uni, amoureux et heureux. Et riche par surcroît! Au moins, la sécurité financière de Florence est assurée: Marie-Hélène a promis de subvenir aux besoins de sa mère en guise de remerciement. Mais en matière de sécurité affective, il s'agit d'une autre histoire... Vancouver se trouve à l'autre bout du monde.

Au moment de se quitter et de prendre le corridor réservé exclusivement aux passagers, Marie-Hélène a sorti de sa poche une petite boîte emballée de papier argent, et l'a tendue à sa mère, accompagnée d'une carte. Sans doute avait-elle prévu que cette minute précise s'avérerait pénible pour nous tous, et elle a pensé créer une diversion à sa manière.

D'une main tremblante, Florence a défait le paquet, aidée par une Lili impatiente d'en découvrir le contenu. L'enfant lança un cri d'émerveillement devant les magnifiques boucles d'oreille de rubis en forme de fleurs. «*Pour accompagner ta broche en coquelicot, ton symbole du bonheur, d'après ce que tu m'as déjà raconté*», s'est empressée de souligner Marie-Hélène en insistant pour que sa mère lise la carte.

Trop émue, Florence a gardé le silence. Mais je voyais sa lèvre trembler. Les plus belles fleurs de l'univers ne remplaceront jamais la présence de sa petite-fille. Le bonheur restait à inventer, une fois de plus.

Sur la carte, un joli pélican rose s'élançait en tenant dans son bec un paquet enveloppé de langes. Le message manqua de faire défaillir ma sœur: l'annonce d'un autre enfant déjà en gestation dans le ventre de Marie-Hélène. Florence allait devenir grand-mère une fois de plus. Elle s'effondra.

Les larmes ont jailli sur tous les visages, mêlées de joie et de chagrin, on ne savait plus! Même mon Samuel et Désiré ont sorti leurs mouchoirs. Florence a retrouvé la parole, l'espace d'un instant, pour promettre à Lili de lui envoyer des histoires par la poste.

Ce furent ses dernières paroles pour sa petite-fille. Cinq minutes plus tard, les deux voyageuses avaient disparu derrière la grande porte. Un autre chapitre de la vie de ma sœur venait de se refermer.

J'avais prévu un repas à la maison, au retour de l'aéroport de Dorval. Pas question de renvoyer immédiatement ma sœur et son fils dans leur maison silencieuse de Mandeville. Si seulement j'avais reçu, moi aussi, ma bonne nouvelle tant espérée, ma belle surprise aurait pu la consoler et lui changer les idées.

J'attends cette réponse depuis cinq mois! Va-t-on finir par s'occuper de ma demande? À la première sonnerie du téléphone ou dès que j'entends le facteur laisser tomber du courrier dans la boîte aux lettres, je me dis que ça y est! Et mon cœur s'arrête de battre. Mais non... rien ne se passe. On a peut-être perdu mon envoi? À moins qu'on ne soit absolument pas intéressé?

On verra bien! Il faut croire au destin. Chaque chose surviendra bien en son temps.

Chapitre 15

10 mai 1971

Victoire! Tra-la-li-la-lè-re! Dieu soit loué! Florence va tomber sur le derrière quand elle va lire cette lettre envoyée à madame Flo D'Or, à mon adresse de la rue Sherbrooke, d'après un sobriquet que lui donnait notre mère durant son enfance.

Pas croyable, j'ai réussi ce tour de force... Et la coquine ne pourra pas refuser. ELLE NE DOIT PAS REFUSER. Il s'agira de la convaincre. Dire que Désiré ne se doute de rien... Eh! eh! Je me sens pas mal fière de moi! Florence ne pourra pas dire que sa sœur ne s'en fait pas pour elle.

Établissons d'abord une stratégie. Tout d'abord contacter Charles et lui annoncer notre réussite. Il va se sentir fou de joie. Après tout, il a collaboré généreusement en m'envoyant régulièrement tout le matériel. Devrais-je en glisser un mot à Désiré? Pourquoi pas? Cela lui ferait un velours de savoir que... Et puis, non! Le moins je le mêle à mes plans, le mieux ce sera.

Autre procédure méthodologique: sortir les portraits de tous les petits-enfants, ceux qu'elle a connus et ne connaît presque plus, et ceux des deux qu'elle connaît bien, Charles et Lili, et les glisser dans la même enveloppe mystérieuse. Après tout, ces petits anges-là n'ont rien à voir avec les disputes de leurs parents. Leurs photos serviront d'argument pour convaincre ma sœur que sa progéniture a bien droit à un héritage de la part de sa grand-mère. Rien de plus normal!

Demain matin, je me pointe chez Florence à la première heure. Ce sera parfait, elle sera seule, car Désiré vient à

Montréal le jeudi. Après le premier moment de surprise de me voir apparaître, elle va m'offrir gentiment de prendre un café. Je sortirai alors l'enveloppe de mon sac à main en lui recommandant de bien s'asseoir.

J'imagine son air interrogateur en lisant le nom de la destinataire et surtout, surtout, celui de l'expéditeur. Eh! eh!

Chapitre 16

Contrairement à ses habitudes, Désiré entra bruyamment dans la maison en affichant un air éminemment excité. Un bœuf braisé à la suisse mijotait à feu lent depuis quelques heures et imprégnait la maison d'une odeur à réveiller les appétits les moins voraces. Il déposa une bouteille de cabernet sauvignon sur la table.

«Salut, m'man! Je te dis que c'est accueillant ici d'dans!

— Ta bouteille de vin tombe bien! As-tu quelque chose à fêter, dis donc?

— Oui! quelque chose d'important. Un changement dans lequel tu es impliquée. Espérons que ma bonne nouvelle te plaira.

— Puisque c'est une bonne nouvelle... Ça adonne bien, moi aussi j'ai quelque chose d'heureux à t'annoncer.

— Pas déjà le retour de Lili, j'espère!»

Elle lui lança un regard meurtrier et il regretta aussitôt sa maladroite plaisanterie.

«Bon, bon, je disais ça pour rire. Alors? Qui parle en premier, toi ou moi? Mais si on se versait d'abord un verre de vin?»

Ils trinquèrent à leurs bonnes nouvelles respectives sans les avoir énoncées, question de savourer cet instant magique où la curiosité atteint son paroxysme et peut rendre dingues les adultes les plus sérieux.

«Eh bien, Désiré, cet heureux changement annoncé? Parle! Je n'en peux plus d'attendre!»

Le moment semblait solennel. Désiré se racla la

gorge et releva la tête. Et cette attitude complaisante n'échappa pas à la mère qui faisait habituellement face à un homme renfrogné, écrasé, la mine éternellement basse et triste.

«Tu n'es pas sans savoir, maman, que je prends les bouchées doubles pour mon travail chez Lit-Tout. Ces dernières années, on m'a ménagé des rencontres et des discussions avec certains auteurs, on a sollicité mon opinion pour différents textes et mises en marché, j'ai même représenté la compagnie à quelques reprises auprès de nos associés des États-Unis. Tu te rappelles mes arrêts à Albany pour visiter ton frère Alexandre quand l'occasion s'est présentée?

— Allez! aboutis, Désiré, tu m'énerves!

— Bref, j'ai acquis pas mal d'expérience dans l'édition et je connais assez bien les rouages de la maison pour laquelle je travaille.

— Toujours dans le manuel scolaire?

— Exclusivement dans la section scolaire, hélas, même si Lit-Tout publie aussi d'autres choses. Tu sais aussi, maman, que j'approche de la quarantaine...

— Et après? Après?

— Imagine-toi que le directeur, monsieur Jean-Claude Larose, qui est aussi le propriétaire, songe sérieusement à prendre sa retraite. Après avoir calculé l'argent que je mets de côté depuis plusieurs années, je crois posséder un montant suffisant pour lui faire une offre d'achat. Ça m'a tout l'air qu'il va l'accepter.

— Es-tu sérieux? Tu achèterais Lit-Tout? Quelle bonne idée, Désiré! Je suis très contente pour toi, mon garçon. Cela te fera une raison de vivre, un but, une ambition, une passion, un... Mais dis donc, en quoi ce changement m'impliquerait-il?

— Il est évident que je devrai déménager définitivement à Montréal. Je ne suis pas certain que tu veuilles me suivre.

— ...

— Mais dis quelque chose, maman!

— Je n'avais pas songé à cela.

— Pour une fois, il m'arrive quelque chose de positif, un projet intéressant, un défi extraordinaire à relever. Pour une fois, la vie m'offre une chance... Tu devrais te montrer heureuse.

— Désiré, Désiré, penses-tu une seule seconde que je ne suis pas ravie et emballée par cette belle aventure qui survient juste au bon moment? Au contraire, il s'agit de la meilleure nouvelle depuis des lunes! C'est juste que... »

Florence, désarçonnée par le déménagement en perspective, ne réussit pas à terminer sa phrase. Elle avait les jambes coupées, et le vin n'y était pour rien! Tout s'entrechoquait dans sa tête, tout s'emmêlait, se bousculait. Sa bonne nouvelle et celle de Désiré. Elle ne savait pas si elle devait rire ou pleurer. Aveuglé par son enthousiasme, l'homme ne vit pas la pâleur de sa mère.

« Tu devrais venir avec moi à Montréal, maman. On se trouverait un grand logement confortable et bien éclairé. Et si les affaires continuent de bien aller, on s'achètera une maison en banlieue. Une jolie maison avec de grandes fenêtres et un jardin. Une maison moderne au lieu de cette vieille ch...

— Mes racines sont ici, Désiré.

— Quelles racines, je te le demande! Les souvenirs de la misère que mon père t'a fait vivre ici jusqu'à sa mort? Tes enfants élevés de peine et de misère et qui refusent maintenant de te voir? Même Marie-Claire est rendue à Montréal! Que reste-t-il donc des racines dont tu parles? Le cimetière? Laisse les morts avec les morts, tu l'as dit assez souvent toi-même! Quoi d'autre, encore? Charles? Il a quinze ans, maintenant, ton Charles, et il sera en mesure avant longtemps de se déplacer lui-même pour te rendre visite, ici ou à Montréal. Et je ne

97

lui donne pas cinq ans pour quitter Berthier et s'en aller vivre là-bas, lui aussi. Alors?

— La maison rouge représente mon chez-moi, Désiré. Je n'ai jamais connu autre chose que ces vieux murs décrépits.

— Nous pourrions la garder comme notre maison de campagne, si tu veux, et y revenir la fin de semaine.

— Bonne idée, ça!

— Recommencer ta vie à neuf, maman, dans un autre décor et loin de tous les rappels pénibles qui transpirent ici est la meilleure chose qui pourrait t'arriver, à ton âge. Un second début...

— Parle pour toi-même, vieux bouc!»

Ils éclatèrent de rire. Le volume de la bouteille de vin baissait allègrement. La brume semblait se dissiper et l'horizon s'éclaircir de plus en plus. L'idée du second début faisait son chemin. Trop content de la voir pencher de son côté, Désiré semblait oublier l'autre bonne nouvelle promise par sa mère. Impatiente, elle décida de prendre les devants.

«Dis donc! Tu ne me demandes pas ma nouvelle? Attends-toi à quelque chose de gros, mon fils!»

Quoi de plus important que de se lancer en affaires, aux yeux du vieux garçon? Il se précipitait dans une grande aventure, il repartait à zéro, il se sentait renaître, il avait l'impression de ressusciter, et sa mère lui parlait de quelque chose de gros? La pauvre ne saisissait sûrement pas l'état d'euphorie extraordinaire dans lequel il se trouvait présentement. Mais il ravala sa salive quand elle déposa sur la table une enveloppe marquée au sigle de Lit-Tout sur le côté gauche, et adressée à madame Flo D'Or, rue Sherbrooke, Montréal. Il en extirpa le message d'une main nerveuse et ajusta ses lunettes.

Chère madame D'Or,
Nous avons l'immense plaisir de vous annoncer que vos

Contes de grand-maman *ont été minutieusement évalués et chaudement recommandés par notre comité de lecture. Ils ont ensuite suscité le plus vif intérêt auprès de la direction de notre maison d'édition.*

Nous vous serions obligés de nous contacter de nouveau en nous fournissant toutes vos coordonnées afin que nous puissions établir un contrat d'édition avec vous et enclencher, le plus tôt possible, le long processus d'une éventuelle publication.

Sachez, chère madame D'Or, que nous serons fiers de vous accueillir dans la grande famille de Lit-Tout. En espérant que vous y trouverez satisfaction et réussite, nous vous prions d'accepter nos respectueuses salutations.

Jean-Claude Larose, directeur

« Quoi? Est-ce une farce? »

Désiré donna une énorme claque sur la table, et Florence se demanda si c'était de joie, de colère ou de surprise.

« Qu'est-ce que cette histoire? Tu écris des contes, maintenant? Pourquoi ne m'en as-tu jamais parlé?

— Cela fait très longtemps, Désiré. Ma machine à écrire... tu ne te rappelles pas? Depuis... depuis que j'ai perdu mes petits-enfants. Cela me fait du bien de penser qu'ils me liront peut-être un jour. S'ils ne peuvent garder aucun souvenir concret de leur grand-mère, au moins pourront-ils lire mes écrits. Au moins cela, au moins cela... »

Elle se mit à hoqueter en retenant ses sanglots. Pourquoi Désiré gardait-il le silence? Aurait-elle dû, durant toutes ces années de temps dur, refuser de s'écouter et repousser la pulsion irrésistible de s'exprimer sur la plume? Refréner ces idées et ces images obsédantes qui l'assaillaient sans cesse et l'empêchaient de dormir? Ne pas se laisser aller et éteindre à jamais son imagination? N'était-ce pas lui-même qui lui avait gentiment acheté sa machine à écrire?

Pendant qu'elle jouait avec les mots, elle n'appartenait plus au monde réel et cela lui avait sauvé la vie. Elle ne souffrait plus sa propre souffrance, mais celle de ses petits personnages, et elle la guérissait volontairement très vite. Elle vivait leurs aventures et redécouvrait le monde à leur manière. Et son cœur d'enfant battait à plein régime dans sa poitrine de pauvre femme blessée par la vie. Quand ses histoires se terminaient bien, elle s'en réjouissait avec la candeur de la petite fille qui l'habitait encore et ne demandait qu'à voir le soleil. Alors, elle dessinait son univers à sa manière à elle, bien à elle et à elle seule. Un univers sur lequel elle possédait enfin tous les pouvoirs. Les pouvoirs et la merveilleuse liberté de l'écrivain...

Désiré Vachon ne pouvait-il pas comprendre cela, lui qui prétendait devenir le nouveau directeur d'une maison d'édition?

«Pourquoi ne m'as-tu jamais montré tes écrits, maman?

— Je ne pensais pas que cela t'intéresserait. Tu me voyais pourtant écrire tous les soirs sans jamais me questionner à ce sujet.

— Si! Une fois! Tu m'as affirmé rédiger ton journal.»

Florence pensa que le silence, encore une fois, avait remporté une victoire. Mais Désiré enchaîna.

«Et pourquoi ne pas m'avoir informé quand tu as envoyé tes contes chez Lit-Tout? Comme je n'ai pas affaire à la section littérature, ils ne me sont jamais tombés sous la main. Et même en les lisant, comment aurais-je pu faire le lien entre ma mère et la Flo D'Or de la rue Sherbrooke?

— Je ne les ai pas envoyés moi-même chez Lit-Tout, Désiré. Je n'étais même pas au courant! Andréanne l'a fait sans m'en informer, de connivence avec Charles. À la demande de ma sœur, il lui a envoyé systématiquement tous les contes au fur et à mesure qu'il les a reçus. Je n'en savais absolument rien. Si elle me l'avait demandé...

— Si elle te l'avait demandé, tu aurais dit non, je te connais! Elle a bien fait, la tantine, elle a rudement bien fait!

— Tu es content, Désiré? Dis, tu n'es pas fâché?

— Fâché, moi? Allons donc! Jamais de ma vie je ne me suis senti aussi heureux. Wow! Je vais devenir l'éditeur de ma mère! Cela dépasse mes rêves les plus fous! Je te félicite, maman, et je suis fier de toi, tu n'as pas idée!

— Dis donc, si on appelait Andréanne? »

Une fois la bouteille de vin terminée, la mère et le fils rigolèrent, se prirent les mains, se tapèrent sur les cuisses, se tordirent de rire. À un moment donné, Désiré ouvrit la radio et invita sa mère à danser une valse au beau milieu de la cuisine. Elle s'y plia de bonne grâce en oubliant la cafetière sur le feu.

Au-dessus du lac Mandeville, la lune faisait sa ronde, et son reflet ondulait doucement sur les eaux dormantes. Flo D'Or n'avait-elle pas terminé l'un de ses derniers contes par un dénouement heureux au milieu d'une nuit de pleine lune? Qu'était-ce donc déjà? Florence se sentait trop ivre pour faire l'effort de s'en rappeler. Qu'importe, l'histoire finissait bien! Ce soir, elle était heureuse.

Ah! oui, l'histoire parlait d'une vieille mouette. Il ne lui faudrait pas oublier de mentionner à quel point l'oiseau pouvait parfois s'envoler jusqu'au septième ciel.

Chapitre 17

Elle portait sa robe marine ornée d'un col de guipure des grandes occasions. Assise sur le bout de sa chaise, elle pressait son sac à main sur sa poitrine comme s'il contenait le trésor le plus précieux de la terre.

Florence n'avait pas dormi de la nuit, trop énervée à l'idée de rencontrer monsieur Larose au sujet de son contrat d'édition. Elle avait pénétré, les grands yeux ouverts, dans l'édifice de la rue Marianne abritant Lit-Tout, aussi intriguée par ce lieu où travaillait son fils depuis des années que par l'aventure incertaine qu'elle s'apprêtait elle-même à y vivre.

L'homme se montra charmant et, après une solide poignée de main, il la fit pénétrer dans son bureau en lui offrant un café. Elle refusa poliment, trop impressionnée de découvrir ses contes empilés sur le pupitre du directeur. Qui aurait cru cela? Pas une seule minute de sa vie l'idée de devenir un véritable écrivain ne l'avait effleurée. Cré Andréanne! Quel bon tour elle lui avait joué!

Elle avait écrit ces contes simplement pour se faire plaisir et passer le temps. Pour soulager aussi le trop-plein de son imagination. Et, par-dessus tout, pour dorloter son petit-fils Charles à l'époque où les histoires d'animaux l'intéressaient encore; plus tard, pour les raconter à sa petite Lili. Mais à la longue, au fil des centaines d'heures qu'elle y avait consacrées, cela était devenu pour elle comme une nécessité, une sorte d'urgence de coucher ses fantasmes sur le papier. Sinon, l'illumination virait à l'obsession et la tracassait sans cesse.

À la vérité, l'écriture devenait inconsciemment sa façon de calmer ses frustrations et de combler son ennui. Quand Florence s'emparait de sa plume, les grands absents de sa vie se trouvaient relégués au second rang, remplacés par les personnages fictifs, naïfs ou méchants, qui l'habitaient et déroulaient leurs petites intrigues sur l'écran de son esprit.

Et pendant qu'elle écrivait, elle entendait déjà rire ou s'exclamer ses petits-enfants, elle devinait leurs visages apeurés ou réjouis, soulagés ou déçus. Elle devinait leurs corps tendus et leurs yeux rivés sur les lignes dans l'attente de la suite. Pendant ces moments bénis, elle les possédait tout entiers, ils n'appartenaient qu'à elle seule, et personne d'autre ne pouvait plus les éloigner d'elle. Elle avait alors le sentiment de prendre sa revanche sur son affligeant destin.

Mais elle n'allait tout de même pas raconter cela au directeur!

«Vos contes sont adorables, ma chère dame. Une fois illustrés, ils vont faire fureur, j'en mettrais ma main au feu.

— Illustrés?

— Bien sûr! On ne peut publier des contes pour enfants sans les enrichir d'images vivantes et colorées.»

Florence n'avait jamais songé à cela. Et si les images proposées ne correspondaient pas aux siennes, à celles de son esprit, celles qu'elle voyait elle-même en écrivant? Viendraient-elles défaire la magie de l'histoire, prendre le pas sur l'intrigue, capter davantage l'attention de l'enfant que les mots eux-mêmes? Elle se mit à frissonner légèrement. Monsieur Larose ne sembla pas s'apercevoir de ses réticences et poursuivit en marchant de long en large.

«Pour l'instant, il s'agit de regrouper vos contes par catégories d'âge. Certains s'adressent aux tout-petits, d'autres à des lecteurs plus vieux, des adolescents, si je ne m'abuse.

— Oui, le petit-fils qui m'a inspirée au début est vite passé au rang des adolescents, mais une petite-fille l'a remplacé.»

L'espace d'une seconde, Florence entrevit le petit Charles à qui elle avait raconté sa première histoire de méchant loup. Comme le temps avait passé! Sans trop s'en rendre compte, l'enfant avait grandi et elle avait adapté pour lui son style et la nature de ses histoires.

«Voilà ce que je vous suggère, chère madame. Nous pourrions former deux recueils différents réunissant l'un, les contes pour les petits, l'autre, ceux pour les plus grands. Le premier pourrait s'intituler *Les Contes de grand-maman Flo* et, le second, *Grand-mère Flo et les ados*, ou quelque chose comme ça. Qu'en pensez-vous?

— Deux recueils! Vous dépassez mes rêves les plus fous, monsieur Larose.»

Un peu plus et elle se serait mise à pleurer, là, devant ce parfait inconnu, patron de son fils depuis des années. L'homme ignorait totalement la véritable identité de Florence. «Au moins, il ne s'intéresse pas à mes écrits par influence ou pour faire plaisir à l'un de ses employés», songea-t-elle. Cette pensée la réconforta. Le directeur ne lui faisait pas de mise en scène et croyait donc sincèrement à la réussite de ces deux publications. Comme s'il avait deviné ses pensées, monsieur Larose enchaîna:

«C'est en plein le genre qui plaît aux jeunes : animé, expressif, imagé, avec un dénouement qui échappe à la facilité, mais n'en suscite pas moins une certaine prise de conscience ou une réflexion chez le lecteur. Ils en redemanderont, vous verrez!»

Elle songea à Charles qui ne cessait jamais de lui en

réclamer, en effet, même à quinze ans. Et si cet homme avait raison?

«Vous n'êtes pas sans savoir que l'une des vocations de notre maison est de fournir du matériel scolaire. Je ne serais pas surpris qu'on inscrive vos contes au chapitre de la littérature contemporaine et qu'on nous les commande pour les bibliothèques des écoles. Vous deviendrez la Comtesse de Ségur des temps modernes, ah! ah! Mais chaque chose en son temps. Commençons d'abord par votre contrat.»

Florence en avait sérieusement pris connaissance sur une copie qu'on lui avait fait parvenir au préalable. Le pourcentage de commission qu'elle devait toucher lui parut minime, ridicule même, compte tenu du nombre effarant d'heures consacrées à la réalisation de ces recueils. Elle n'avait pas le choix d'accepter ces conditions, selon Désiré. Cela se passait ainsi pour la plupart des écrivains. L'auteur, au bout de la lignée de ceux qui mettaient la main à la pâte avant de voir le livre aboutir entre les mains d'un éventuel acheteur, récoltait la moindre part du gâteau, soit dix pour cent du prix de vente. Le correcteur, l'imprimeur, l'éditeur, le distributeur, le libraire et même le vendeur y prenaient leur profit avant l'auteur!

«Ça n'a pas de sens, Désiré. C'est moi qui les ai pondues, ces histoires-là! Sans les auteurs, tout ce beau monde ne travaillerait même pas!

— De plus, au Québec, les ventes restent restreintes. Nous habitons un petit bassin de la francophonie perdu dans la grande Amérique de langue anglaise. Les acheteurs sont peu nombreux ici, et nous devons faire face à la concurrence, non seulement des produits des autres pays francophones, mais aussi des best-sellers américains rapidement traduits et envoyés sur notre marché. Mets-toi bien cela en tête, maman: il ne faut pas écrire pour faire de l'argent, il faut écrire parce que tu aimes ça.»

L'argent... elle n'y avait même jamais songé et, au fond, elle s'en fichait!

Monsieur Larose lui présenta un exemplaire du contrat.

« Vous devez signer ici, madame D'Or. »

Florence se racla la gorge, un tantinet mal à l'aise.

« D'Or n'est qu'un nom de plume, monsieur. Mon véritable nom est... euh... Florence Coulombe. »

Elle n'osa pas prononcer le nom de Vachon pour éviter que l'homme ne fasse un rapprochement avec Désiré. Il ne serait pas dit qu'on éditerait ses contes par favoritisme. La vérité sortirait bien assez vite du sac, un jour ou l'autre. Désiré se montrait trop fier d'elle pour résister, une fois le contrat paraphé, à l'envie de crier sur les toits que la fameuse grand-mère Flo était sa mère.

Elle traça son nom d'une main fébrile en retenant son souffle. Monsieur Larose contresigna avec l'assurance d'un homme d'affaires en train de faire un bon placement.

« Quand serez-vous prête à travailler avec le réviseur? Il s'agira de presque rien, vos écrits ont peu besoin de corrections. Quelques virgules, un mot répété ici et là, rien de plus. Le travail sera plus long avec l'illustrateur où une étroite collaboration est requise. Nous en avons plusieurs qui travaillent pour nous à contrat. Vous devrez choisir.

— Je dois déménager à Montréal d'ici trois semaines. J'aurai plus de disponibilité à partir de ce moment-là. »

Ainsi, après de multiples hésitations, la difficile décision de suivre Désiré à la ville afin de contrer l'isolement trouvait maintenant sa justification: elle n'aurait pu effectuer de visites régulières chez Lit-Tout sans un pied-à-terre à proximité. L'arrachement à sa chère campagne serait moins pénible à supporter.

« Écoutez, madame, je vous donne quelques échantillons de travaux effectués par chacun de nos illustrateurs. Regardez ce qui vous plaît, ce qui correspond le plus à vos attentes. Et... faites-moi signe. Le plus tôt sera le mieux.»

L'homme se leva et tendit une main professionnelle au-dessus du bureau.

«Oh! j'oubliais un détail. Je dois prendre ma retraite d'ici quelques semaines. J'ai vendu mes parts de la maison à l'un de mes employés et il me remplacera bientôt à la direction. Quand vous reviendrez, vous ferez désormais affaire avec lui. Il vous plaira, vous verrez! Et soyez sans crainte, votre contrat sera respecté, je m'en porte garant. Lit-Tout a le vent dans les voiles et continuera de prendre de l'expansion avec de grands changements dans son orientation. Ceci dit, je vous félicite, chère madame D'Or... euh... Coulombe, c'est bien ça? Je vous souhaite une belle et longue carrière parmi nous.»

Une longue carrière... Il voyait loin, le monsieur! Elle n'en demandait pas tant! Elle n'avait même jamais songé à la publication! Et voilà qu'on lui offrait tout à coup une carrière sur un plateau d'argent, longue et réussie! Elle croyait rêver, elle allait se réveiller bientôt et se retrouver seule sur le balcon de la maison rouge, guettant au loin l'arrivée de son étrange fils.

Elle se retint, sans trop savoir pourquoi, de dévoiler à l'homme son statut de mère du futur directeur. Elle quitta le bureau à la fois ravie et un peu assombrie par un vague sentiment de culpabilité d'avoir gardé le silence sur sa véritable identité devant cet homme qui semblait lui faire entière confiance. Mais n'avait-elle pas le droit de préserver, encore pour quelques semaines, un espace secret n'appartenant qu'à elle seule? Après tout, cela ne changerait rien du tout!

Chapitre 18

La première chose qu'elle remarqua chez lui fut la finesse de ses mains. Des mains longues et étroites sous une peau lisse et ferme à peine recouverte de quelques poils blancs, et des doigts minces, continuellement en mouvement. Des mains de pianiste, aurait-elle pu penser si elle n'avait su que ces mains dessinaient des merveilles sur la toile. Des mains d'artiste...

L'atelier où il travaillait ne lui appartenait pas, mais occupait tout un étage de l'édifice Lit-Tout, partagé par tous les dessinateurs de la maison.

« Il s'agit d'une section importante puisque nous illustrons aussi, en plus des livres pour la jeunesse, un bon nombre de manuels scolaires. »

Florence n'avait jamais songé qu'on pouvait illustrer des livres d'école. Quand elle enseignait, jadis, les enfants n'avaient pas ce privilège. Depuis, elle n'avait vu défiler entre les mains de Désiré que des feuilles ordinaires simplement dactylographiées à double inter-ligne. Le travail de correction de son fils s'arrêtait là et la mise en page, illustrée ou non, ne le concernait pas. « Et mon fils directeur va maintenant gérer tout cela? Le pauvre! » ne pouvait-elle s'empêcher de songer. Mais Désiré l'avait vite rassurée : le travail se trouvait réparti entre lui et ses deux adjoints, l'un en charge des manuels scolaires, l'autre, des livres de littérature pour la jeunesse. Par contre, le choix final des œuvres à éditer parmi les manuscrits recommandés par le comité de lecture, les décisions quant à l'orientation des mises en marché, les contacts avec les médias et les commissions scolaires, l'établissement des budgets, incombaient au directeur. Et pour tout cela, Florence admirait son fils qu'elle voyait maintenant partir le matin en chemise blanche et cravate, porte-documents à la main, tel un important homme d'affaires.

Après la signature de son contrat d'auteur, quand était venu le temps de choisir un illustrateur pour son recueil, elle n'avait pas hésité longtemps. Les dessins de Philippe Lamontagne l'avaient conquise dès le premier coup d'œil. Il se distinguait des autres non seulement par la précision de ses tracés et la richesse de ses coloris, mais surtout par les sentiments qu'il réussissait à traduire sur les visages et les attitudes des personnages. Ceux de Florence, des animaux pour la plupart, dans le recueil pour les tout-petits du moins, vivaient des situations humaines et ressentaient des émotions intenses. Le peintre réussirait très bien à les exprimer avec ses pinceaux, elle n'en douta pas un instant.

Une fois le choix approuvé par la direction et le consentement de l'artiste, on avait déclenché le travail. À plusieurs reprises, Florence avait dû s'acheminer à pied vers la rue Marianne pour rencontrer le dessinateur. D'un commun accord, ils avaient décidé de s'interpeller par leur prénom. «Plus simple et plus agréable», avait décrété, avec son accent provençal, l'homme d'âge mûr dont la stature et la barbe rappelaient vaguement à Florence son beau docteur Vincent à l'époque où elle était devenue sa maîtresse. Philippe s'adressait donc à Florence sous le nom de Flo, diminutif que seule Andréanne utilisait encore à l'instar de leur mère autrefois. Et cela lui faisait un petit velours.

Les matins où elle avait rendez-vous avec Philippe, elle quittait avec soulagement le logement de la rue Saint-André qu'elle détestait royalement. Trop étroit, trop froid, trop sombre. Trop bruyant aussi. Avait-on idée d'entasser des maisons de la sorte, alignées directement sur des trottoirs de ciment et dans des rues sans arbres et sans verdure? Désiré se montrait désolé, promettait de chercher ailleurs, mais n'en faisait rien. Bien sûr, Andréanne n'habitait pas très loin et cela constituait le principal avantage. «Le seul!» clamait Florence. Finis les appels interurbains coûteux et les distances interminables à parcourir pour réussir à prendre un café avec sa sœur. Cependant, malgré la proximité, elles ne se voyaient guère. Maintenant qu'Andréanne disposait de plus de liberté, c'était Florence qui ne trouvait plus de moments libres. À vrai dire, elle n'avait qu'une idée en tête: retourner écrire paisiblement à Mandeville dès les deux recueils prêts pour l'édition.

En attendant, elle prenait un plaisir réel à travailler avec l'illustrateur. Quand elle pénétrait dans le studio, l'artiste avait toujours minutieusement lu l'histoire et la connaissait même par cœur. Il l'interrogeait alors pour mieux comprendre son point de vue sur telle ou telle scène. Quand il lui montrait son esquisse, le lendemain, elle constatait qu'il avait respectueusement tenu compte de son opinion. Quelqu'un lui avait dit, au secrétariat, que la plupart des dessinateurs n'en faisaient qu'à leur tête et que cela engendrait parfois des conflits avec les auteurs. Avec Philippe, Florence travaillait dans la bonne entente et l'harmonie quasi parfaite.

L'homme parlait cependant très peu de lui-même, et leur relation restait strictement d'ordre professionnel. Elle aurait bien aimé en savoir davantage sur son existence, ses préoccupations, ses centres d'intérêt, ses projets. D'origine française, il avait quitté son pays une dizaine d'années auparavant, et elle en ignorait les raisons. Embauché chez Lit-Tout dès son arrivée au Québec, il faisait honnêtement son travail et donnait satisfaction à ses patrons, sans plus. Personne ne semblait au courant de sa vie privée. Quand ils se quittaient, après s'être penchés quelques heures sur l'histoire du méchant loup ou celle des petites souris, ils se contentaient d'une simple poignée de main.

«Je vous appelle dès que d'autres croquis sont prêts.

— Je vous fais confiance, Philippe. J'adore ce que vous faites!»

Un après-midi, cependant, il téléphona pour une tout autre raison, au grand étonnement de Florence.

«Ma chère Flo, avez-vous vu le temps qu'il fait? Il faut profiter de l'été des Indiens avant que l'hiver ne mette le grappin sur la province. C'est, je crois, l'un des derniers soirs pour manger sur une terrasse. Si on y allait ensemble?»

Elle accepta de bon cœur, à la fois surprise et ravie. Cet homme lui plaisait et, surtout, l'intriguait. Elle frisa ses cheveux, se bichonna, se maquilla dans le but de lui plaire. Mais peut-être n'en demandait-il pas tant? Au travail, il la voyait au naturel, pourquoi ne pas demeurer la même? Elle retira son maquillage et revêtit sa robe la plus classique.

Il l'amena chez *Bourgetel*, l'une des premières terrasses de Montréal. Philippe fréquentait assez souvent ce restaurant.

«On y mange bien et c'est un endroit agréable malgré la proximité du trottoir. Cela me rappelle mon coin de France.»

Elle ne put résister à l'envie de saisir l'occasion pour le questionner.

«Parlez-moi de vous, Philippe, racontez-moi votre histoire. Je ne sais rien de vous sinon que vous venez de France.

— Oh! elle est bien simple, mon histoire! J'ai été marié pendant vingt ans, à Montpellier, à une femme mondaine qui ne m'a jamais donné d'enfant. Nous possédions là-bas une galerie d'art en plein centre-ville.

Mes œuvres, surtout mes aquarelles, s'y vendaient bien. Je suis devenu un peintre assez connu. Nous vivions à l'aise, sans histoire. Un bon matin, la garce m'a laissé en plan et est partie avec un autre homme en me volant mon argent.

— Quelle horreur!

— Cela m'a tellement anéanti que je n'ai pas eu le courage de la faire rechercher pour me défendre. J'aurais pu prendre un avocat et déposer une plainte. J'aurais dû... »

L'homme baissa la tête en se mordant les lèvres. Florence eut envie de poser sa main sur celle de son compagnon en signe de compassion, mais elle n'osa pas.

« Sur un coup de tête, j'ai fermé boutique et suis venu au Canada les mains vides, avec mes seuls fusains et pinceaux pour tout bagage. Je voulais repartir à zéro. Le Québec m'a plu tout de suite, les gens y sont chaleureux et sympas. J'ai alors demandé un visa de séjour, puis un permis de travail. La maison d'édition Lit-Tout s'est trouvée par hasard sur mon chemin et... voilà! Cela dure depuis dix ans.

— Et ça se termine comme ça? Ces derniers dix ans, vous n'avez pas fait qu'illustrer des contes pour enfants, jamais je croirai!

— Je peins aussi chez moi. J'ai transformé mon salon en atelier, j'y passe la plupart de mes temps libres.

— À quel endroit exposez-vous vos toiles?

— Je ne les expose pas, je les accumule! J'en possède des centaines entassées au fond de mes placards. Un jour, peut-être...

— Mais voyons! Il faut les montrer, les exposer, les vendre! Vous possédez peut-être une fortune sans le savoir.

— Je n'en ai pas envie. Pas pour le moment. Et puis, l'argent, moi, vous savez... »

Florence sentit qu'elle s'aventurait sur un terrain épineux. De toute évidence, l'homme, ce soir, n'avait pas envie de se remettre en question, ni de s'expliquer, encore moins de se justifier. Elle ne put, par contre, retenir la question qui la brûlait depuis sa première rencontre avec l'artiste.

«Et la vie sociale?

— Ma jeune sœur est venue me rejoindre et s'est mariée ici avec un Lavallois. Ils ont maintenant deux marmots et je suis le parrain du premier. Je me suis fait aussi deux ou trois amis dans le domaine des arts visuels. Rien de plus.

— Pas d'amoureuse?

— Ah, ça, non! Plus jamais! On m'a échaudé une fois, cela m'a suffi. Je me sens très bien tout seul. Je vis en paix, à mon rythme, à ma manière à moi. Mais... ma chère Flo, n'est-ce pas à votre tour de me raconter votre histoire?»

Elle se sentit défaillir. Elle n'avait pas prévu cette question. Comment raconter sa vie et parler de sa famille sans expliquer l'étonnante absence de ses deux filles aînées? Comment parler de ses petits-enfants sans mentionner les exclus qu'on l'empêchait de regarder grandir? Comment parler de Désiré sans raconter son terrible cheminement? Comment parler de Lili sans confier sa souffrance de la voir envolée aussi loin? Comment parler de Charles sans donner les raisons qui ont amené la grand-mère d'une nombreuse progéniture à écrire des histoires pour un seul, au début du moins? Comment parler de son rêve d'héritage littéraire improbable pour une descendance inconnue? Comment parler d'Andréanne et d'Olivier sans faire allusion à leur généreux pardon? Comment parler des beautés de Mandeville sans décrire la misère qui a régné dans la maison rouge?

Comment parler de son passé sans relater son

dénuement, les tromperies honteuses de son mari avec sa sœur? Comment raconter son seul et unique amour, vécu à la dérobée avec un homme qui ne pouvait même pas lui offrir la liberté de l'aimer au grand jour? Comment parler d'elle-même sans exprimer son immense désolation d'avoir perdu les siens, et sa crainte secrète sans cesse refoulée de voir son fils récidiver?

Comment, surtout, parler de ce secret enfoui au fond d'elle-même sur les agissements de Désiré, ce secret qui l'a minée et démolie, rendue malade durant des années? Comment se libérer enfin de ce secret qui la remplit d'angoisse, l'étouffe encore, ce secret qui résume toute sa vie passée et sa vie présente? Ce secret bâti autrefois sur des soupçons, uniquement des soupçons, bâti sur le lâche déni de voir son fils pédophile... Ce secret alimenté du faux espoir qu'elle se trompait, un gigantesque et monstrueux faux espoir, stupide et trompeur, un faux espoir qui a tout jeté par terre quand la vérité a surgi.

Un faux espoir qui l'a remplie de silence. Un silence suffocant, accablant, qu'elle devait garder encore aujourd'hui, ce soir, même en face de cet homme qui lui paraissait bon, surtout lui, cet homme en particulier qui lui plaisait et ne demandait qu'à l'écouter. Philippe Lamontagne, l'employé de Désiré... Elle n'aurait pu choisir pire comme auditeur! Silencieusement, elle maudit son destin pour ce cynisme cruel.

Voilà ce qu'il aurait fallu dire à cet homme afin qu'il connaisse bien la femme assise devant lui, toujours vivante et pleine d'entrain. La femme sauvée par l'écriture, par son contrat avec une maison d'édition pour publier d'innocents recueils d'historiettes d'abord destinées à un petit-fils adoré et une petite-fille aux yeux bridés qui ne lira peut-être jamais le français. Des histoires vouées maintenant, par le biais de la publication, à ses autres petits-enfants et aux enfants du monde entier qu'elle se voyait tout à coup en train d'adopter en quelque sorte...

Mieux valait se taire. L'homme n'avait-il pas laissé entendre qu'il ne voulait plus jamais d'amoureuse? Pour se livrer, il eût fallu à Florence une plus grande ouverture de sa part, une garantie de continuité, à tout le moins l'ébauche d'une relation stable et sérieuse. À tout le moins un espoir d'amitié. L'esquisse d'une tendresse, le commencement d'une confiance. Pour ne plus recommencer à souffrir.

Mais pourquoi pas un espoir d'amour? Non! Elle non plus ne cherchait plus l'amour. Elle n'attendait plus de la vie que la paix, une paix sereine et tranquille. Sans histoire. Pour finir ses jours en pleine clarté.

«Flo, je vous sens à des milles de moi tout à coup. Vous n'êtes pas obligée de me faire des confidences, vous savez. Chacun de nous a droit à ses silences... Dites donc, pour changer de propos, comment trouvez-vous ce rosé? Pas piqué des vers, hein?»

Elle lui fut reconnaissante pour cette diversion. En cette première soirée en tête-à-tête, elle n'avait rien à donner à cet homme. Mais qui sait si, à la longue... De toute évidence, ils se plaisaient mutuellement.

Ils bavardèrent de choses et d'autres en se limitant à des banalités. Puis, ils s'acheminèrent après le repas vers le côté ouest de la rue Sherbrooke et s'attardèrent tranquillement aux boutiques et galeries, commentant les tableaux et objets d'art exposés dans les vitrines. Elle se sentait bien en sa compagnie, dans cet univers aux antipodes du sien aux odeurs de foin coupé et de champs à perte de vue. L'espace d'un moment, elle eut envie de glisser sa main dans celle de l'homme, mais, une fois de plus, elle s'en garda bien.

De retour à la maison, Désiré ne questionna pas sa mère sur sa sortie. Il l'attendait plutôt au salon, une bière à la main, impatient de lui communiquer sa bonne nouvelle. Marie-Hélène avait téléphoné à plusieurs reprises durant la soirée. Elle venait de donner naissance, avec quelques semaines d'avance sur la date prévue, à un beau garçon de trois kilos : Nicolas qu'on surnommerait Nick. La mère et l'enfant allaient bien. Elle avait promis de rappeler le lendemain.

Florence s'endormit immédiatement et, pour une fois, se rendit jusqu'au lendemain matin sans se réveiller en sueur comme à l'accoutumée. Cette journée lui avait apporté non seulement un autre petit-fils, mais peut-être bien, aussi, un ami...

Chapitre 19

30 avril 1972

Le lancement du premier recueil, dédié à Lili, Les contes de grand-maman Flo, *dans un petit salon du Club Saint-Denis, a eu un succès mitigé. Peu de gens se sont présentés malgré les nombreuses invitations envoyées par Lit-Tout. Monsieur Larose a eu beau expliquer à Florence que cela était normal, que la littérature pour la jeunesse attirait moins les critiques et les gens de la presse, elle se montra déçue.*

S'y trouvaient de rares membres de la maison Lit-Tout dont l'ancien directeur, puis l'illustrateur des contes accompagné de sa sœur et d'un ami, une représentante d'un guide pour jeunes parents, quelques responsables des achats de certaines bibliothèques de la ville, deux ou trois autres personnages inconnus, sans plus.

Il y manquait surtout la présence d'enfants, ce public exclusif ciblé par le premier recueil. Ma sœur avait pourtant inscrit le nom de tous ses enfants et petits-enfants sur sa liste d'invités, et chacun avait dû recevoir, même les plus jeunes, une invitation personnelle par la poste. Sans doute entretenait-elle l'espoir de voir la publication d'un livre comme une raison suffisante pour jeter par terre les barrières et les interdits qui perduraient depuis trop longtemps.

Après tout, il s'agissait d'une réussite bien à elle, leur grand-mère, et cela n'avait rien à voir avec les bavures du passé. C'eût été là une occasion rêvée pour renouer, recommencer tranquillement une relation sur une base nouvelle, propre et nette. Mais il faut croire qu'une œuvre éditée et dédicacée ne suffit pas pour acheter le pardon. Nul ne s'est montré à part Charles. Même mon Olivier n'a pu se libérer d'une séance d'entraînement intensif en Alberta suite à sa nomination de second lieutenant.

Charles, le petit-fils de l'auteure, s'est donc retrouvé en quelque sorte au cœur de la fête, lui, le destinataire des premiers contes, à la fois l'instigateur et le lecteur par excellence. Il est venu de Berthier en compagnie de sa tante Marie-Claire, avec la permission expresse de sa mère. Pour une fois, pour la première fois à vrai dire, Nicole, si elle a refusé de venir elle-même, n'a pas mis de bâtons dans les roues pour une rencontre entre la grand-mère et son petit-fils.

Peut-on appeler cela un pas vers la réconciliation? Même pas! J'en ai voulu secrètement à Nicole et à sa sœur Isabelle pour leur indifférence crasse. À tout le moins, elles auraient pu envoyer une carte de félicitations à leur mère. Au moins cela! Leur silence démontre bien le mur de béton, ou plutôt la monstrueuse et gigantesque palissade de roc à l'intérieur de laquelle ces femmes et leurs familles se sont emmurées. Eh bien! Qu'elles s'y dessèchent, les vaches! Qu'elles broutent leur rancœur jusqu'à la racine et qu'elles crèvent de haine au milieu de leur solitude. Quand on s'entoure de tels murs, bien peu nombreux sont ceux qui, de l'extérieur, auront envie de les franchir. J'en ai assez de leur faire des guili-guili pour susciter un rapprochement entre elles et leur mère. Qu'elles aillent au diable! Il n'y a plus rien à faire de ce côté-là. Absolument rien...

Derrière les livres étalés sur la table, à côté des verres de vin blanc, se dressait un magnifique bouquet de roses rouges télégraphiées de Vancouver. La carte portait la signature de Marie-Hélène et de Liu, sans mention de Lili et de son nouveau petit frère Nick. Ces livres sont pourtant destinés à eux... C'est bien imprimé en toutes lettres, au milieu de la troisième page du livre:

À ma petite-fille Lili et à tous mes autres petits-enfants.

Notre frère Alexandre, lui, s'est contenté d'un télégramme *de félicitations «*from all of us*» signé de la main de sa femme.*

Chère Flo... Elle rayonnait pourtant, ma grande sœur, entourée des siens. Ni Désiré, ni Charles, ni Marie-Claire, ni moi ne l'avons lâchée d'un pas. Samuel, qui a eu la bonne idée d'apporter son violon, s'est mis à jouer des airs folkloriques, ces vieilles chansons enseignées aux tout-petits dès leur plus jeune âge. Et, à travers cette musique simple et candide, se trouvaient tous les enfants du monde que Florence évoquait en parlant de ses livres. Et ils étaient là, présents, je pouvais presque les palper. Ils provenaient d'un peu partout, disséminés dans le monde, tous ceux-là qui liraient ces histoires. Et grâce à Florence, ils seraient emportés dans un univers fantastique et se mettraient à rêver. Ce jour-là, ma sœur est devenue la «grand-maman Flo» des enfants du monde entier.

À un moment donné de la cérémonie, monsieur Larose a pris la parole pour parler de sa retraite déjà amorcée et souhaiter bonne chance à l'auteure. Il en profita pour annoncer le lancement prochain du deuxième recueil dédié à Charles, celui-là: Grand-mère Flo et les ados, *puis il présenta le nouveau directeur, monsieur Désiré Vachon, le véritable fils de grand-maman Flo, par un heureux effet du hasard!*

Désiré, méconnaissable dans son complet gris, la barbe taillée et les cheveux laqués, se présenta au micro avec une surprenante assurance. Il promit de continuer à assurer la haute qualité des œuvres publiées par la maison Lit-Tout, qualité à laquelle, comme correcteur, il avait contribué depuis plusieurs années. Il souhaita ensuite un vif succès à sa mère et de l'inspiration pour encore bien d'autres recueils.

Florence l'écouta religieusement, une larme au coin de l'œil. Ce soir-là, je crois bien que ma sœur se sentait encore plus fière de son fils que d'elle-même...

À la fin de la soirée, quand je la vis remettre à Marie-Claire une pile de livres dédicacés pour chacun des enfants d'Isabelle et de Nicole, c'est moi qui ai éprouvé un sérieux serrement de gorge.

Chapitre 20

Les Contes de grand-maman Flo remportèrent un vif succès. Après la publication du deuxième recueil, la direction de Lit-Tout prit la décision de les faire traduire en anglais et de les proposer à une maison d'édition américaine avec laquelle elle faisait affaire de temps à autre. Désiré s'emballait.

« Si ça marche, maman, tu vas faire un coup d'argent, et Lit-Tout aussi. Et tes prochains livres seront vendus d'avance. Quand les Américains adoptent un auteur, ils ne le lâchent plus!

— Quels prochains livres? Charles a grandi. Et moi, tu sais, la science-fiction, les romans policiers, James Bond, les fantômes et les récits d'aventures... Pas tellement mon genre!

— Cesse donc d'écrire pour quelqu'un en particulier et écris simplement pour les enfants en général.

— Même en grandissant, Charles restait dans mon esprit. Sans le savoir, il me stimulait. Curieusement, maintenant que j'ai réussi à être publiée, j'ai l'impression de manquer d'inspiration!

— Mais voyons! Je n'arrive pas à y croire... »

Désiré jouait bien son rôle chez Lit-Tout. Les affaires continuaient de marcher rondement, et la plupart des employés et contractuels se montraient satisfaits de leur nouveau président-directeur général. Il prenait les bouchées doubles, et commençait à imposer ses visions innovatrices et ses idées d'expansion. Il n'hésita pas à soumettre à l'étude un projet de publication de romans populaires. Si les expertises en comptabilité et marketing s'avéraient favorables, il mettrait son plan à exécution. Dorénavant, Lit-Tout investirait vraisemblablement dans un nouveau créneau, celui de la littérature pour adultes, tout en poursuivant ses activités en scolaire et en littérature pour la jeunesse.

Évidemment, cela n'était pas sans comporter quelques risques, mais Désiré ne craignait pas la compétition et avait envie de relever des défis. «Mieux vaut avancer à tâtons que de piétiner sur place!» se plaisait-il à répéter à sa mère, avec un sourire qui en disait long.

Et Florence applaudissait. Elle l'avait vu s'enliser durant tant d'années dans le grenier de la maison rouge! Jamais elle ne remercierait assez le ciel pour son initiative d'acheter la maison d'édition. Elle voyait son fils se transformer littéralement, devenir enfin quelqu'un, marcher la tête haute et aller de l'avant sans traîner son passé comme une entrave. L'époque des secrets semblait bel et bien terminée, la page était tournée pour lui. Malgré les ravages et les séquelles, tous les deux pouvaient maintenant croire en l'avenir.

Bien sûr, pour acheter Lit-Tout et se lancer dans un nouveau type de production, les maigres économies de Désiré n'avaient pas suffi, et il avait dû contracter un important emprunt à la banque afin de compléter son capital d'investissement. De surcroît, avec l'assentiment de sa mère, il avait hypothéqué la maison rouge grâce à la valeur du terrain entre la résidence et la plage. La vieille bicoque ne valait pas grand-chose, mais l'envahissement touristique de la région avait fait grimper les valeurs immobilières. On lui avait finalement consenti un prêt moyennant un intérêt fort élevé. À cause de cela, Florence, propriétaire de la maison, avait l'impression de participer à sa manière à la réussite de son fils. Mais chaque mois, les chèques fidèlement envoyés par Marie-Hélène y passaient. Il fallait se serrer la ceinture. Désiré n'avait de cesse de rassurer sa mère.

«L'hypothèque sera la première chose à rembourser dès que l'argent commencera à rentrer. On va devenir gros.»

Florence ne s'en faisait pas outre mesure. Elle ne connaissait rien aux questions d'argent et ne s'y intéressait guère. Comme toujours, elle faisait confiance à son fils. Le temps des doutes et des soupçons était révolu. Il ne pouvait pas toujours commettre des bêtises après tout!

***

Le recueil *Les Contes de grand-maman Flo* fut effectivement transposé en anglais, et on s'employait à traduire le second destiné aux adolescents. Les deux livres envahiraient le marché américain très bientôt. Désiré était revenu de New York, contrat en poche, convaincu d'avoir conclu une bonne affaire. Il en avait profité pour saluer Alexandre et sa famille en passant à Albany. L'homme avait pris un rude coup de vieux ces derniers temps. Devenu chauve et obèse, il souffrait de diabète sévère et se trouvait constamment à bout de souffle. Désiré se demanda s'il ne voyait pas son oncle vivant pour la dernière fois. Mais il se garda bien d'en faire part à sa mère.

Quelques mois plus tard, Florence reçut une convocation officielle de se présenter à la direction de Lit-Tout. Désiré l'attendait dans son luxueux bureau.

«J'ai une bonne nouvelle pour toi, maman.

— Pourquoi m'avoir demandé de venir ici? Tu aurais pu me l'apprendre à la maison, non?

— Non, je t'ai demandé de venir en tant qu'auteure appartenant à cette maison d'édition. Il n'est pas question de mêler nos relations professionnelles à nos relations personnelles.

— Bon, bon. Si vous le prenez comme ça, patron! Alors, cette nouvelle?»

Désiré toussota légèrement et prit une grande inspiration. Il avait beau se donner un air solennel, il n'arrivait pas à dissimuler sa satisfaction devant sa mère.

«Voilà: la maison d'édition Home Readers vous invite à une séance de signatures dans la plus grosse librairie de New York le mois prochain. On vous attend le vingt-huit au matin, toutes dépenses payées naturellement.

— Vous? Ce "vous" représente quelqu'un d'autre ou bien joues-tu, en plus, à me vouvoyer?

— Ce "vous" concerne Philippe Lamontagne et toi. Lui aussi a largement contribué à la réussite de ces livres, non? Il semble que les Américains soient intéressés à le connaître.

— Et tu lui en as parlé?

— Nous en avons justement discuté avant ton arrivée.

— Et... il a accepté?

— Évidemment!»

Depuis plusieurs mois, Philippe et Florence avaient établi entre eux une sorte de relation affectueuse, plus amicale qu'amoureuse, sans jamais dépasser la frontière de la porte de chambre. Sans dépasser non plus les frontières du non-dit, comme si le passé de chacun n'avait pas existé. Par respect pour Désiré, devenu le patron de Philippe, elle n'aurait jamais osé dévoiler les antécédents ténébreux auxquels il se trouvait intimement lié.

Mais le peintre se révélait un agréable compagnon. Souvent, ils allaient prendre une bouchée ensemble, le midi, et ils étiraient l'heure du lunch en bavardant de tout et de rien. Grâce à sa fonction d'illustrateur de ses contes, Philippe avait pénétré dans l'univers imaginaire de Florence et l'avait enrichi de son apport personnel.

Une sorte de complicité et de lien émotionnel s'était établie entre les deux créateurs. Plus qu'un ami, il représentait pour elle celui qui avait perçu et compris sa vision des choses, et réussissait à la traduire en images. Sans même la connaître vraiment, il s'était trouvé plus près d'elle que n'importe quelle autre personne dans sa vie. Pour cela, Florence éprouvait une grande admiration pour l'artiste et une tendre affection pour l'homme.

Mais lui semblait vouloir maintenir les distances. Il l'embrassait furtivement sur les deux joues en allant la reconduire sur la rue Saint-André, sans plus. Florence se disait que c'était préférable ainsi. Pourquoi s'embourber dans une relation amoureuse vouée à l'échec? Quand il apprendrait la vérité sur elle et son fils, sans doute se sauverait-il en courant. Ne l'avait-il pas répété lors de leur premier souper en tête-à-tête: il ne cherchait qu'à vivre en paix. Et «sans amoureuse», Florence l'avait bien entendu!

Non... Mieux valait se satisfaire de sa bonne compagnie en évitant les projets ou même les souhaits pour l'avenir. Simplement «prendre ce qui passe», comme le répétait si souvent Andréanne qui aurait bien voulu voir sa sœur se caser. Elle insistait, d'ailleurs, pour les inviter à souper, un de ces soirs, afin de rencontrer «l'heureux élu». Florence avait beau lui répéter que Philippe faisait office de bon ami et rien d'autre, sa sœur ne pouvait résister à l'envie d'évoquer «une belle histoire d'amour».

«Tu finiras bien par tomber dans le panneau, ma Flo.

— Fiche-moi la paix avec ça, et cesse de penser à la couchette, la tite sœur! Pour moi, ce temps-là est révolu!»

Toutefois, dans son for intérieur, Florence se devait bien d'admettre qu'avec le temps, Philippe Lamontagne occupait de plus en plus de place dans ses pensées. Elle ne parlait plus de retourner vivre à Mandeville.

Quand elle s'y rendait avec Désiré certaines fins de semaine, sous prétexte d'aller dépoussiérer les meubles, elle ressentait une sorte d'étouffement en franchissant le pas de la porte, et cela prenait quelques heures avant de se dissiper. La simple vue de la plage dénudée, débarrassée du chalet brûlé, réveillait ses frayeurs anciennes de voir son fils récidiver, frayeurs qui l'habitaient encore comme des tisons couvant sournoisement sous les cendres.

Tant de mauvais souvenirs et d'impressions pénibles remontaient à la surface en même temps que les rares moments de bonheur qui avaient éclairé sa vie. Elle s'agrippait alors à quelques rares événements heureux du passé. Les seuls dont le souvenir méritait de rester incrusté dans sa mémoire.

Ainsi, elle réussissait à apprivoiser le silence de la maison rouge. Un silence dense, opaque, intense. Un silence comme un vide où s'intensifiaient les bruits du cœur, où l'âme se gonflait et envahissait tout l'espace. Un silence pour penser, pour réfléchir, pour se laisser emporter. Un silence pour se parler à elle-même et se dire que la vie pouvait encore être belle. Un silence pour croire en l'amour, pour croire en la vie. Un silence pour écrire aussi...

Elle en avait assez d'écrire des histoires pour les enfants. Une fois assouvis ses élans de grand-mère et calmés ses besoins instinctifs de se rapprocher des siens, elle désirait maintenant se tourner vers autre chose. Elle avait tant à dire et à exprimer, tant de souvenirs à raconter, tant de trop-plein à déverser dans les mots et entre les lignes. Tant d'aventures à vivre sur le papier...

Ces fins de semaine là, Désiré s'apportait du travail et vaquait à ses petites affaires tout en respectant le silence de sa mère. Aux heures de repas, il se montrait un peu plus volubile qu'autrefois, et Florence comprenait que le monde de l'édition était devenu une passion pour lui. Elle s'en réjouissait, certes, mais au fond d'elle-même, elle ne tenait pas pour acquis que son fils était sauvé définitivement. Parfois, elle se demandait si le véritable salut de Désiré Vachon se trouvait au niveau de la tête ou bien au bas de la ceinture... Et cela lui donnait la trouille.

Elle s'empressait de chasser vite ces idées lugubres et allait s'asseoir sur la grande galerie ou marchait jusqu'à la plage pour écouter le bruit des vagues sur le sable et le bruissement des feuilles dans les grands arbres. Il lui arrivait de se rendre jusqu'au village pour revoir son église, son bureau de poste, l'école de ses enfants, les demeures ancestrales, tous ces monuments retrouvés comme de vieux amis immuables et solides, fidèles aux souvenirs. Alors la paix descendait enfin en elle, une paix fragile et chancelante, mais une paix, tout de même, si longtemps attendue et combien méritée.

Elle se disait qu'un jour elle inviterait Philippe ici et lui montrerait son coin de pays comme on montre un coin de son cœur. Comment aurait-elle pu deviner qu'elle se retrouverait d'abord à New York avec lui par la force des choses? Bien sûr, elle n'avait pas le choix d'accepter ou de refuser la proposition de Désiré. La promotion de son livre faisait partie de son contrat et semblait incontournable.

Elle donna donc son assentiment au directeur de Lit-Tout, non sans un secret pincement au cœur.

Chapitre 21

21 mai 1973

Ma sœur s'est enfin décidée à nous présenter le fameux Philippe. Ah!... Quel gentilhomme! Un être de qualité, cultivé, affable, captivant. Et beau mâle par surcroît. Bien sûr, il n'a pas les yeux verts d'un Adhémar ou la prestance d'un docteur Vincent, mais son regard est clair et franc. Il n'hésite pas à plonger ses yeux droits dans ceux des autres et, pour moi, cela représente une garantie manifeste d'authenticité. J'ai vécu assez longtemps auprès des tricheurs et des trompeurs de femmes pendant mes années de folle jeunesse, pour déceler l'intégrité et la droiture dans le simple regard d'un individu. Philippe Lamontagne est un homme de bien.

Il a finalement accepté de se joindre à nous, hier soir, lors d'un petit souper aux chandelles auquel je les avais conviés, lui, Florence et son fils. À mon grand soulagement, Désiré s'est poliment excusé de ne pouvoir se joindre à nous à cause d'un rendez-vous important. Je me demande comment il prend ça, le neveu, de voir sa mère tournée vers quelqu'un d'autre que lui-même... Et un contractuel, en plus! À vrai dire, je préférais rester uniquement « entre nous », c'est-à-dire, Florence et Philippe, Samuel et moi.

Il aura fallu attendre le milieu de la cinquantaine pour que ma sœur et moi nous nous retrouvions « en couples » avec nos amoureux, pour la première fois de notre vie. Évidemment, Florence ne cesse de me répéter avec obstination qu'elle considère Philippe comme un ami et non un amoureux, encore moins un amant, mais cela ne devrait pas tarder, j'en reste convaincue. Ne vont-ils pas à New York ensemble la semaine prochaine? Eh! eh! qui vivra verra... Je connais bien les hommes, moi!

Samuel le musicien et Philippe le peintre ont tout de suite sympathisé et n'ont pas mis longtemps à se trouver un terrain d'entente. La discussion a vite tourné sur l'art et la créativité, à grands coups de plume de la part de ma sœur, d'archet et de pinceau du côté des deux autres. Je me sentais un peu à l'écart avec mes expertises en vente de chapeaux et d'articles pour dames!

Mais la valse brillante de Chopin que je leur ai interprétée au piano m'a ramenée à leur niveau artistique. Depuis que Marie-Claire s'occupe du magasin, je me suis remise sérieusement à la musique. J'ai ressorti mes vieux cahiers écornés et, ma foi, je me découvre un intérêt nouveau pour la musique classique, moi qui détestais cela autrefois. C'est Florence qui est contente. Finalement, elle s'est retrouvée assise à mes côtés, sur le banc du piano, en train de m'expliquer un passage difficile pendant que les deux hommes discutaient à la cuisine comme s'ils se connaissaient depuis toujours. L'espace d'un moment, elle et moi sommes redevenues les deux petites filles de notre enfance dans le salon de Saint-Didace, alors qu'elle me faisait travailler mes gammes.

Le bon vin et ensuite le cognac aidant, les langues se sont rapidement déliées. Trop peut-être! Quand Samuel s'est mis à parler des sœurs invisibles de Désiré, j'ai bien vu Florence sourciller et se mettre sur ses gardes. Dieu merci, un petit coup de pied sous la table a suffi à ramener mon homme sur le chemin des généralités.

Le moins Philippe en saura sur la famille, le mieux ce sera, d'après ma sœur! Après tout, il n'a pas à connaître le passé de son employeur. Quelle position délicate pour Florence, à bien y penser...

Mais l'amour emportera tout, nivellera tout, planera au-dessus de tout cela. Je le souhaite ardemment pour ma Flo. Elle le mériterait bien!

Chapitre 22

Depuis déjà deux heures, Florence voyait défiler devant elle des hordes d'enfants entre cinq et huit ans, des blonds, des roux, des bruns, des traits négroïdes, asiatiques ou caucasiens, des grands, des gros, des petits, tous plus mignons les uns que les autres. Chacun lui tendait d'un air timide son recueil de contes pour obtenir une signature. Elle aurait voulu maîtriser la langue anglaise davantage pour pouvoir converser avec eux. Ses deux mois à l'exercer lors de la venue lointaine de Liu Won ne suffisaient pas à lui donner suffisamment d'aisance. Elle avait soudain le sentiment d'être devenue la grand-mère de tout ce petit monde et aurait donné n'importe quoi pour les voir s'asseoir par terre et l'écouter raconter ses histoires en la dévorant des yeux. Pour un moment, ils lui auraient appartenu...

La fillette chinoise qui se haussa sur le bout des pieds devant sa table en la mitraillant de ses yeux noirs oblongs lui fit chavirer le cœur. Lili... Elle devait ressembler un peu à cela. Deux ans déjà que Florence ne l'avait pas serrée dans ses bras. L'enfant avait dû grandir, prendre de la maturité, se comporter maintenant comme une grande fille. Déjà, elle achevait sa première année à l'école, et sans doute réussissait-elle à défricher un peu l'anglais. Lirait-elle les écrits de sa grand-mère dans leur langue d'origine ou traduits en anglais? Florence s'ennuyait sans bon sens de sa petite-fille. Certes, on se parlait au téléphone régulièrement, et la petite voix cristalline en avait toujours long à raconter, mais cela ne suffisait qu'à faire se languir la grand-mère davantage. Un jour, si les ventes marchaient bien aux États-Unis, elle s'offrirait le luxe d'un billet d'avion pour Vancouver. Et puis non! Ce ne serait pas un luxe...

Devant les jeunes Américains alignés, Florence devait se contenter de sourire et de signer un petit mot maladroit en première page: *Have fun*[1]! ou *Enjoy it*[2]! Ou encore ingénument *With love*[3]. Mais la pensée d'accompagner à sa manière chacun d'eux dans son intimité et d'écouler quelques heures en sa compagnie par le biais de l'écriture la fascinait.

Étrange pouvoir de l'écrivain que celui de rejoindre le lecteur inconnu jusque dans les fibres les plus sensibles de son être... Dommage, cela s'effectue en général à sens unique! À part de rares témoignages d'appréciation, le lecteur anonyme n'apporte rien d'autre à l'auteur, sinon sa simple existence et son état de lecteur en charge de capter et d'absorber la pensée de l'auteur et de se laisser emporter dans son imaginaire. Rôle essentiel s'il en est. «Pas de lecteurs, pas d'écrivains!» se disait Florence en dédicaçant ses livres avec le sentiment aigu que, sans ces jeunes alignés devant elle, elle cesserait d'écrire. Tous ces inconnus remplaçaient ses petits-enfants perdus et, sans le savoir, ils lui sauvaient la vie. Un peu plus et elle aurait embrassé chacun d'eux en lui disant merci d'être là!

Andréanne, elle, ne comprenait rien quand Florence tentait de lui expliquer ce sentiment.

«Mais voyons! Même si tes livres ne se vendaient

---

1. Aie du plaisir!
2. Profites-en bien!
3. Avec tendresse.

pas, tu pourrais continuer à écrire uniquement parce que tu aimes cela. Je joue bien du piano pour moi toute seule, moi!»

Elle n'avait pas tort. Florence aussi n'avait fait de la musique que pour elle-même durant toute sa vie. Alors? Pourquoi un tel besoin de lecteurs? Cette introspection menait à la confusion et Florence chassait vite ces questionnements d'un revers de la main. Pour l'instant, il s'agissait d'accueillir chaleureusement ces enfants en quête de bonnes histoires à faire peur, ou à rire et à pleurer. Et à les rassurer.

Assis à ses côtés, Philippe semblait plutôt indifférent à la chose. Il ne savait trop pour quelle raison on l'avait invité à cette séance de dédicaces. Après tout, ce n'était pas lui la *Grandmother Flo*[4]! Le travail de l'illustrateur reste habituellement en marge et n'intéresse que les éditeurs. C'est d'ailleurs la principale raison pour laquelle il avait accepté l'invitation des éditions Home Readers. Qui sait si, en côtoyant les Américains, il n'obtiendrait pas quelque contrat alléchant? On lui avait justement donné rendez-vous pour le lendemain matin au bureau-chef de la maison d'édition. Pour l'instant, il apposait son nom sous celui de Florence d'une main distraite et quelque peu ennuyée.

À un moment donné, survint un jeune bambin d'environ sept ou huit ans qui tendit son bouquin à Florence d'une main déterminée.

«Ah! toi, tu sembles savoir ce que tu veux!

— Bonn-jeûr, teinte Flowrence!»

Elle releva la tête, stupéfiée devant la mine réjouie du petit garçon. Mais en voyant s'approcher son frère Alexandre tordu de rire, elle s'esclaffa à son tour.

---

4. Grand-mère Flo.

«Tu parles d'une belle surprise!

— Eh! eh! on t'a joué un bon tour, hein? Florence, je te présente mon petit-fils Mark. Tu ne le reconnais pas? Il a passé son premier Noël avec toi, au Canada. Tu te souviens de notre visite impromptue chez Andréanne en soixante-six? Il était aux couches à ce moment-là.

— Alexandre! Et Mark! Quel bonheur! Par quel heureux hasard as-tu su que...

— Le hasard n'a rien à voir là-dedans! Andréanne m'a écrit pour m'informer de ta venue à New York. Albany n'est pas si loin et nous venons souvent faire des emplettes ici. J'ai décidé de te faire une surprise. Ainsi donc, te voilà devenue célèbre, ma grande sœur!

— Tu veux rire! J'ai seulement publié deux recueils pour les jeunes, rien de plus. Célèbre est un trop grand mot pour moi, tu sais. Et pour être franche, je me fiche éperdument de la renommée. Par contre, j'ai découvert le bonheur d'écrire et je ne veux plus m'arrêter. Et toi? La santé?

— Bof... Ça pourrait aller mieux. On m'a mis aux pilules. Il semble que je fasse maintenant partie des hypothéqués de la vie. Alors, j'en profite doublement. Dis donc, sœurette, la file s'allonge derrière moi. Si on se donnait rendez-vous pour le souper? Je n'ai pas l'intention de retourner à Albany ce soir. As-tu prévu une activité quelconque pour la soirée?

— Non, pas encore! Mais j'ai bien l'intention de te revoir et de faire plus ample connaissance avec ce jeune et séduisant Mark.

— Je te laisse le numéro de mon hôtel. Tu m'appelles dès la fermeture de la librairie, et on organise quelque chose, d'accord?

— Excuse-moi, Alexandre, je n'ai pas eu le temps de te présenter Philippe Lamontagne, l'excellent illustrateur de mes livres et, surtout, un très grand ami à moi.

136

Philippe, voici mon jeune frère Alexandre Coulombe. Philippe m'accompagne.

— Enchanté. J'espère que vous nous ferez le plaisir de vous joindre à nous ce soir, cher monsieur.»

Le jeune frère ressemblait plutôt à un «ancien» jeune frère. Le visage bouffi, des poches sous les yeux, le dos passablement voûté, Alexandre avait pris un puissant coup de vieux ces dernières années. À croire que la réussite familiale et financière n'était garante en rien d'une bonne santé, même si elle prévenait les troubles somatiques réactionnels au mal de vivre. Florence en savait quelque chose avec la colite ulcéreuse dont elle avait souffert durant de nombreuses années.

Maintenant tournée vers d'autres sphères d'intérêt, et le faux espoir obsessif de réconciliation avec ses filles enfin éliminé de ses préoccupations premières, ses problèmes de santé devenaient de plus en plus chose du passé. Ne persistait qu'une crainte obscure et incontrôlable d'une résurgence des problèmes sexuels de Désiré pour déclencher quelques crampes de temps à autre.

Elle regarda Alexandre s'éloigner d'une démarche lente et chancelante, et cette image jeta une ombre sur l'euphorie de cette journée parfaite. Mais l'homme tenait par la main un petit garçon, et ce tableau émouvant eut l'effet d'un baume sur l'alarme toute fraternelle de la grand-mère Flo.

***

Le repas chez *Joselito's*, restaurant mexicain de grande envergure situé sur Broadway, fut un enchantement. Il ne manquait qu'un élément au bonheur de Florence emportée par les mariachis venus sérénader à leur table : la présence d'Andréanne et de Samuel. Elle était redevable à sa sœur pour tout ce qui lui arrivait, c'était elle qui avait pris l'initiative d'envoyer ses manuscrits chez un éditeur. Grâce à elle, elle était en train de devenir une auteure reconnue. Et à cause d'elle, indirectement, son bon ami Philippe s'était trouvé sur son chemin. Ce soir, Flo D'Or avait le cœur à la fête et aurait voulu lui exprimer sa reconnaissance et sa tendresse.

Alexandre se montra néanmoins charmant malgré son manque d'appétit, tout comme Philippe, toujours aussi sociable et avenant. Florence, en liesse, avait l'impression de flotter dans un univers d'une autre dimension, aux portes du bonheur. Cependant, ce qu'elle retiendrait du début de cette soirée mémorable serait le geste du petit Mark, passablement fatigué à cette heure tardive. Au moment du dessert, il vint spontanément sur la banquette se blottir contre Florence et s'endormit presque aussitôt dans ses bras. Pour rien au monde elle n'aurait bronché d'un poil. Un ange participait à cette soirée.

C'est à cet instant précis qu'Alexandre posa maladroitement la question fatidique qui déclencha tout :

«Alors, Florence, tes filles vont-elles finir par vous pardonner, à toi et à Désiré?»

***

Au moment de retourner chacun dans sa chambre d'hôtel, Philippe s'attarda devant la porte de Florence. Elle se serait attendue à des souhaits de bonne nuit agrémentés du traditionnel baiser sur la joue, mais il n'en fit rien. Il se planta plutôt devant elle et la saisit par les bras en dardant ses yeux dans les siens.

«Florence, dis-moi ton secret...

— Quel secret? De quoi veux-tu parler?

— Dis-moi ce que tes filles ont à vous pardonner, à Désiré et à toi?

— ...

— Tu me caches quelque chose, je l'ai deviné depuis longtemps. J'ai toujours respecté cela et n'ai jamais posé de questions. Mais ce soir, j'ai envie de savoir. J'ai le droit de savoir. Parce que je t'aime, Florence. Je t'aime depuis le premier jour. N'as-tu donc pas compris cela? N'as-tu pas confiance en moi?»

Elle se laissa couler dans les bras de l'homme et, le front appuyé contre sa poitrine, se mit à sangloter comme un bébé, là, au beau milieu du corridor de l'hôtel.

«Allons, viens, mon amour. Entrons, il doit bien y avoir des digestifs dans le petit bar de ta chambre...»

Chapitre 23

Par la fenêtre de leur chambre, on pouvait voir New York briller de millions de petites lumières scintillant à perte de vue. On décida de laisser les rideaux ouverts pour toute la nuit. Philippe ne put réprimer un cri d'admiration.

«Quel spectacle enchanteur!

— Dire que chaque lumière abrite une histoire différente...

— Raconte-moi la tienne, ma belle Flo.»

Ils firent l'amour dès leur entrée dans la chambre en reléguant la discussion aux oubliettes. Il la porta dans ses bras jusque sur le lit et l'embrassa longuement avant de la caresser avec une infinie délicatesse. Elle ne s'attendait pas à autant de subtilité. Elle s'était imaginé le voir se jeter sur elle comme un mâle en rut trop longtemps retenu. Au lieu de cela, l'homme se montra maître dans l'art du plaisir raffiné mêlé de tendresse. Elle se donna à lui avec délices, presque avec assouvissement, en réalisant qu'elle espérait ce moment depuis des mois. En quelques minutes, la femme d'âge mûr, fanée et blessée par la vie, perdit ses rides et ses cheveux gris et se métamorphosa en une amante exquise et désirée.

Après les gestes de l'amour, ils restèrent allongés sur le lit, l'un contre l'autre dans la pénombre, éclairés seulement par les lueurs de la ville. Elle aimait cet homme simple et intelligent, elle le devinait compréhensif et humain. Lui confier les détails de sa vie sans en omettre aucun s'avéra facile et la soulagea en quelque sorte. Elle se vida d'un trait et lui raconta tout dans les moindres détails. Au fur et à mesure qu'elle parlait, une étrange impression de légèreté s'emparait d'elle.

Appuyé sur le coude, il l'écoutait religieusement sans l'interrompre et sans lui poser de questions. Mais soudain, elle s'arrêta net de discourir. Philippe, s'il ne disait mot, secouait follement la tête en se mordant les lèvres. Elle le sentit se crisper comme s'il était devenu incapable d'en supporter davantage. À n'en pas douter, il s'efforçait de garder contenance et se retenait d'exploser.

Elle ne fut pas dupe. Philippe soupçonnait un lourd secret, mais il ne s'était certainement pas attendu à recevoir de telles confidences. Va pour une tromperie ou une fraude. Au pire, une grossesse extramaritale, ou même un viol. Mais des actes de pédophilie entre Désiré et deux petits garçons de la famille, et le silence volontaire de Florence, ça, non! Cela dépassait largement les bornes!

Elle lui saisit le bras.

«Parle, Philippe, dis quelque chose!

— Et ta sœur Andréanne et son fils Olivier ont tout pardonné? Et ils n'ont pas renoncé à lui parler? Et ton petit-fils Charles a passé l'éponge et accepte de le revoir? Mais ce sont des saints, bonté de la vie! Non, mais c'est trop fort, à la fin!»

Il avait presque crié. Elle s'était pourtant habituée à son accent français, mais cette fois, il lui sauta à la figure. Elle serra son empoigne sur son bras jusqu'à lui enfoncer les ongles dans la peau. Elle avait tout gâché. Jamais elle n'aurait dû raconter sa vie à cet homme. Une telle fange ne se déterre pas, il faut la garder enfouie à jamais dans les profondeurs du silence. Dans l'abîme des secrets de famille. N'avait-elle donc pas compris cela? Subitement, elle eut envie de se sauver, là, toute nue, et de dévaler à pleine vitesse les marches des quarante-deux étages du building pour se jeter dans la rue devant le premier camion qui passerait. En finir une fois pour toutes avec la merde. Cesser de se battre pour survivre et respirer un peu d'air pur. Mieux valait ne plus respirer du tout, ne plus exister. Plonger tête première dans le vrai silence. Le silence éternel.

Il s'aperçut de son désarroi et passa son bras autour d'elle.

«Calme-toi, Florence. Je... je vais me faire à l'idée, c'est juste l'étonnement d'apprendre une chose aussi... stupéfiante!

— Tu juges Désiré bien sévèrement, et tu as raison, Philippe Lamontagne. C'est ton droit. Mais tu oublies que cela s'est passé il y a longtemps. Tu peux bien focaliser seulement sur ses erreurs, libre à toi. Mais il ne faudrait pas passer outre ses efforts pour s'en sortir, ses années de thérapie et de travail sur lui-même pour arriver à contrôler des pulsions quasi incontrôlables, plus puissantes que sa volonté et plus fortes que lui-même. Son enfance difficile ne l'excuse pas, mais peut tout de même expliquer certaines déviations. Et les perversions sexuelles ne se guérissent pas avec des pilules, admets-le au moins...

— Comment peux-tu prouver qu'il n'agit pas encore de la même manière? Qu'il n'abuse pas de petits innocents?

— Tais-toi, Philippe, tais-toi... Désiré s'est repris en main, je le sais, et cela se voit bien. Il faut l'aider, le soutenir, l'encourager au lieu de le condamner.

— Si tu le dis...

— Mon fils me fait pitié. Il n'a pas une once de méchanceté, il ne tuerait pas une mouche. Il a déjà perdu la tête et accompli des actes graves, je te le concède. Mais qui sommes-nous pour lui jeter la pierre? Tu n'as jamais commis rien de répréhensible, toi?

— Oui, mais je n'ai pas violé des enfants, moi!»

Florence se mit à pleurer à fendre l'âme. La fin du monde venait de se produire.

«Oh! pourquoi t'ai-je raconté tout ça? J'aurais dû continuer à me taire. Je ne mérite que le silence...»

Philippe regretta de s'être laissé aller à dire le fond de sa pensée.

«Mon amour, mon amour, ne pleure plus. Tout cela ne changera pas notre relation. Tu n'es concernée en rien là-dedans. Je n'ai pas sourcillé à cause de toi, tantôt. Bien des femmes auraient réagi de la même manière et auraient gardé le secret au lieu d'appeler les policiers pour faire arrêter leur fils. Cela peut se comprendre.

— Je paye mon erreur très cher, Philippe. Très cher! Mais ma petite personne ne compte pas beaucoup à mes propres yeux. L'essentiel, ce qui importe au-delà de tout, c'est que Charles et Olivier mènent une vie normale et ne restent pas marqués par ces... ce... par ça! Quant à mon fils, il faut avoir le courage de lui pardonner. Comme tous les êtres humains de la terre, il a droit à une autre chance. À l'absolution et à la réhabilitation. Et au recommencement. C'est ce qu'il fait d'ailleurs: il se reprend. Et pour cela, il mérite notre admiration et notre soutien. Le mien, en tout cas.

— Admiration me semble un bien grand mot, Florence... Tu parles comme une mère! Pour moi, Désiré Vachon est mon employeur.

— Et le fils de ton amie Florence, non?

— Sincèrement, je ne pourrai plus jamais le regarder en pleine face, maintenant, je t'avoue. Toute cette horreur me fait dresser les poils. Quelle affaire!

— Ne me dis pas cela, ne me dis plus cela, je t'en prie. Je ne t'avais rien demandé, moi! Tu as insisté pour connaître mon secret, et je t'ai donné ma confiance... Tu as raison: quelle affaire!»

La réaction négative de Philippe la déroutait. Elle se demanda si cet homme ne ferait pas partie du clan de Nicole, Isabelle et compagnie, plutôt que celui d'Olivier, Andréanne et Charles. Une fois de plus, elle eut envie de s'enfuir en courant. Mais elle se trouvait à six cents milles de Mandeville. Là-bas, au moins, on lui fichait la paix, elle se sentait bien et n'attendait rien de personne.

Philippe se leva pour lui servir un cognac.

« Pardonne mon agitation, ma Flo. Tu vis bien avec ces problèmes depuis des années, toi. Laisse-moi le temps de digérer cela. Pour le moment, je me sens dépassé, mais je vais m'y faire, t'inquiète pas. On n'en reparlera plus, voilà tout. »

Dommage! Elle avait justement envie d'en parler! Pour lui décrire sa déroute et lui avouer s'être leurrée sur lui. L'espace d'un moment, elle avait cru voir se dissiper toutes ces années de silence et de refoulement entre les bras d'un amoureux. Mais, au contraire, en ce moment même, son insupportable solitude remontait à la surface, tout à coup, et réintégrait ses quartiers généraux. Et cela lui donnait des haut-le-cœur et des envies d'aller à la toilette. Philippe Lamontagne ne se trouvait pas à la hauteur de ses attentes, il la décevait outrageusement.

N'existait-il donc personne, ici-bas sur cette planète, pour lui tendre l'oreille et l'écouter mettre son âme à nu sans devenir scandalisé et pousser de hauts cris? Sans monter sur ses grands chevaux? Quelqu'un pour la comprendre? Seulement cela... elle ne réclamait que cela du destin.

À Andréanne, la plus formidable des sœurs, elle n'osait pas se confier entièrement à cause de son statut de mère d'une victime de Désiré. À Marie-Claire? Non, Florence adorait sa fille, mais n'arriverait jamais à éradiquer complètement la distance créée entre elles quand elle s'était d'abord ralliée à ses deux sœurs aînées. À Marie-Hélène? Non plus. Elle habitait à l'autre bout du monde. Et surtout, Florence entretenait des doutes sur sa grandeur d'âme. N'avait-elle pas délaissé son bébé au Québec durant quelques années sans véritable raison? À qui se raccrocher, alors? À Charles? Jamais de la vie! Trop jeune et, surtout, lui-même victime du monstre.

Du monstre... Depuis combien d'années avait-elle cessé de considérer Désiré comme un monstre? Et voilà que tout à coup, en cette nuit diabolique qui aurait dû rester une merveilleuse nuit d'amour, elle se mettait à entrevoir de nouveau son fils comme un monstre. Elle en voulut à Philippe pour cela. Il avait tout bousillé.

Non, elle n'avait personne à qui se livrer. À qui confier ses obsessions, sa peur incontrôlable d'un retour du monstre. Une rechute, avec ce genre de problème, restait toujours à craindre. Elle avait beau fanfaronner devant Philippe, oui, elle avait honte d'avoir mis au monde un tel fils, oui, elle appréhendait une récidive. Oui, elle regrettait profondément de n'avoir pas tout tenté pour protéger les autres enfants. Oui, l'abandon de ses deux aînées la faisait encore souffrir immensément. Oui, elle gardait toujours l'espérance de les voir revenir un jour. Oui, il s'agissait de faux espoirs, et elle le savait. Mais, malgré elle, elle les cultivait quand même. Oui, elle avait besoin d'un ami qui ne porterait pas de jugement, un ami qui ouvrirait ses bras, simplement. Un ami pour la comprendre, pour la consoler, pour la bercer. Quelqu'un pour l'aimer.

Cette nuit-là, en haut d'un gratte-ciel de New York, elle n'avait trouvé qu'un amant sans âme. Jusqu'à l'aube, elle médita sur sa désillusion au sujet de celui qui dormait à ses côtés.

Le matin la trouva complètement fourbue. Quand elle ouvrit les yeux, Philippe la regardait amoureusement. À bien y penser, il avait peut-être une âme... Elle sentit son haleine chaude sur sa joue.

«Comme tu es belle, ma Flo. Dis-moi que tu m'aimes...»

À la vérité, elle ne le savait plus et tenta de créer une diversion.

«Dis donc, j'y pense. N'as-tu pas un rendez-vous avec le directeur de Home Readers, ce matin?

— Oui, oui. À dix heures. Peut-être vont-ils m'offrir quelques contrats pour illustrer leurs bouquins? Ce serait chouette de changer d'éditeur malgré la distance entre Montréal et New York. Mais je sais que cela reste possible. On échange le travail par la poste, rien de compliqué.

— Cela t'intéresse?

— Je n'aurais pas à rencontrer Désiré chaque jour à Lit-Tout. Cela simplifierait les choses pour nous tous, maintenant que je connais la vérité. Qu'en penses-tu?»

Ce qu'elle en pensait? Elle ne prit pas le temps de répondre et sortit précipitamment du lit pour accourir dans la salle de bain et activer la pomme de douche. Pour faire du bruit, le plus de bruit possible. Parce que si jamais elle exprimait ce qu'elle en pensait, elle ne le dirait pas, elle le hurlerait. Et elle ne voulait plus qu'il l'entende.

Chapitre 24

Au lendemain de son retour de New York, Florence trouva dans le courrier un chèque du département de comptabilité de Lit-Tout totalisant son pourcentage pour la première année de vente de ses deux recueils de contes au Québec. Il s'agissait d'un peu moins de deux mille dollars. Le soir, elle en fit part à son fils.

«On ne vit pas de ça! C'est peu, il me semble, pour toutes ces heures passées à écrire, tout ce travail à long terme.»

Désiré semblait pourtant content.

«Je te l'avais dit, maman. Pour ici, au Québec, il s'agit d'une assez belle réussite. Mais attends de recevoir les redevances de tes ventes aux États-Unis.»

En effet, le montant en dollars américains s'avéra plus substantiel. Les contes avaient plu et s'étaient bien vendus. Le directeur de Lit-Tout jubilait.

«Attends-toi à une réédition pour bientôt!»

Elle s'empressa de déposer l'argent à la banque et se promit de ne pas y toucher sauf pour le voyage toujours planifié en Colombie-Britannique. Le reste constituerait une sécurité, un coussin pour l'avenir. Pour la première fois de sa vie, Florence Coulombe possédait de vraies économies.

«À quand le prochain manuscrit, maman?»

Elle n'en avait pas la moindre idée et appréhendait de tourner en rond. Depuis leur retour de New York, elle continuait de fréquenter Philippe, de loin en loin, mais rien ne semblait plus pareil. Ils n'avaient couché ensemble qu'une seule autre fois, sur la rue Saint-André, alors que Désiré se trouvait en voyage d'affaires. Ils n'avaient pas reparlé de la nuit tumultueuse à l'hôtel, et Florence ne voyait plus en lui qu'un amant occasionnel, compagnon d'agréables sorties. Rien de plus. Lui, pourtant, continuait à lui parler d'amour.

Le rendez-vous de l'artiste chez Home Readers, à New York, s'était avéré plutôt décevant. On lui avait effectivement offert du travail, mais il lui aurait fallu déménager aux États-Unis.

«J'ai refusé, mon amour. Je préfère demeurer auprès de toi. Et puis, je n'ai pas envie d'émigrer chez les Américains, moi! Je baragouine à peine l'anglais. Et mon chez-moi est au Québec. Après tout, pour le temps qu'il me reste à travailler avant la retraite, je ne me sens pas si mal chez Lit-Tout.»

Elle se demandait où se trouvait la vérité parmi toutes ces raisons. Malgré sa première réaction négative face au passé de Désiré, Philippe avait fait amende honorable, s'était rétracté et excusé à Florence.

«J'ai réfléchi. Je ne comprends pas davantage ton fils, mais je l'accepte mieux. Cesse donc de t'en faire pour rien, ma belle Flo.

— Tout cela m'inquiète...

— Au moins, tu ne peux pas me reprocher mon manque de franchise et de naturel. Je n'ai rien d'un hypocrite ou d'un menteur, et j'exprime spontanément ma pensée. Espérons que tout cela ne changera rien entre nous. Je t'aime, Florence, et je voudrais vivre plus près de toi. Ne pourrions-nous pas être heureux ensemble, dans la même maison? Je ne fais que penser à cela!»

Confuse, elle ne savait sur quel pied danser. Aimait-elle suffisamment cet homme pour abandonner Désiré à lui-même? Évidemment, à quarante ans, il pouvait très bien s'arranger tout seul, rien de plus normal!

D'ailleurs, il en était temps! Mais le vieux garçon et sa mère avaient établi, à la longue, une sorte de mode de vie idéal, sur un territoire neutre parfaitement ajusté où chacun trouvait naturellement sa place, sans heurts ni frictions, comme une sorte de cocon où se couler confortablement, adapté et à l'aise.

Philippe Lamontagne valait-il la peine de briser une telle harmonie? Même une fois installée dans une vie commune avec lui, elle ne délaisserait pas son fils pour autant. Elle voudrait le fréquenter, le visiter, l'inviter chez elle, se rendre chez lui, passer des fins de semaine en sa compagnie à Mandeville. Comment Philippe réagirait-il? Mettrait-il des bâtons dans les roues? Disposait-il de suffisamment d'ouverture d'esprit pour faire fi du passé?

Quelques jours après leur voyage, il l'avait invitée à visiter son logement dans la banlieue nord de Montréal, et il avait mis ses talents de cuisinier à l'épreuve. Tout était parfait: tomates à la provençale, bouillabaisse fumante, fromage de chèvre, profiteroles, le tout arrosé d'un excellent vin blanc frais et très sec. Sur la nappe à carreaux rouges, brûlait une bougie à côté d'un bouquet de roses miniatures.

Elle était tombée sous le charme de la maison. De larges fenêtres s'ouvrant sur une rue ombragée et un jardin rempli de fleurs, des pièces spacieuses et joliment décorées, des teintes douces et parfaitement agencées, de gros meubles de bois naturel, des tableaux sur tous les murs, elle reconnaissait bien là le côté à la fois masculin et artistique de l'homme.

Dans son atelier aménagé à l'arrière, elle découvrit le véritable talent du peintre. Des dizaines d'œuvres à l'huile se trouvaient appuyées par terre contre le mur, toutes plus magnifiques les unes que les autres. Un style particulier, à la fois intense et épuré, des lignes simples, mais des personnages fascinants, expressifs, animant de nombreuses scènes d'hiver comme Florence les aimait. Elle retrouvait bien là celui qui avait prêté vie aux personnages de ses contes.

« Philippe, c'est ravissant! Tu me vois épatée! Pourquoi ne vends-tu pas ces tableaux? Tu gagnerais une fortune.

— Attends, je ne t'ai pas montré mes aquarelles. »

Elle demeura bouche bée devant la beauté des toiles. Ce fondu de couleurs transparentes, douces et apaisantes, ces formes imprécises, ces paysages indéterminés, ces fleurs qu'on devinait sous le flou constituaient un hymne à la beauté. Là se trouvait la vraie nature de l'homme en face d'elle : une extrême douceur, une sensibilité hors du commun pour la beauté, une recherche constante de pureté et d'authenticité. Mais, en même temps, un certain flottement, un indéfinissable brouillard.

Elle se retourna vers lui, émue, et prit sa large tête entre ses mains.

« Philippe Lamontagne, je t'aime. »

Qu'aurait-elle pu dire de plus? Tout était là, dans ces deux mots. Son amour, sa tendresse. Son admiration aussi. Son consentement à vivre avec lui malgré la présence d'un vague flou. Une certaine incertitude et le risque inhérent... Elle venait de prendre sa décision, à ce moment précis.

Depuis des années, elle avait sollicité l'absolution de la part de ses deux filles; son tour était venu maintenant d'absoudre elle-même Philippe pour ses jugements négatifs au sujet de Désiré. Elle se devait d'oublier ses premiers réflexes déplorables et de lui redonner la pleine confiance qu'il réclamait. La confiance ne faisait-elle pas partie intégrante de l'amour? Elle choisissait de lui tendre la main pour entreprendre une vie nouvelle et goûter enfin au bonheur. Elle y avait droit. Avant qu'il ne soit trop tard, avant qu'elle ne devienne une vieille femme frustrée, rabougrie et irritable. Pendant qu'elle était encore belle, selon les dires mêmes de l'artiste. La vie lui faisait cadeau d'un précieux compagnon, elle ne devait pas refuser. Désiré Vachon avait eu son temps, le tour de Florence Coulombe était venu, à présent.

«Alors, ma Flo, vas-tu accepter d'habiter ici avec moi?

— Hum... je m'y sentirais pas mal bien, je crois!»

Une aquarelle attira soudain son attention. Il s'agissait d'un champ de coquelicots balayés par le vent sous un ciel lumineux. Elle saisit le tableau dans ses mains et s'y attarda longuement. Philippe croisa les bras en l'observant, fasciné par la profondeur de cette femme.

«Tu aimes les coquelicots?

— À dix-sept ans, j'avais brodé des coquelicots sur des taies d'oreiller, un tablier et une nappe, en rêvant à ma vie future. Pour moi, ils évoquaient le bonheur. Ma mère les trouvait trop petits, mais moi, je m'en fichais. Je voulais mener une vie heureuse et je brodais en rêvassant. Le croirais-tu? Je n'ai jamais dormi sur ces taies d'oreiller. Sans doute parce que je n'ai pas connu le bonheur.

— Que sont devenues ces broderies?

— Je les ai offertes à mes deux aînées quand elles se sont mariées. J'espère que les coquelicots leur ont porté chance... Je ne le saurai peut-être jamais!

— Permets-moi de t'offrir ce tableau, Florence. Qu'il devienne le symbole de notre bonheur à nous. Et qu'il nous porte chance!

— Et qu'il porte chance à mon prochain roman!

— Quoi? Tu as commencé un nouveau roman?

— Pas vraiment. Ou plutôt, oui! Un roman pour adultes. Il se trouve déjà au complet dans ma tête. Cette aquarelle m'a enchantée. Elle pourrait très bien en illustrer la couverture.

— Ça parlera de quoi?

— Une histoire d'amour, mon cher. Une belle et terrible histoire d'amour vécue par un homme...

— Un homme? Tu vas écrire l'histoire d'un homme?

— Mmm... ça se pourrait bien!

— Tu me surprendras toujours, toi! Je me demande où tu prends tes idées!»

Où?... Pour dire vrai, elle n'y avait jamais réfléchi. Elle reporta son regard sur la toile sans répondre. Lui-même n'avait-il pas des idées originales et fantastiques quand il peignait et jouait avec les lignes et les couleurs? À bien y songer, elle connaissait très bien la source d'inspiration de ce futur roman. Elle se rappela sa visite de l'autre jour, au cimetière de Saint-Didace, en compagnie de Marie-Claire, lors de l'anniversaire du décès de Camille, sa mère. La jumelle recueillie sur la tombe de sa grand-mère s'était montrée fort surprise de voir Florence s'attarder plutôt sur la tombe voisine.

«Tiens! L'épouse de Vincent Chevrier est morte l'an dernier et je ne l'ai pas su.

— N'avait-il pas divorcé d'avec elle quelques années avant sa mort?

— Ses filles ont dû décider d'enterrer quand même leur mère auprès de leur père. Cette femme avait perdu l'esprit depuis longtemps.

— Quel drame dans une vie, hein, maman? Pauvre femme et, surtout, pauvre docteur Vincent...»

Florence avait failli répondre: «Et pauvre maîtresse qui n'a jamais eu de statut officiel dans la vie de cet homme...» Étrangement, elle avait éprouvé un curieux sentiment d'envie. Ainsi, la folle avait réintégré sa place auprès de l'homme de sa vie. La vilaine! Elle n'avait pas le droit de dormir auprès de lui du repos éternel! Vincent n'appartenait qu'à elle, Florence! À elle seule. Son bel amoureux se trouvait quelque part, dans une autre dimension, et il l'aimait encore et il veillait sur elle. Elle le savait, elle le sentait. Elle lui parlait souvent, dans le secret de son cœur.

Devant sa fille, Florence avait frissonné et tenté de retrouver ses esprits. «Allons, ma vieille, tu ne vas pas devenir jalouse d'une morte pour l'amour d'un amant disparu depuis des années! Es-tu en train de virer folle?» Marie-Claire avait-elle compris le désarroi de sa mère? Elle avait glissé son bras sous le sien et l'avait attirée vers la sortie du cimetière.

Philippe, devant le moment d'absence de Florence, se racla la gorge et se mit à pianoter sur le rebord de la fenêtre. Il proposa de préparer une tisane.

«Dis donc, ma Flo, où te trouves-tu en ce moment? Dans la lune? Ne me dis pas que tu es en train d'ajouter d'autres chapitres à ton roman!

— Qui sait! Mon histoire pourrait bien commencer dans un cimetière!»

Elle pressa de nouveau le tableau sur sa poitrine, puis le remit sur le mur.

«Espérons que mon éditeur acceptera ma suggestion pour la jaquette.

— Il faudrait d'abord commencer par l'écrire, ce chef-d'œuvre! Dis donc, quand déménage-t-on tes affaires ici? On pourrait installer ta machine à écrire juste sous ce tableau s'il t'inspire tant!»

Chapitre 25

16 janvier 1974
Samuel ne va pas bien.

Ces derniers temps, il avait dû annuler à plusieurs reprises ses rendez-vous à l'académie de musique pour remettre les pianos en condition avant le retour des élèves. Je ne savais pas ce qui se passait, il ne gardait aucun aliment et vomissait tout ce que je lui préparais. Mais il refusait catégoriquement de se faire soigner.

À un moment donné, je l'ai surpris affaissé devant le cabinet de toilette, en sueur et les yeux exorbités. Cette fois, il n'a pas protesté. Je l'ai obligé à s'habiller et l'ai poussé de force dans un taxi en recommandant au chauffeur de nous conduire en vitesse à l'urgence de l'hôpital Notre-Dame.

Devant l'état du malade, l'infirmière nous a immédiatement dirigés vers un cubicule à peine plus large que le lit qu'il contenait. Samuel s'est aussitôt endormi. Ou a-t-il perdu connaissance, je ne sais plus. Je n'arrivais plus à le réveiller quand le médecin est entré. Le résident n'a pas lésiné longtemps avant de signer un formulaire d'hospitalisation afin d'investiguer plus longuement sur son état de santé.

Évidemment, je me suis affolée. Était-ce grave?

Le jeune médecin a plongé son regard dans le mien et a mis deux ou trois secondes avant de me répondre. Cette hésitation m'a paru une éternité. Et cela m'a mis la puce à l'oreille. Pour le moment, il ne pouvait rien me dire de plus. «On verra...»

J'ai compris le message. Le silence se montre parfois plus éloquent qu'un discours long et complexe. Oui, c'était grave. Je me sentais à la fois rassurée de voir mon homme en de bonnes mains, et tout à fait paniquée à l'idée qu'il puisse souffrir d'un mal incurable.

C'est à peine si Samuel a réagi quand je l'ai quitté quelques heures plus tard. De nombreux tubes et fils se trouvaient déjà fichés dans ses bras. J'avais l'horrible pressentiment que mon conjoint venait d'entreprendre son voyage vers l'autre monde.

Sur le perron de l'hôpital, j'avais envie de rugir. J'en voulais au monde entier, à ces passants qui traversaient indifféremment la rue, ces voitures qui circulaient sans s'arrêter, cette femme qui donnait la main à une petite fille en se dirigeant tranquillement vers le parc Lafontaine. Ils n'avaient pas le droit de vivre normalement, la terre n'avait plus le droit de tourner sur son axe, la vie ne pouvait plus continuer. Samuel, mon trésor, mon amour, ma vie, se trouvait en danger de mort. Tout devait s'arrêter comme lui, comme moi, comme nous...

De retour à la maison, Olivier est venu à ma rencontre dans le vestibule, inquiet de mon absence. Normalement, j'aurais dû me trouver là pour l'accueillir, mais dans mon énervement, j'avais oublié sa visite annoncée pour la fin de semaine. Je me suis jetée dans ses bras, tête première. « Je ne veux pas qu'il meure, je ne veux pas qu'il meure... »

Je ne pouvais pas supporter cette idée. Il allait mourir, je le savais, je le sentais.

Olivier me pressa contre lui. Il fallait se montrer optimiste et garder espoir. Attendre au moins une annonce officielle.

Il m'a alors entraînée dans le salon et fait gentiment asseoir. À ce moment-là seulement, j'ai remarqué la jeune fille correctement assise sur le divan. Elle se leva à mon approche et me tendit la main.

Mon fils me présenta Katherine White, sa fiancée.

Sa fiancée! Il avait bien dit « sa fiancée »? Quelle surprise! Je me trouvais la première à apprendre leur engagement. Interloquée, je lui souhaitai la bienvenue parmi nous. Je ne ménageai pas mon éclat, riant et pleurant à la fois, emportée par trop d'émotions. La dulcinée manifesta sa compréhension devant le moment difficile que je venais de vivre à l'hôpital.

*Mine de rien, je la toisai du coin de l'œil. Plutôt ronde-
lette, le regard fixe mais perçant des chats, la boucle brune
sage et rangée, la patte de velours pour ne pas dire la main
tiède et molle, et le teint pâle rougissant sous l'émotion de
rencontrer la future belle-maman. À bien y songer, je n'en
avais rien à foutre, moi, d'une bru! Pas ce jour-là, en tout cas!*

*Mais il a suffi à la chère fiancée d'ouvrir la bouche
durant trois courtes minutes pour m'amadouer. Ses premières
paroles s'avérèrent rassurantes, réconfortantes même!*

*Les symptômes surpassaient parfois l'ampleur de la
maladie. Un simple médicament adéquat suffirait sans doute
pour régler le problème. Il s'agissait simplement de mettre le
doigt sur le bobo.*

*Fille du fameux général Robert White, l'un des héros des
Forces canadiennes, Katherine semblait sûre de ce qu'elle
avançait. Elle achève présentement sa dernière année de
médecine à l'Hôpital militaire de Kingston et a l'intention de
travailler avec les Casques bleus, une fois son diplôme
obtenu. Et mon fils, alors? Quelle place lui réservait-elle dans
tous ces beaux projets?*

*Je la gratifiai d'un maigre sourire de chien battu. On
discuterait de cela une autre fois. Je décidai de changer de
sujet et la complimentai sur la qualité de son français. Sa
mère francophone les avait élevés en français, ses frères et elle.
Plutôt gentille, la future bru, issue d'une famille nombreuse,
assez jolie, intelligente et médecin par surcroît. Ma belle-fille
me plaisait bien, au fond...*

*Le lendemain matin, le couple m'a accompagnée à l'hôpital
où le spécialiste en médecine interne m'avait donné rendez-vous.
Les deux amoureux m'ont soutenue et empêchée de hurler quand
le verdict est tombé comme un couperet: cancer métastatique du
pancréas, généralisé et en phase terminale. Aucun espoir de
guérison, à peine quelques semaines à survivre. Rien à faire à
part soulager les souffrances avec de la morphine.*

*Mon intuition ne m'avait pas trompée. La fin du monde
venait d'arriver. Ma fin du monde.*

Chapitre 26

L'écriture du roman allait bon train. Les idées ne manquaient pas. La machine à écrire avait été le premier objet transporté chez Philippe Lamontagne dans le nord de Montréal. Magnanime, il avait installé Florence dans la meilleure partie de son atelier, près de la fenêtre. Quand elle levait la tête, son regard portait sur les rosiers rustiques plantés devant une haie de cèdres et un coin de ciel qui lui donnait la couleur du temps. Souvent, l'illustrateur venait s'installer auprès d'elle et peignait en silence durant de longues heures dans ce lieu béni des dieux et habité par les muses. Il suffisait d'un sourire muet ou d'un regard entendu pour que les deux créateurs se ragaillardissent mutuellement. Suspendus sur le mur au-dessus du pupitre, les coquelicots rappelaient allègrement à Florence que le bonheur existait.

Elle ne se trompait pas, il existait, en effet! Auprès de Philippe, elle se sentait aimée et respectée. Adulée même! Elle s'expliquait mal l'admiration et l'engouement du peintre pour elle, comme si le fait d'écrire représentait une action extraordinaire pour ce grand magicien des formes et des couleurs. Cela la faisait rire. S'il avait fallu qu'elle prenne un pinceau dans ses mains et tente une ébauche de peinture, il aurait réalisé qu'elle ne possédait pas tous les talents!

Il prenait en charge les repas, le ménage, les courses, et dégageait tout sur le passage de Florence pour lui éviter les obligations contraignantes et donner libre cours à sa créativité. Elle dont la vie n'avait été qu'une suite de servitudes illimitées ne se sentait pas habituée à tant de bienveillance. Devant les largesses et le dévouement de Philippe, elle protestait avec véhémence.

«Tu me gâtes trop, mon amour. J'aurais pu les préparer moi-même, cette collation et ce café au lait!

— Tut! tut! Toi, tu écris...»

Aussitôt ses pénates installées chez l'illustrateur, elle s'était en effet mise à l'écriture d'un roman pour adultes, avec l'impression d'avoir transporté son refuge secret sur les pages blanches de sa tablette à écrire, ce lieu virtuel créé par elle-même et où rien ni personne d'autre n'existait que ses personnages et leurs intrigues.

Le docteur Vincent Chevrier dont elle voulait raconter l'histoire y prenait vie. Elle l'avait amené avec elle, plus vivant que jamais. Les mots du roman, par leur magie silencieuse, le faisaient renaître de ses cendres, le réinventaient, lui donnaient une autre chance de vivre. Des mots qui recréaient l'absent, plus vrai que nature, pour lui offrir, à elle, sur le plateau des lignes vierges, un peu d'espace et un peu de temps pour l'aimer encore, de cet amour intemporel qui n'avait jamais pu connaître la plénitude. «Vincent, pourquoi es-tu parti si vite?» Mystère de l'écriture où l'auteur devient maître des destinées sur la blancheur des pages...

Penchée sur sa tablette à écrire, Florence redessinait Vincent et revivait l'amour de sa vie. Prenait sa revanche... Même Adhémar, dans ses meilleures années, et Philippe, en dépit de sa gentillesse, ne faisaient pas le poids. Jamais ils ne lui avaient gonflé le cœur à ce point. Jusqu'à en éclater. Cet amour que même la mort, dans son absolu, et des années de souvenirs enfouis n'avaient pas réussi à ébranler. Cet amour aux couleurs d'éternité dont elle n'arrivait pas à se sevrer. Peut-être l'écriture lui permettrait-elle de tirer enfin un trait?

Resplendissant de jeunesse en ce début de roman, l'étudiant en médecine, pauvre et philanthrope, rêvait de guérir tous les maux de l'humanité, payait ses études en travaillant au pic et à la pelle... Vincent avait-il réellement connu un tel passé? Elle l'ignorait et, à vrai dire, elle s'en foutait! Ainsi laissait-elle fleurir ses fantasmes en ce personnage fictif d'Yves Montpetit endossant sur ses épaules la personnalité du beau docteur Chevrier.

Quand Philippe s'approchait d'elle et mettait ses bras autour de ses épaules, elle sursautait toujours avec l'impression de s'extirper d'un univers d'une autre dimension. Elle retrouvait alors l'illustrateur de ses contes, tout aussi séduisant et attachant que le docteur Chevrier d'autrefois. Elle admirait Philippe non seulement pour sa générosité mais surtout pour sa sensibilité à fleur de peau et son immense talent. Les deux hommes de sa vie se confondaient en un seul, plus grand que nature, à l'intérieur de son roman. Auprès de cet Yves imaginaire, Florence se sentait bien et n'avait pas envie de s'en séparer.

Et le soir, après avoir vécu en symbiose avec le beau Vincent durant toute la journée, elle venait se blottir dans les bras de Philippe avec la vague impression d'avoir triché, se demandant bien jusqu'où peuvent mener les droits de liberté d'un auteur...

Le déménagement dans l'appartement de Philippe s'était effectué rapidement. Pour Florence, âgée de presque soixante ans, changer de milieu et d'atmosphère, s'adapter à la présence d'un étranger si amoureux soit-il, évoluer dans un lieu nouveau et un quartier inconnu représentaient un pas énorme. La vie de celle qui avait écoulé quarante ans de son existence dans la même conjoncture étroite et contraignante devenait complètement métamorphosée.

Une ou deux fois par mois, les amoureux s'acheminaient vers Mandeville et s'y installaient pour quelques jours. Philippe adorait l'endroit et passait des heures à tendre sa ligne à pêche au bout du quai. Déjà, il avait effectué quelques réparations en se disant que son patron éditeur devait sûrement manquer d'habileté pour l'entretien d'une maison.

En général, quand le couple habitait la maison rouge, Désiré s'arrangeait pour rester en ville. Avait-il pressenti l'animosité muette dans le regard de Philippe et sa réticence à le confronter en dehors des cadres du travail?

Le fils n'avait pas protesté ni ne s'était montré surpris quand sa mère lui avait annoncé son intention d'emménager chez Philippe Lamontagne. Elle se serait attendue à une réaction plus vive, un éclat de joie, un contentement ou, à tout le moins, à la manifestation d'un vague regret de voir se rompre un lien soudé depuis sa naissance, cette vie commune jamais interrompue entre la mère et son fils. Rien... Désiré Vachon n'avait rien exprimé au départ de sa mère. À peine s'était-il offert pour transporter quelques boîtes. Elle mit cette sécheresse sur le compte d'autres préoccupations. Ne préparait-il pas un voyage en Europe à l'occasion du Salon du livre de Paris? N'était-il pas en train de repérer de nouveaux auteurs pour lancer sa collection de romans populaires?

Pour elle, le changement paraissait drastique et la coupure, douloureuse. Elle quittait à regret celui qu'elle voyait encore comme son petit garçon. Elle se promettait de l'appeler chaque jour, ce qu'elle fit religieusement au début. Mais Désiré, toujours aussi taciturne, ne trouvait rien à dire à part de s'informer sur la bonne marche du roman de sa mère, sans plus. La conversation tombait infailliblement à plat et se terminait rapidement. Elle n'allait tout de même pas raconter à son fils que Philippe se comportait comme le conjoint parfait, et faisait divinement la cuisine et... l'amour! Ni lui dire qu'auprès de lui, elle se sentait enfin devenir importante pour quelqu'un.

Hélas, la lune de miel dura peu de temps. La maladie de Samuel vint tout perturber. Andréanne n'en menait pas large et avait besoin de la présence de sa sœur. Chaque matin, Florence quittait la banlieue en métro pour rejoindre sa sœur à l'unité de soins palliatifs, au chevet du malade qui n'en finissait plus de mourir dans des souffrances atroces.

Côtoyer la mort d'aussi près avec un intolérable sentiment d'impuissance, scruter son visage sur les traits méconnaissables de Samuel, sentir ses griffes s'enfoncer lentement et cruellement dans son corps, la regarder gruger à dents acérées chez un être aimé cette précieuse vie fugitive et impossible à retenir ni à régénérer, ce don de Dieu indéfinissable sur lequel l'homme possède si peu de pouvoir, voir la fin creuser un peu plus chaque jour le trou béant de l'absence, ce vide horrible d'où l'on ne revient jamais, tout cela n'était pas sans bouleverser Florence. Elle avait déjà perdu des êtres chers, certes. Ses parents, Adhémar, Vincent... Mais jamais elle n'avait regardé d'aussi près la faucheuse accomplir son œuvre machiavélique, jour après jour et d'heure en heure.

Souvent, le soir, elle ne retournait pas chez Philippe, n'osant pas quitter Andréanne. N'osant pas non plus, ennuyer son amoureux avec ses histoires de famille même s'il se montrait compréhensif et conciliant. Elle s'endormait alors dans le même lit que sa sœur, son bras autour d'elle, mêlant ses insomnies et ses larmes à celles d'Andréanne qui l'avait tant soutenue au cours de son existence.

Singulièrement, durant ces moments-là, l'idée fixe d'écrire et de mettre ses états d'âme sur le papier ne la quittait pas et devenait une obsession. Elle se tournait et se retournait en quête d'un sommeil qui ne venait pas, éprouvant une frustration monstre de ne pouvoir mettre ses idées sur papier dans l'immédiat. Parfois, elle se levait au milieu de la nuit et, sous la lampe de la cuisine, se mettait à écrire durant des heures et des heures. Elle décrivait en détail la mort d'Yves, son personnage fictif à travers lequel se faufilait le spectre de Vincent Chevrier. À l'instar de Samuel, le médecin mourait lentement et à petit feu, contrairement à la mort foudroyante qu'avait été la réalité du docteur Chevrier. Elle prêtait sa propre révolte à la maîtresse imaginaire du beau docteur. Elle, au moins, avait pu lui faire ses adieux!

«Je suis folle!» se disait-elle, ahurie. «Je commence mon roman par la fin! Quelle aberration de faire mourir mon personnage avant même de lui prêter vie! Suis-je en train de devenir dingue? Surtout que Vincent n'est pas parti de cette manière!» Mais cela ne suffisait pas à l'arrêter, et elle continuait de barbouiller des pages et des pages avec la satisfaction d'exprimer exactement, chez l'amante, ce qu'elle-même ressentait en cet instant précis au sujet de sa sœur et de son conjoint. Et de ce fait, elle arrivait à conjurer sa propre tourmente. L'aube la trouvait vidée, confuse, et incapable de mettre en ligne deux idées cohérentes. «Ça doit être ça, la folie! Tant mieux, je pourrai mieux décrire la démence de l'épouse du héros de mon roman!» De ces heures d'écriture volées à la nuit, elle ressentait une grande fatigue, évidemment, mais surtout un indicible sentiment d'accomplissement et de fierté.

Tôt le matin, le pas traînant d'Andréanne sortant de la salle de bain et son visage défait avaient l'heur de la ramener les deux pieds sur terre. Le roman pouvait attendre. Pour l'instant, il importait plutôt d'envisager la terrible réalité.

Contrairement aux prévisions médicales, Samuel

mit presque quatre mois à s'éteindre. Il partit doucement entre les bras de sa bien-aimée, cette femme qu'il avait ramassée en déroute et portée à bout de bras pendant vingt ans sur le chemin du bonheur. Les accents de son violon avaient marqué de longues années d'une félicité paisible et tranquille. Il n'abandonnait pas une femme démunie et sans ressources, il laissait une Andréanne riche de souvenirs heureux et forte d'une foi renouvelée dans la vie. Il avait appris l'amour réel à la femme de vie d'autrefois, il avait enseigné la transparence à la maîtresse de luxe, il avait apporté la stabilité à la commerçante, il lui avait confié le secret de sa paix intérieure, cette paix inviolable sur laquelle même la mort n'avait pas d'emprise. Samuel l'avait aussi confortée dans son amour pour la musique, et cela, pour le reste de ses jours, resterait un havre consolant et immuable pour Andréanne.

Ses dernières paroles s'adressèrent à Florence :

« Prends soin de mon Andréanne... »

Ce fut tout. Sans doute n'entendit-il jamais la réponse de la sœur éplorée, prononcée d'une voix à peine audible :

« Pars tranquille, Samuel, je ne l'abandonnerai jamais. »

***

Nicole et Isabelle ne se présentèrent pas aux funérailles du musicien pour la raison évidente d'éviter une rencontre avec leur mère. Si elle avait gardé un secret espoir de les voir surgir, Florence n'en dit pas mot. Durant l'office religieux, elle glissa son bras sous celui des deux hommes qui se tenaient debout, rigides, à ses côtés : Désiré, secrètement bouleversé par la perte d'un homme estimé qui l'avait toujours considéré avec respect malgré son passé, et Philippe non personnellement touché par l'événement, mais inquiet de voir sa nouvelle conjointe aussi anéantie.

À l'avant de l'église, un violoniste et un violoncelliste interprétèrent l'*Air sur la corde de sol* de Jean-Sébastien Bach. Les pincements de corde de la contrebasse emmêlés à la mélopée déchirante de l'archet martelaient les profondeurs de l'âme au rythme d'un battement pathétique. Florence poussa un soupir et resserra son étreinte entre les deux hommes de son existence. L'un employeur de l'autre... L'autre, mauvais juge du premier... Le peintre ne tolérait le fils que par obligation, et le fils ne supportait l'amant que par devoir filial. Mais à se serrer ainsi entre les deux, Florence souhaita devenir câble ou chaîne ou pont pour voir le courant passer enfin. Non pas un courant de tolérance obligée, mais un courant de sympathie et de bonne entente. Mais elle ne se leurrait pas: cela relevait du domaine des miracles.

Sur le banc précédent, elle voyait Olivier se serrer lui aussi entre sa mère et sa future épouse. Olivier, l'enfant abusé de jadis, fonctionnait maintenant parfaitement bien. Olivier devenu sous-lieutenant, Olivier grand et bel homme aux yeux verts, debout et droit dans l'existence, Olivier capable d'aimer une femme, Olivier menant une existence normale malgré la profanation de son enfance.

Marie-Claire, en retard comme à l'accoutumée, se faufila dans le banc et prit, elle aussi, le bras de Désiré. L'espace d'un instant, Florence se dit qu'ils formaient un bloc homogène, tissé serré autour d'elle, indissoluble. Qui donc avait déjà parlé de solitude?

Quand elle vit arriver Charles à sa suite, accompagné d'une petite amie, elle se dit que oui, les miracles pouvaient exister.

Chapitre 27

6 juin 1974

Me voilà à trente mille pieds dans les airs, propulsée entre ciel et terre à une vitesse vertigineuse. Quand j'étais une enfant, j'imaginais le paradis « là-haut, dans le ciel », cet espace insondable au-dessus de ma tête où toutes choses perdaient leur dimension et devenaient l'infiniment grand ou l'infiniment petit, et l'infiniment mystérieux avalé par les nuages. Eh bien! m'y voici, dans ce fameux ciel, et je n'y repère ni divinité, ni ange, ni élu, ni âme en peine. Pour le paradis, il faudra chercher ailleurs!

Étrange tout de même, cette impression de grandeur quand on regarde en bas, par le hublot, ces villes rapetissées à la dimension de blocs d'enfants amoncelés dont les habitants deviennent réduits à des poussières pour ainsi dire invisibles. Moins que des fourmis, les humanoïdes! Quasi inexistants, les hommes, quand on les regarde d'en haut! Des riens! Mais des riens qui possèdent une âme, ont une qualité de vie, des riens qui pensent, réfléchissent, inventent, aiment et rêvent, rient et pleurent, des riens qui veulent vivre! Des riens qui s'approprient un peu de temps pour remplir un peu d'espace... Et quand ils meurent, les riens, il ne reste que le vide. Et le silence. Ils redeviennent des riens à l'état pur. Où vont-ils? Effacés, oubliés, disparus dans l'absolu, les petits êtres de la terre, quand ils meurent... Des riens...

Non, Samuel, je ne t'oublierai pas. J'ignore où tu t'en es allé, mais je ne t'oublierai pas. Un mois déjà... Je te cherche sans cesse, chaque objet de la maison, chaque événement me fait penser à toi. Au point d'en devenir cinglée. Même mon piano, surtout mon piano! me ramène à toi. Je t'entends jouer derrière moi, le menton appuyé sur ton violon, les yeux braqués sur moi. Tes mélodies m'envoûtent, s'emparent de moi, m'emportent dans un espace éthéré à l'intérieur de mes pensées où je ne m'appartiens plus, où je divague. Et d'où je n'ai plus envie de revenir. Samuel, tu m'appelles, tu me tends les bras, et je n'arrive jamais à te rejoindre. Alors, le visage baigné de larmes, je joue de plus en plus fort, mon clavier devient une enclume, j'y frappe ma révolte et je le martèle comme une démente, je deviens hystérique, je ne veux plus entendre ce violon diabolique qui m'ensorcelle. Au secours! Je suis perdue...

Florence a-t-elle entendu mon appel muet? L'autre jour, elle s'est levée et m'a prise par les épaules après avoir refermé le couvercle du piano. Elle a proposé d'aller marcher au parc Lafontaine.

Je l'ai regardée comme si je la voyais pour la première fois. J'avais oublié sa présence, je ne savais plus qui j'étais, j'avais oublié mon nom... La musique m'envoûtait, m'ensorcelait et, toujours, l'archet se frottait cruellement sur les cordes de mon âme. Je n'ai retrouvé mes esprits qu'une heure plus tard, assise à côté d'elle sur un banc, en face du petit lac artificiel où gicle la fontaine. Devant nous, un vieil homme lançait des miettes vers les mouettes aux ailes blanches comme celles des anges. Samuel, Samuel, où étais-tu? J'ai recommencé à pleurer. Ma sœur s'est inquiétée. «Andréanne, il faut te changer les idées. La vie continue... Seule l'usure du temps nous permet d'oublier. Et encore, pas toujours! J'en sais quelque chose. Mais il faut survivre, ma sœurette. Pour ceux qui nous aiment. Pour ton Olivier... et pour moi aussi! Mais surtout pour toi-même. »

Je sais que ma sœur n'a jamais oublié Vincent après toutes ces années. À mon avis, l'écriture de son roman sur la vie du médecin constitue justement son mécanisme de défense et sa façon à elle de survivre et d'exorciser la douleur. Elle se prétend heureuse auprès de Philippe Lamontagne, et sans doute l'est-elle réellement, mais l'autre, le docteur, a pris des dimen-

sions divines dans ses souvenirs. Ce que Samuel est sans doute en train de prendre, lui aussi, je suppose...

Ce jour-là, elle m'a vendue à l'idée d'aller à Vancouver avec elle. Elle songeait depuis longtemps à effectuer ce voyage. Avec l'argent de ses contes, elle pouvait maintenant se l'offrir. Si je l'accompagnais? Elle devait y aller avec Philippe, mais il comprendrait si elle lui expliquait. N'avais-je pas envie de revoir Marie-Hélène et Lili, de connaître le petit Nick? Marie-Claire pourrait s'occuper du magasin à temps plein, non? Je n'ai pas résisté à une telle invitation.

Ma sœur n'a plus reparlé de Philippe. Entre des vacances d'amoureux avec le beau peintre et un voyage de réconfort en compagnie de sa sœur éplorée, ma généreuse Flo n'a pas hésité. Pour le reste de mes jours, je lui serai redevable de ce soutien moral et de cette précieuse diversion dans ma vie endeuillée.

Nous voici donc, trois semaines plus tard, dans l'espace aérien, les deux sœurs assises côte à côte, penchées chacune sur nos tablettes à écrire, l'une recréant au fur et à mesure son refuge fictif, l'autre décrivant ses états d'âme, le regard oscillant entre sa page blanche et le hublot, à la recherche d'autres points de repère. Sous l'aile de l'avion, les Rocheuses étalent majestueusement leur beauté enneigée. Un véritable paradis, hélas, terrestre! Samuel, je t'aime...

Chapitre 28

À la sortie des voyageurs, les deux femmes scrutèrent la foule en vain à la recherche du visage de Marie-Hélène. La veille, au téléphone, elle avait pourtant promis de venir les chercher avec sa voiture à la sortie du vol AC 205 d'Air Canada, à deux heures trente de l'après-midi. Elles attendirent la disparition du dernier passager pour se rendre à l'évidence : ni Marie-Hélène, ni Liu, ni personne d'autre ne s'était présenté à leur rencontre. Florence tenta de tromper son inquiétude et ébaucha un rire gouailleur qui sonna faux.

« Ça lui ressemble, ça! Elle a dû oublier l'heure! Toujours aussi organisée, ma fille!

— Elle doit plutôt se trouver quelque part, dans un bouchon de circulation, en train de ronger son frein », renchérit Andréanne, pas plus rassurée que sa sœur.

Elles s'acheminèrent à la hâte vers une cabine téléphonique. Florence s'aperçut que sa main tremblait en déposant la pièce de vingt-cinq sous. Elle allait refermer le combiné après une dizaine de coups de sonnerie quand une voix pâteuse répondit à l'autre bout du fil.

« Oui?

— Marie-Hélène? C'est toi? Andréanne et moi t'attendons à l'aéroport depuis plus d'une heure!

— Prenez un taxi, je ne peux pas aller vous chercher. Désolée... »

La conversation resta en suspens, interrompue par la communication brusquement coupée. Florence se demanda si le clic tranchant résultait d'un geste volontaire ou d'un problème technique quelconque. Elle recomposa le numéro, mais n'obtint aucune réponse. Elle referma le combiné après avoir laissé sonner un nombre interminable de fois. Un bris mécanique, sans contredit... Du moins, c'est ce qu'elle raconta à sa sœur d'une voix monocorde en lui recommandant de héler un taxi.

La voiture traversa lentement la ville de Vancouver. Le chauffeur lança bien quelques amabilités dans un français incompréhensible, mais ni l'une ni l'autre des passagères ne manifesta l'envie de poursuivre la conversation. La frénésie avait fait place à l'angoisse. Que se passait-il? Chacune voyait défiler d'un regard absent les paysages nouveaux, les rues commerciales achalandées, le quartier chinois si coloré, puis finalement la route de West Vancouver qui menait au bord de mer. Aucune des deux femmes n'avait jamais vu la mer. Elles auraient dû se pâmer, s'émerveiller, s'exclamer par cette journée ensoleillée et ce temps clair, mais elles jetèrent à peine un œil distrait sur la nappe bleue qui s'étalait à perte de vue.

On enfila finalement dans un quartier cossu situé directement près de la plage. Enfin elles s'y trouvaient! Vingt-cinq, Fisher Crescent. L'énorme maison de bardeaux aux fenêtres en arcade, entourée d'une large galerie découpée de blanc, avait des allures bourgeoises. Florence savait sa fille très à l'aise financièrement, mais pas à ce point.

Elle courut plutôt qu'elle ne marcha dans l'escalier extérieur, le cœur battant la chamade, en oubliant ses valises sur le trottoir. Après deux coups de sonnette précipités, une main hésitante entrouvrit la porte. La grand-mère reconnut immédiatement sa petite-fille.

«Lili! Bonjour, mon amour! Comme tu es belle! Me reconnais-tu? C'est moi, ta grand-maman.»

La fillette fit signe que oui de la tête en affichant un grand sourire timide. Manifestement, elle n'avait pas oublié sa grand-mère et se réjouissait de l'accueillir. Passablement plus grande et développée, elle avait toutefois gardé son minois de petite fille toujours aussi mignonne, mi-blanche et mi-asiatique aux longs cheveux d'ébène. Florence la serra dans ses bras avec émoi. C'est à ce moment-là seulement qu'elle découvrit le petit bout de chou de trois ans tapi derrière, réplique exacte de sa sœur.

« Nicolas! Comme je suis contente de te connaître! »

Le bambin refusait d'avancer, sans doute impressionné par ces deux dames envahissantes qu'il ne connaissait pas.

« Mais où donc se trouve votre maman? »

Les deux enfants désignèrent simultanément le salon d'un geste de la main. Florence fit deux pas en avant et faillit perdre pied devant la vision dantesque qui s'offrait à sa vue. Marie-Hélène, le visage tuméfié, un œil à moitié fermé et les cheveux en bataille, restait affalée sur le divan sans même se lever pour accueillir sa mère qu'elle n'avait pas vue depuis bientôt quatre ans. Elle tenait un verre à la main et le leva très haut en guise de bienvenue.

« Salut, la compagnie! »

Florence s'approcha pour l'embrasser et remarqua qu'elle empestait l'alcool. Un flacon de scotch traînait sur la table. Elle posa sur sa fille une main hésitante et s'écria, d'une voix brisée:

« Marie-Hélène, que se passe-t-il? Qui t'a fait tous ces bleus? Quelqu'un t'a-t-il battue? Es-tu tombée dans l'escalier? Réponds-moi, voyons! »

La jeune femme se contentait de secouer la tête sans répondre. Elle fit évasivement signe aux voyageuses de monter leurs bagages à l'étage, mais sembla ne pas pouvoir arriver à trouver les mots pour l'énoncer clairement. Pétrifiée, Florence restait debout, sans bouger et sans émettre un son. Un événement avait dû se produire depuis l'appel téléphonique de la veille. Marie-Hélène se disait alors impatiente de revoir sa mère et sa tante, et se promettait beaucoup de plaisir pour les deux prochaines semaines. Et voilà que moins de vingt heures plus tard, Florence voyait devant elle une véritable loque humaine aux yeux fixes, incapable de se tenir debout et même de prononcer une parole sensée.

«Marie-Hélène, dis-moi ce qui t'arrive. Quelqu'un s'est-il introduit ici pour te frapper et te voler?

— C'est papa qui a battu maman, je l'ai vu!»

Les deux femmes se tournèrent d'un bloc vers le bambin qui avait innocemment lancé cette phrase sans en connaître la portée. Aussi candide que son frère, Lili avait renchéri:

«Papa était très fâché, ce matin. Il a dit à maman qu'il ne reviendrait plus jamais. Il est parti avec ses valises sans même me reconduire à l'école comme d'habitude. Moi... j'aime pas ça, manquer l'école!»

Si Andréanne, au cours du vol, avait porté un toast avec sa sœur en prétendant se sentir au paradis à cette altitude, Florence, en ce moment précis, avait le sentiment d'avoir été parachutée directement en enfer. Et quand Andréanne lui montra discrètement la seringue vide qu'elle venait de trouver par terre, à demi enfouie sous le divan, elle s'effondra. C'était plus qu'elle ne pouvait en supporter. Elle empoigna sa fille et se mit à la secouer avec brutalité en hurlant plutôt qu'en parlant.

«Dis-moi la vérité, dis-moi ce qui se passe ici!

— Attention, tu me fais mal!»

Marie-Hélène se mit à crier comme une perdue en frottant ses bras enflés couverts d'ecchymoses. Mais elle persista dans son mutisme avec un air égaré et délirant.

«À quoi a servi cette seringue? À te shooter de la

cochonnerie dans les veines? C'est ça, hein? Toi, une mère de famille...

— ...

— Réponds-moi, christ!

— ...»

Florence changea soudain de ton et adoucit sa voix. Ses instincts de mère prenaient le dessus. Elle tenait dans ses bras une femme blessée. Et sans doute davantage à l'intérieur qu'à l'extérieur. Battue par son mari, abrutie par l'alcool et probablement la drogue, incapable de s'exprimer, complètement anéantie. Une femme pitoyable. Sa fille, la mère de ses deux petits-enfants... Ah! mon Dieu! Pourquoi? Que s'était-il donc passé?

«Pour quelle raison Liu t'a-t-il flanqué une raclée, Marie-Hélène?

— Je ne sais pas...

— Papa a frappé maman parce qu'elle s'est donné une tite piqûre. Papa bat toujours maman pour rien. C'est vrai, hein, maman? Tant mieux s'il est parti!»

Le petit Nick commença à pleurnicher.

«Moi, je veux mon papa!

— Moi, je ne veux plus qu'il revienne. Il est trop méchant!

— Et... à vous deux? Est-ce qu'il fait mal aussi?

— Oui. L'autre jour, quand la police est venue, il avait brisé mon bras, et j'ai eu un beau plâtre jaune!»

Andréanne saisit Florence par les épaules et l'obligea à s'asseoir dans un fauteuil, puis elle s'installa en face d'elle en lui prenant les mains. Elle aurait voulu trouver les mots rassurants pour la calmer, la rassurer, lui affirmer qu'on trouverait une solution. Que les choses allaient se régler d'elles-mêmes, qu'il ne s'agissait que d'un mauvais rêve. Mais la colère grondait en elle aussi, et un profond sentiment d'écœurement. Le silence s'installa, lourd et insupportable. Marie-Hélène demeurait prostrée et avare de paroles, visiblement repartie dans un autre univers à cent mille lieues de là, un univers n'appartenant qu'à elle seule.

Timidement, les enfants se rapprochèrent des deux visiteuses. Lili fut la première à venir se coller contre sa grand-mère éberluée qui ne réagit même pas.

« Grand-maman, quand va-t-on commander des mets chinois?

— Des mets chinois? Comment ça, des mets chinois?

— Maman avait dit qu'on ferait venir des mets chinois après ton arrivée. »

Des mets chinois! Elle en avait de bonnes, la petite-fille! Rien que le mot « chinois », en ce moment, horripilait la grand-mère et lui faisait dresser les cheveux sur la tête. Si sa fille avait épousé un Québécois comme tout le monde au lieu de son maudit Chinois, elle n'habiterait pas à l'autre bout du pays, elle ne chercherait pas l'évasion dans la drogue, elle ne se ferait pas rosser par un étranger aux mœurs sauvages, ce double père de deux familles, l'une à Hong Kong et l'autre à Vancouver. Ou plutôt ce demi-père! Ce vaurien, ce tricheur, ce batteur, ce violent, ce second Adhémar, cet acheteur de femmes avec son argent, ce pousseur d'épouse à se droguer pour arriver à le supporter. Ce piètre Chinois damné entre tous. Ah non! qu'on ne vienne pas lui faire avaler des mets chinois! Elle les vomirait jusqu'à la dernière molécule! Et que le diable emporte tous les Chinois de la terre!

Elle se tourna vers sa fille sans répondre aux enfants. Ah! elle n'en menait pas large, la Marie-Hélène, aux prises avec son Chinois dans sa belle cage dorée. Elle habitait peut-être un château, elle avait peut-être les poches bourrées d'argent, elle pouvait sans doute s'offrir les vêtements les plus chers, les bijoux les plus dispendieux, les sorties et les voyages les plus prestigieux, mais elle n'était même pas foutue de préparer un petit souper de bienvenue pour sa mère qui avait parcouru trois mille milles pour venir l'embrasser après des années de séparation. Elle avait préféré se sauver en s'injectant de la drogue dans les veines et en sirotant du whisky.

Et quelle drogue? Florence avait vaguement entendu dire qu'il fallait prendre de l'alcool pour éliminer l'effet de la cocaïne... S'agissait-il d'une folie passagère ou Marie-Hélène était-elle en passe de devenir une véritable toxicomane? Florence ne pouvait le croire. Toutes ces années au loin. Cet étrange abandon de Lili à Mandeville pendant un si long laps de temps. Ses trop rares visites au Québec. Sa promesse non tenue de faire venir sa mère...

« Grand-maman, grand-maman, j'ai faim! »

Bonne âme, Andréanne s'offrit pour préparer le repas, mais déchanta rapidement devant les tablettes du garde-manger et du réfrigérateur complètement vides.

« Dieu du ciel, ces enfants mangent-ils parfois? »

Lili se mit à rire.

« Mais oui, voyons, ma tante! Tous les matins, un monsieur vient porter de la nourriture déjà prête à manger. Il possède la clé de la maison et dépose le tout dans le frigo. Aujourd'hui, il n'est pas venu, je ne sais pas pourquoi. Maman, elle, n'a pas le temps de faire la cuisine. Elle dit qu'elle travaille trop fort. Elle part le matin avec Nick et le laisse à la garderie. Souvent, elle rentre très tard, le soir, quand mon frère et moi dormons.

— Vous passez la fin de la journée avec votre père, alors?

— Oh non! Papa n'est pas souvent là. C'est Suzan qui vient nous garder. Ou Lucy, ou son frère, ça dépend. Moi, je préfère Peter. Joyce aussi, elle nous laisse faire tout ce qu'on veut... »

Petit à petit, les morceaux du casse-tête commençaient à s'imbriquer les uns dans les autres. Le drame devenait plus visible et plus précis, commençait à se montrer au grand jour. Et il ne paraissait pas beau à voir! Adréanne tressaillit et jeta un coup d'œil au salon. Florence s'était tranquillement rapprochée de Marie-Hélène et l'avait prise dans ses bras. La jeune femme se laissait bercer et pleurait à fendre l'âme, la tête enfouie contre la poitrine de sa mère.

La tante se racla la gorge et s'écria, comme si de rien n'était:

«Dites donc, tout le monde! Si on commandait une pizza? Je meurs d'envie de manger de la pizza, moi! Pas vous?

— Pizza! Pizza! Pizza!»

Les enfants se mirent à tournailler dans la maison en scandant le mot «pizza», ce qui arracha un maigre sourire à Florence. De toute cette merde émergeaient deux adorables frimousses, émouvantes de candeur. Non, l'espoir n'était pas mort. Elle resserra son étreinte.

«Tu peux pleurer, Marie-Hélène. Ta mère est là, maintenant.»

***

Marie-Hélène monta l'escalier en titubant et désigna une chambre à chacune de ses invitées. Elle semblait retrouver ses esprits peu à peu.

«Vos chambres sont prêtes. La bonne est censée y avoir vu, hier.

— Moi, je veux coucher avec grand-maman!

— Moi aussi, moi aussi!»

Il fut décidé que Lili partagerait le lit de sa grand-mère et Nick, celui de sa tante. Pour ce soir-là, du moins. Le lendemain, on ferait l'inverse.

Bien sûr, les deux voyageuses n'arrivèrent pas à fermer l'œil de la nuit. Liu Won, lui, découcha.

Chapitre 29

« Maman, tu t'en fais pour rien! »

Florence savait que sa fille mentait. Assise directement par terre, pieds nus dans le sable, Marie-Hélène scrutait l'horizon au-dessus de l'océan, en quête d'un repère quelconque, bouée ou phare, pour agripper son regard de désespérée. Peut-être bien une frégate pour l'amener loin de son cocon familial. Une autre frégate de corsaire sur laquelle elle semblait s'embarquer trop souvent, battant pavillon blanc, de la couleur du chimérique paradis de la cocaïne...

Au loin, à l'autre bout de la plage, on pouvait voir Andréanne flanquée des deux enfants penchés sur le sable à la recherche de coquillages. « Cela pourrait constituer un charmant tableau », songea Florence, n'eût été la vraie raison pour laquelle elle avait prié sa sœur d'éloigner les enfants de leur mère et de leur grand-mère pour une partie de l'après-midi.

L'heure de la vérité avait sonné. « Dis-moi tout! » avait exigé Florence à une Marie-Hélène paniquée qui, depuis cinq jours, n'avait cessé de se défiler. Le lendemain de leur arrivée à Vancouver, la jeune femme avait semblé retrouver modérément ses esprits. Elle avait elle-même reconduit Lili à l'école et, au retour, s'était offerte pour mener sa mère et sa tante à une visite en règle de la ville de Vancouver. Florence aurait préféré s'attarder de longues heures sur la plage devant la maison pour découvrir les beautés indescriptibles de la mer et se laisser bercer par le fascinant va-et-vient des vagues sur le sable, elle qui ne connaissait que son étroite et désuète plage sur le minuscule lac Mandeville.

Marie-Hélène avait mis au programme, pour le reste de la semaine, une journée de magasinage dans les rues commerciales, une visite au Stanley Park et au port de Vancouver, puis elle projetait une tournée dans les montagnes au nord de la ville, et, pourquoi pas, une visite à Victoria et ses extraordinaires Butchard Gardens. Florence retrouvait enfin celle qu'elle s'attendait de rencontrer à l'aéroport, active et sémillante. Tout semblait maintenant rentrer dans l'ordre. Les tuméfactions du visage de la jumelle disparaissaient petit à petit et ses moments d'absence se faisaient de plus en plus rares. Mais la mère lui trouvait malgré tout un air bizarre de temps en temps.

Ce matin-là, Florence elle-même prit l'initiative d'organiser la journée après avoir trouvé une autre seringue par inadvertance. Andréanne ayant monopolisé leur salle de bain commune, elle avait décidé d'utiliser la toilette de Marie-Hélène au moment où celle-ci se trouvait à l'étage inférieur. Son cœur s'était arrêté de battre à la découverte d'une seringue encore humide. Cette fois-là, elle voulait savoir. Tout savoir. Elle prétexta une grande fatigue pour rester à la maison et profiter de la plage.

Quand, quelques heures plus tard, elle se mit à la questionner, Marie-Hélène se montra d'abord résistante aux confidences.

«Tu t'en fais pour rien, maman! Liu ne reviendra plus si c'est cela qui t'inquiète. Les enfants l'ont dit: il a définitivement fait ses valises pour retourner à Hong Kong. Et s'il revient me harceler, je peux porter plainte. J'ai un rapport de police dans un tiroir confirmant qu'il m'a violentée. Il pourrait recevoir un interdit de séjour au Canada, et ce ne serait pas dans son intérêt. Il possède plusieurs compagnies florissantes ici.

— Tant mieux si cette relation est terminée. Cet homme ne te mérite pas.

— Il reste tout de même le père de Lili et de Nick. Et je lui dois beaucoup, malgré tout. »

Côté financier, Florence ne s'inquiétait pas. Marie-Hélène ne deviendrait pas démunie sans Liu Won. Elle allait conserver son poste de directrice du département de design de leur lucrative compagnie de fabrication des produits *Marie-Hélène* qui rapportait énormément d'argent. Elle continuerait de participer aux profits faramineux grâce aux nombreuses actions qu'elle détenait à parts égales avec Liu.

Florence prit une longue inspiration et plongea dans le vif du sujet.

« À la longue, ma fille, tu deviendras incapable de tenir le coup à force de t'injecter de la drogue... Je ne connais peut-être pas grand-chose sur le sujet, mais je sais qu'on ne peut pas se maintenir très longtemps à flot de cette manière-là. »

Ébranlée, Marie-Hélène sursauta et se réfugia d'abord dans le silence. Mais devant les insistances de Florence, elle se mit à protester avec véhémence. Sa mère s'imaginait des choses, se mêlait de ce qui ne la regardait pas. La seringue trouvée l'autre jour sous le divan n'avait servi qu'à calmer momentanément ses douleurs après la volée de coups de Liu.

« Et les autres fois? Ça sert à quoi?

— Quelles autres fois, maman? Il n'y a pas d'autres fois... »

Florence sortit la seringue de sa poche et la lui tendit d'une main crispée.

« Et celle-là? Elle a servi à quoi, ce matin? À te donner le courage de passer la journée auprès de ta mère, je suppose? »

Marie-Hélène bondit sur ses pieds, toutes griffes sorties.

«Quoi? Tu as fouillé dans ma chambre, maman? Je n'en reviens pas! Tu n'as pas le droit...

— Je n'ai pas fouillé du tout. Je l'ai trouvée tout à fait par hasard dans ta salle de bain que j'ai bêtement empruntée car ma sœur occupait la nôtre. As-tu songé, Marie-Hélène, que tes enfants pourraient trouver une autre de tes seringues, également tout à fait par hasard? Quelle belle scène, hein? Le petit Nick brandissant la seringue usagée de sa mère pour jouer au docteur avec sa sœur... Un petit scotch avec ça?»

À l'évocation de ses enfants, Marie-Hélène retomba par terre et se mit à sangloter. Elle ramena ses jambes contre sa poitrine et les entoura de ses bras pour former une boule. La position fœtale n'échappa pas à Florence, cette posture recroquevillée adoptée par l'être humain pour se préparer à venir au monde. Sa fille ressentait-elle donc le besoin de renaître à nouveau? Ah! mon Dieu...

La jeune femme pleura longtemps, la tête sur ses genoux, avant de se mettre à parler d'une voix hachurée. Pour la première fois depuis son arrivée, Florence sentit qu'elle disait réellement la vérité. Le fond de la vérité.

Une fois la barrière du silence rompue, elle ne sut plus s'arrêter.

«Quand je suis arrivée à Vancouver, dans la jeune vingtaine, la petite fille de la campagne s'est sentie complètement perdue dans cette grande ville aux mentalités différentes et à la langue étrangère. De mauvais amis ont vite fait de mettre le grappin sur moi pour m'enseigner leurs moyens pervers d'évasion sous forme de poudre. Au début, j'ai résisté et continué de suivre fidèlement mon cours de design. Je l'ai finalement terminé de justesse, je t'assure! Je n'ai pas fait de prostitution officiellement, maman, mais tout juste. J'ai couché avec plus d'un *pusher*, crois-moi!

— Ma pauvre enfant... Comment n'ai-je pas deviné tout ça?

— Penses-tu que j'allais t'appeler au secours? Je n'avais qu'à songer aux gestes dégueulasses de mon frère et à sa condamnation, à mon cousin et à mon neveu abusés, à la haine de mes sœurs, à ton désarroi, ma pauvre maman, pour me redonner simplement envie de me shooter encore et encore. Qui étais-je, moi, au milieu de cette famille? Je n'avais rien à voir avec vos problèmes. Comment émerger hors de ce cloaque? Je refusais de devenir un pantin comme ma sœur jumelle et de jouer le jeu de mes autres sœurs. Je n'allais pas me laisser porter, moi aussi, par le courant, je voulais rester moi-même et à part entière, moi, Marie-Hélène. Et pour cela, une distance de trois mille milles ne me paraissait pas de trop.»

Florence hocha la tête. Pas une seule fois elle n'avait songé que l'escapade en Colombie-Britannique de sa fille aurait pu relever davantage de la fuite que du goût de l'aventure et de l'intérêt d'approfondir son métier.

«Je me suis finalement déniché un emploi avec un salaire alléchant, compte tenu de mon âge et de mon expérience. Ah! je me sentais pas mal fière de moi, capable de subvenir à mes besoins. Hélas! grâce à cet argent, je pouvais aussi m'offrir quelques petits trips de plus en plus corsés jusqu'à ce que l'un d'eux me mène directement à l'hôpital pour une overdose, avec une lettre de congédiement dans la poche.

— Tu aurais dû rentrer à Mandeville, à ce moment-là.

— Ça aurait changé quoi? Ce n'était pas toi ni personne d'autre qui allait régler mon problème de toxicomanie, hein? Tu en avais plein les bras avec les tribulations de mon frère. Et puis, je n'avais pas envie de choisir mon clan, celui de mes sœurs ou celui de ma mère et de mon frère.»

Florence sentit passer un courant de glace dans ses veines. Jamais elle n'aurait pensé voir les conséquences indirectes de son silence sur la pédophilie de son fils se prolonger aussi loin, jusque dans la vie de son innocente jeune fille, seule et malheureuse à l'autre bout du pays.

Marie-Hélène enchaîna, sans se rendre compte de l'état navré de sa mère :

« Ma rencontre avec Liu Won, mon nouveau patron, s'est avérée déterminante et m'a replacée sur le bon chemin. Plus âgé que moi, plus mature, riche et installé dans la vie, il personnifiait la sécurité, la stabilité. Il disait m'aimer et je l'ai cru. Pour quelques mois, j'ai abandonné la drogue, toute tournée vers cet amour qu'il m'offrait à chacune de ses visites au pays, de plus en plus fréquentes. J'adorais aussi mon nouveau travail fort stimulant. Cependant, Liu s'emportait pour des vétilles et me brusquait à l'occasion. Je mettais sur le compte de la fatigue de ses voyages cette irritabilité sans gravité.

— Tu trouves cela sans gravité, toi, le fait de frapper une femme ?

— Crois-moi, dans l'univers de la drogue, j'en avais vu d'autres ! Toujours est-il que quand, folle de joie, je lui ai annoncé attendre un enfant de lui, il s'est transformé tout à coup en un homme différent, complètement affolé. Dix fois, il m'a parlé d'avortement. Mais je ne voulais rien entendre. C'est alors qu'il m'a appris mener une double vie : une femme et trois enfants l'attendaient à chacun de ses retours à Hong Kong. Je n'en croyais pas mes oreilles ! Je voulais mourir, maman, je voulais mourir... Un bon matin, il s'est pointé avec un billet d'avion pour moi, direction Montréal. Tu connais la suite.

— Et encore une fois, durant tout le temps que tu as passé à Mandeville, donc presque un an, tu n'as rien dit au sujet de la drogue.

— Je n'en prenais plus du tout! Pour moi, c'était une chose réglée pour le reste de mes jours. Je me sentais bien, chez nous, dans la maison rouge, malgré l'atmosphère tendue à cause de mes sœurs. Un jour, Liu a éprouvé des remords et s'est mis à m'envoyer de l'argent pour le bébé. Il prétendait se languir de moi, me suppliait de retourner à Vancouver, affirmait avoir besoin de moi pour fonder une nouvelle compagnie, m'offrait la moitié des parts. Il est finalement venu me chercher. Tu te rappelles, nous habitions le chalet sur la plage. Comme je refusais de me séparer de Lili, il est reparti seul et en colère. Puis il a tout fait pour me convaincre d'aller le retrouver là-bas sur une base temporaire. Deux ou trois semaines tout au plus. Je n'arrivais pas à me décider... Me séparer de mon bébé me semblait impossible même si j'avais l'intention de revenir chercher Lili quelques semaines plus tard.

— Moi, sans te le dire, je te trouvais sans-cœur de la quitter ainsi.

— Une fois là-bas, Liu s'est transformé en tyran. Il fallait travailler quinze heures par jour, ne penser qu'aux affaires, ne parler que de ça, ne vivre que pour mettre sa maudite compagnie sur pied. Formations, réunions, promotions, il ne s'intéressait qu'à ça. Il refusait de donner une place à notre enfant dans cette vie de fou. Souvent, il perdait les pédales et me frappait sans raison. Mille fois j'ai pensé revenir à Mandeville, mais la drogue se trouvait là, à portée de la main, avec sa consolation immédiate et son bonheur illusoire. J'ai alors décidé de quitter définitivement cet homme et de prendre un appartement. Il ne m'a pas laissée sur le trottoir. Il payait mon loyer et ma commande d'épicerie, et me remettait des chèques pour subvenir aux besoins de notre fille au Québec. Tu te rappelles, maman, je n'ai jamais manqué de t'envoyer la majeure partie de ces chèques, avant d'aller porter le reste aux vendeurs d'illusions du coin de la rue. Je fais dur, je suis peut-être sans-cœur comme tu dis, mais il me reste quand même quelques bons côtés pour lesquels je garde une certaine fierté. Je n'ai pas complètement abandonné ma fille...

— Jamais je n'aurais pu me douter que tu vivais dans de telles conditions, ma pauvre enfant...

— Quelle vraie mère accepterait une séparation d'avec son bébé durant des années pour de simples raisons d'affaires? Allons donc! J'avais bien d'autres misérables raisons, maman. Mieux valait laisser Lili à Mandeville, je te jure!

— Oui... j'ai été naïve. Oui, je t'ai trouvé un cœur de marbre. Oui, je t'ai mal jugée. Oui, j'avoue ne pas avoir creusé la question pendant assez longtemps. Sais-tu pourquoi, Marie-Hélène?»

C'était maintenant Florence qui reniflait en secouant le bras de sa fille.

«Parce que la présence de la petite Lili dans ma vie faisait mon affaire! Sans le savoir, cette enfant m'a sauvée de la déprime et réconciliée avec l'existence. Égoïstement, je n'avais pas envie de la voir repartir au loin. Parce que je vivais en enfer, moi aussi, Marie-Hélène, je vivais en enfer... Et je ne possédais aucune drogue pour me soulager sauf l'amour de cette enfant adorable.»

La jeune femme prit sa mère dans ses bras.

«Maman...

— Continue ton histoire, Marie-Hélène. Il me faudra bien l'entendre jusqu'au bout, maintenant.

— Liu Won m'a, une fois de plus, aidée à revenir dans le droit chemin. J'ai suivi une longue et sérieuse thérapie, puis, il m'a rétablie de nouveau dans la compagnie avec un poste-clé et un salaire faramineux. Ma première idée a été de revenir chercher Lili, tu penses bien! J'ai réalisé alors que j'étais enceinte, au grand désespoir de Liu, naturellement! Encore une fois, il me reparla d'avortement, mais, comme pour Lili, j'ai refusé carrément. À partir de ce moment, il est redevenu violent et a recommencé à me frapper. Depuis la naissance de Nicolas, les choses sont allées de mal en pis entre nous. J'ai récidivé et repris de la cocaïne, d'abord en la sniffant. Mais cela ne s'avérait pas suffisant; j'ai recommencé à m'en injecter dans les veines. Quand j'ai su que tu venais ici, maman, j'ai perdu mon sang-froid et doublé la dose. Cela a mis Liu en rogne. Tu as vu le résultat quand tu es arrivée? Il venait de me battre et de claquer la porte après m'avoir sérieusement fait ses adieux.

— Il va revenir?

— Je ne crois pas. Je ne veux pas!

— Et ton travail?

— J'ai toujours mon poste de prestige. Mais la drogue...

— Marie-Hélène, il faut te reprendre, réagir, retourner en thérapie. En finir une fois pour toutes avec ce problème épouvantable.

— Ne te leurre pas, maman. Ce genre de problème ne disparaît jamais.

— Tout dépend de la motivation. Fais-le pour l'amour de tes enfants. Faute de père, ils ont au moins droit à une mère normale et équilibrée. Au moins ça...»

La jeune femme s'était remise à sangloter, dépassée par les événements. Florence lui caressait doucement les cheveux en se demandant comment elle pourrait l'aider à s'en tirer.

«Si Liu Won se pointe de nouveau, Marie-Hélène, ne le laisse pas se réintroduire dans ta vie sans lui imposer de suivre une thérapie, lui aussi. Une cure pour violence conjugale.

— Il ne veut rien entendre. Je le lui ai proposé cent fois!

— Pourquoi ne pas revenir à Mandevillle avec les deux enfants?

— Et vivre de quoi? De l'air du temps? Tu t'es contentée de cela durant toute ta vie, toi, maman... Pas moi! Je veux garder mon emploi. C'est important pour moi. Je gagne bien ma vie ici.

— Tu gâches bien ta vie ici, d'après moi!»

Florence sentit la moutarde lui monter au nez. Entre une vie sage et paisible à la campagne avec ses deux enfants, à l'abri des tentations, et une existence tumultueuse de riche aux prises avec un homme violent et la drogue à portée de la main, sa fille choisissait la deuxième option. La porte de la maison rouge lui était pourtant ouverte. Tant pis pour elle, si elle préférait la misère. À tout le moins cette sorte de misère. Elle aurait dû se voir l'allure pitoyable, le jour de l'arrivée de sa mère et de sa tante. C'est cela qu'elle choisissait? Les yeux tuméfiés, mais les poches bien remplies d'argent? Si elle aimait tant la merde, elle pouvait bien en manger, cela la regardait. Mais les enfants, eux? Ils ne méritaient pas ça. Ils avaient le droit de grandir dans un environnement sain et normal.

Elle vit Andréanne se diriger vers elles en tenant les deux petits par la main. Le sourire qu'ils arboraient en disait long sur la joie de vivre qui brûlait en chacun d'eux. Personne n'avait le droit de détruire cela. Parce qu'ils en porteraient les conséquences et en souffriraient pour le reste de leurs jours, elle en savait quelque chose!

«Tiens, grand-maman, j'ai ramassé ces coquillages pour toi!

— Moi aussi, grand-maman, j'ai une surprise pour toi.»

Nick lui tendit une carapace de crabe à moitié cassée qui dégageait une odeur nauséabonde. Aux yeux de l'enfant, il s'agissait du plus précieux des trésors. Et cette offrande émut Florence plus que n'importe quel cadeau jamais reçu dans sa vie. Non,

Marie-Hélène n'avait pas le droit de gaspiller l'enfance de ces petits-là. Pas le droit.

«Dites donc, les enfants, je viens d'avoir une idée extraordinaire. Si on demandait à votre maman la permission de venir passer l'été à Mandeville avec votre grand-mère, croyez-vous qu'elle dirait oui? Elle pourrait rester ici pour se reposer et se refaire une santé. Régler ses ennuis.»

Si les deux enfants applaudirent et sautèrent de joie, leur mère, elle, se précipita sur Florence en lui lançant des éclairs.

«Me séparer de Lili encore une fois? Jamais de la vie! Et laisser mon fils partir à l'autre bout du monde? Tu n'y penses pas, maman?

— Justement, oui, j'y pense! Tu pourrais en profiter pour faire le ménage dans ta vie. Suivre un autre traitement contre la toxicomanie. Le bon, cette fois. Renouer avec ton Chinois si tu veux, mais avec tes conditions, pas les siennes. Sinon, en finir une fois pour toutes avec cet homme. Officiellement. Et prendre une décision au sujet de ton travail. Et surtout, surtout, Marie-Hélène, établir tes priorités. Orienter ta vie dans la bonne direction. Et quand tu seras prête, seulement quand tu seras prête, tu reviendras les chercher, ces petits-là... Loin de moi l'idée de te les voler!»

Florence avait haussé le ton en prononçant ces dernières phrases. Bien sûr, elle aurait pu consulter sa fille avant de mettre de telles idées dans la tête des enfants. Mais cette solution lui était venue à l'esprit spontanément, comme une évidence. Toute bonne grand-mère réagirait de la sorte, cela allait de soi, voyons! Elle ne pouvait pas laisser ses petits-enfants dans un tel contexte, auprès d'une mère droguée et battue par son conjoint. Les enfants se mirent à trépigner.

«Oui! oui! Dis oui, maman!»

Marie-Hélène se remit à pleurer.

191

« Toi, maman, tu es une vraie mère! Pas moi... »

Personne ne remarqua le regard réprobateur lancé par Andréanne à sa sœur. Elle s'était bien gardée de se mêler de la conversation, mais avait tout entendu. Elle s'éloigna sur la plage à petits pas, la tête basse, en affirmant retourner chercher d'autres coquillages. Les enfants ne la suivirent pas, trop anxieux d'entendre la réponse de leur mère.

Chapitre 30

20 juin 1974

Florence a complètement perdu la tête. Plus mère que femme... Plus grand-mère qu'amante!

Nous revoici à trente mille pieds dans les airs. Je la vois, ma grande sœur, de l'autre côté de l'allée, en train de raconter une histoire à Lili, le petit Nick sur les genoux. Tableau parfait qui fait sans doute l'envie de bien des passagères sur l'avion, celui d'une grand-mère comblée qui a invité ses petits-enfants pour un séjour au Québec.

Séjour qui risque de se prolonger outrageusement, selon moi! C'est bien beau, les élans du cœur et les gestes de générosité, mais où va-t-elle les installer, ces enfants-là? Certainement pas chez Philippe Lamontagne où elle a transporté ses pénates depuis à peine quelques semaines. J'imagine déjà l'air stupéfait du peintre quand il va la découvrir à l'aéroport, dans quelques heures, en tenant deux marmots par la main. Attends qu'elle lui annonce les garder pour un temps illimité! Des plans pour qu'il se sauve en courant, le pauvre! C'est là qu'on va jauger la profondeur de son amour.

Elle ne va pas, non plus, retourner rue Saint-André chez Désiré. Il n'en aura rien à foutre d'un neveu et d'une nièce qui vont instaurer le bordel dans son logement exigu. Et puis, on a beau dire... Implanter des enfants dans l'espace vital d'un ex-pédophile, aussi « ex » soit-il, ne s'avère certainement pas une bonne idée! Il ne faut tout de même pas tenter le diable!

Je pourrais bien lui offrir de venir chez moi. Depuis le

départ de Samuel, je tourne en rond. Pour une diversion, c'en serait toute une! Mais où les mettrais-je? Florence pourrait toujours occuper l'ancienne chambre d'Olivier, mais les enfants? Dormir tous les jours sur mon vieux divan de salon ne me semble pas vraiment la solution idéale.

Reste Mandeville. À son âge, ma sœur pourra-t-elle supporter l'éloignement et l'isolement de la campagne, seule et sans voiture, avec deux jeunes enfants? À moins que Philippe n'accepte de venir la rejoindre. Rien de moins certain. Il parle vaguement de retraite, mais ce n'est certainement pas pour demain, je le crains.

Alors? Florence n'a réfléchi à rien de tout cela en faisant son offre généreuse à Marie-Hélène, trop immature et inconséquente pour prendre une décision sensée. Elle a besoin de se retaper vite, la chère nièce! Quel entêtement de vouloir demeurer en Colombie-Britannique! Tout ça pour de l'argent... Et c'est encore Florence qui va en subir les conséquences par amour pour Nick et Lili. Ma sœur a peut-être commis des erreurs envers certains de ses petits-enfants, jadis, mais elle s'est largement rachetée, personne ne pourra prétendre le contraire!

Tiens, tiens! Plongée sur ma page, en train de rédiger ce journal, je n'ai pas réalisé que, les deux enfants s'étant assoupis, elle aussi a sorti sa tablette à écrire. Elle doit être en train de faire le récit d'une grand-maman oie qui, ayant perdu momentanément ses petits, les a retrouvés sains et saufs en plein vol au-dessus d'un continent grand comme le Canada... J'en gagerais mon piano!

Chapitre 31

De la fin de juin jusqu'à la période des fêtes, Florence, Lili et Nicolas vécurent dans la maison rouge en compagnie de « l'oncle Phil ». Au début, le peintre se montrait réticent à l'approche des enfants et se contentait de venir en visite une ou deux fois par semaine. Pendant un certain temps, il en voulut à Florence pour avoir perturbé leur vie de couple à peine entamée. Elle eut beau lui expliquer qu'il s'agissait d'une situation temporaire, il la bouda quelque peu. Mais la perspective d'un nouveau recueil de contes pour jeunes lecteurs changea tout. Du moins, il utilisa ce prétexte, au premier abord, pour venir travailler les illustrations en compagnie de l'auteure. Mais Florence savait bien que le charme des enfants ferait son œuvre. Il en vint, en effet, à adorer leur présence.

Quand « l'oncle Phil » arrivait à Mandeville, on l'accueillait avec des cris de joie. Lui qui n'avait jamais eu de progéniture se mit à enseigner de nouvelles techniques de natation à Lili, à faire le cheval pour Nick grimpé sur son dos, et à exécuter pour eux d'innombrables esquisses et dessins. Il organisa des parties de pêche, des excursions dans la forêt, des pique-niques en chaloupe. Souvent, il les amenait à la cueillette des petits fruits et cuisinait, avec eux, des tartes dont l'arôme exquis remplissait la maison.

Un bon jour, il surgit avec ses valises, ses toiles et ses pinceaux à bout de bras, l'air fanfaron.

«Putain! Si le bonheur habite ici, aussi bien me joindre à vous pour de bon!»

Florence se pinçait, croyant rêver. Oui, le bonheur se trouvait bien là. L'automne apporta son cortège de splendeurs. Avec quelle émotion elle voyait Philippe, par la fenêtre de la cuisine, ramasser d'énormes tas de feuilles mortes et, entouré des enfants, y allumer de grands feux. Quand vint la première bordée de neige, elle se sentit remplie de poésie, à la fois émue par tant de beauté et confortée à l'idée de se trouver à la chaleur auprès de ceux qu'elle aimait. Même les vieux souvenirs d'hiver auprès de Vincent, entretenus et savourés pendant des années, semblaient s'estomper en compagnie de Philippe et des enfants.

Le soir, quand les petits dormaient, les deux amoureux travaillaient ensemble dans le salon de la maison rouge, elle sur sa machine à écrire, lui sur sa tablette à dessin. Le roman, inspiré par Vincent, fut relégué au fond d'un tiroir et céda la place aux histoires racontées à Lili et Nick au cours de la journée. Florence les rédigeait avec minutie, fignolant le style, y ajoutant au passage un détail, une précision, un enrichissement.

Tout y était: l'arrivée du nouvel oncle dans la famille des deux petits canards, l'aventure du cuisinier qui avait laissé brûler ses tartes, celle de la gazelle qui s'ennuyait de son papa parti dans un lointain pays, et l'histoire de la maman poulette malade qui avait dû se séparer momentanément de ses poussins pour prendre le temps de guérir. Comme à l'accoutumée, les récits se terminaient invariablement bien. Le nouvel oncle se montrait gentil, la dernière tarte restait mangeable, le père voyageur revenait au bercail et la mère poule finissait par guérir et retrouver ses poussins.

«Hum! La poulette que je connais reviendra sûrement aux alentours de Noël», songeait Florence, à la fois contente et un peu désespérée. Philippe s'empressait d'illustrer les récits avec ses dessins guillerets aux lignes pures et aux couleurs vives.

Parfois, Désiré se pointait pour quelques heures, toujours aussi peu loquace et avenant. Mais il repartait d'un air satisfait avec, dans son porte-documents, un ou deux contes déjà illustrés et achevés, prêts pour une dernière vérification auprès du comité de lecture. Ce recueil serait particulièrement réussi.

En septembre, Florence avait inscrit Lili en deuxième année à l'école de Saint-Charles. À Vancouver, la fillette avait terminé sa première année scolaire en anglais. Cependant, malgré les difficultés de la langue française qu'elle connaissait moins, elle s'en tirait assez bien avec l'aide de sa grand-mère qui ne demandait pas mieux que de dépoussiérer ses anciennes qualités d'institutrice.

De toute sa vie, Florence ne s'était sentie aussi heureuse. Elle goûtait cette joie paisible de voir la maison rouge remplie, pour la première fois, d'amour, de tendresse et de cris d'enfants sans qu'elle ait à supporter la violence d'un Adhémar ou à appréhender les folies d'un Désiré. Sans que la honte et le rejet remontent sans cesse à la surface des choses, sans que la solitude et le silence la rendent malade. Lui avait-il fallu souffrir tout ce qu'elle avait souffert pour se rendre enfin jusqu'à maintenant, ce temps de quiétude sereine?

Elle appréciait la présence de Philippe, sa culture, sa grande capacité de jouir de l'instant présent. Sans parler de ses talents d'amant! Certes, il imposait parfois des caprices et ses petites manies de vieux garçon, homme habitué à vivre seul et pour lui-même depuis des années. Mais quarante ans de vie auprès d'Adhémar Vachon d'abord, et de son fils Désiré ensuite, avaient préparé Florence à passer outre à de telles vétilles.

Seule la perspective de voir les enfants repartir assombrissait le tableau. Marie-Hélène téléphonait presque tous les jours et parlait longuement avec les petits. Elle semblait s'être remise sur la bonne voie et, de toute évidence, se languissait d'eux. Florence avait beau la supplier de venir s'installer au Québec, la jeune femme s'obstinait à rester au loin. Liu Won ne semblait pas avoir réapparu dans le décor et son départ devenait de plus en plus définitif et officiel.

La jeune femme affirmait avoir rencontré un homme de grande qualité, denturologiste de profession, auprès de qui elle envisageait de recommencer sa vie. Lui-même divorcé et père d'une fillette, il lui avait proposé de reconstituer une famille avec tous leurs enfants. La jumelle manifestait l'envie d'accepter. Mais Florence l'avait mise en garde.

« Après trois mois de fréquentations, n'est-ce pas un peu trop vite?

— À trente-six ans, je n'ai plus de temps à perdre.

— Mais tes enfants ne le connaissent même pas!

— Maman, tu t'en fais pour rien!

— Tu me répètes toujours ça! »

Quand elle annonça son arrivée pour le congé de Noël, Florence dut se faire à l'idée: ses jours auprès de ses petits-enfants étaient comptés. Philippe tenta de la consoler.

« Rien n'est fini, mon amour. Tout ne fait que commencer. Toi et moi avons devant nous de belles années heureuses. Tu as ton métier d'écrivain, et moi, j'ai ma peinture. Ne te sens-tu pas bien auprès de moi? Tu mérites de vivre dans le calme, non? Toi et moi n'avons plus l'âge de nous occuper de jeunes enfants. »

Il avait raison, Florence ne pouvait le contredire. Mais pour la deuxième fois, on allait lui arracher sa petite Lili et l'amener à l'autre bout du monde. Comment s'en réjouir? Et Nicolas, donc? Tellement adorable et attachant! On a beau parler d'habiter le cœur...

Elle suspendit sa couronne de Noël défraîchie en soupirant. Philippe protesta.

«Grands dieux! Tu ne vas pas suspendre cette vieille affaire-là dans la porte?

— Ben quoi? Elle n'est pas si mal! Elle vient de ma mère.

— Ah... franchement! Venez, les enfants, nous avons du boulot!»

Tout excités, ils le suivirent dans le bois derrière la maison pour couper un sapin et rapporter quelques branches de pin. Il ne serait pas dit que ces petits-là ne garderaient pas un souvenir extraordinaire de leur Noël au Québec. On tressa une nouvelle couronne ornée de pommes de pin et de rubans rouges, on installa des petites lumières sous la corniche de la maison, on entoura la galerie d'une guirlande, on fabriqua mille et une babioles pour suspendre dans l'arbre. Puis on cuisina des tourtières, de la terrine, du confit d'oignon et de piment, des beignes et des biscuits en pain d'épice.

Puis, on lança les invitations. L'oncle Désiré serait de la partie, bien sûr. Olivier, en permission, accompagnerait sa mère et sa fiancée. Marie-Claire se chargerait d'aller accueillir Marie-Hélène à l'aéroport et de l'amener à Mandeville. On invita même la sœur de Philippe, son mari et ses deux enfants qui acceptèrent avec plaisir de se joindre à eux. Après tout, il fallait bien, tôt ou tard, présenter les deux familles l'une à l'autre puisque l'union de Philippe et de Florence semblait prendre une tournure sérieuse et durable.

Ne manquerait que Charles, le petit-fils bien-aimé, retenu à Berthier par son devoir filial. Sa mère Nicole ne lui aurait pas pardonné de s'absenter à leur propre fête familiale de Noël. Mais il promit de venir à Mandeville dès le lendemain avec sa copine.

Comme à chaque année, Florence avait posté une carte de Noël à la famille de Nicole et à celle d'Isabelle, en souhaitant ardemment la réconciliation. En dix ans, aucune d'elles n'avait jamais répondu. Cette fois, Florence leur annonça la visite de Marie-Hélène et exprima le vœu de les voir enfin tous réunis. Au fond d'elle-même, elle savait bien que ses filles n'en feraient rien. Les jumelles et leur tante Andréanne restaient néanmoins en contact avec ces deux sœurs récalcitrantes, et elles n'avaient de cesse de répéter à Florence d'arrêter d'entretenir de faux espoirs. Elle se faisait du mal pour rien : les rebelles ne changeraient jamais d'idée.

Florence se sentit à la fois nostalgique et joyeuse. À l'instar de Philippe, elle opta pour la joie du moment. La présence des petits donna à la fête des allures de conte de fées. Et cela rappela à la grand-mère un certain Noël des temps passés où, en compagnie d'Adhémar et des enfants, d'Andréanne et de leurs deux frères vêtus en uniforme de l'armée, ils s'étaient rendus à la messe de minuit à Saint-Didace, le village de leur enfance. Elle revit sa sœur assise au fond de la camionnette, tenant sur ses genoux les deux jumelles emmitouflées sous des tonnes de couvertures. Sur la route, ils avaient chanté en chœur. Le bonheur... Et pourtant, à la sortie de l'église, le docteur Vincent lui avait présenté son épouse à moitié folle, cette femme qu'elle avait considérée comme une rivale. Pire, ce soir-là, Florence avait soupçonné sa sœur d'une idylle avec Adhémar.

Existait-il donc des mauvais génies pour sans cesse jeter de l'huile sur le feu et gaspiller le bonheur ? Cette fois, l'absence de Samuel et la tristesse difficilement voilée d'Andréanne vêtue de deuil assombrissaient l'atmosphère, tout comme le départ imminent des enfants. Mais la gaieté de Philippe, la bonne humeur de Marie-Hélène et surtout l'enthousiasme des enfants eurent tôt fait de dissiper le brouillard. C'était Noël, il fallait sauter, rire et danser, s'amuser.

De temps à autre, Florence biglait du côté de sa fille. Elle n'en revenait pas du changement produit chez elle en quelques mois. Elle avait repris du poids et des couleurs, montrait un visage souriant et détendu, et reflétait la sérénité. Une fois la fête terminée, quand ceux qui devaient rentrer à Montréal furent repartis sous une avalanche de recommandations à la prudence et que tous les autres furent montés se coucher après moult baisers et remerciements, Florence retint Marie-Hélène par le bras.

« Si on jasait un peu ? »

Elle voyait bien Andréanne tourner en rond dans la cuisine. De toute évidence, la tante n'osait interférer dans la conversation, mais rêvait d'entendre ce qui s'y dirait, cela allait de soi !

« Dis donc, la sœurette, si tu nous préparais une bonne tasse d'eau chaude ? Pour la digestion, il n'existe rien de mieux après un festin, comme disait notre mère ! »

Andréanne ne se fit pas prier et mit aussitôt de l'eau à bouillir. Marie-Hélène s'empressa de renchérir.

« Mais oui, marraine, viens donc jaser avec nous autres ! »

La marraine s'installa avec les deux autres autour de la table de la cuisine. Non seulement Andréanne voulait-elle contrer le sentiment de solitude qui s'emparait d'elle depuis quelque temps, mais le bonheur de Marie-Hélène lui tenait à cœur. Elle aimait les jumelles comme elle aurait aimé les filles qu'elle n'avait pas eues. Marie-Claire lui rendait bien cette affection, toujours présente au magasin et pleine de petites attentions pour sa « vieille tante pas si vieille », tandis que Marie-Hélène... Elle l'avait vue si malheureuse et si démunie à Vancouver. Elle s'était inquiétée pour elle durant tout l'automne et avait même aidé sa sœur à s'organiser avec les enfants. Elle avait droit de savoir comment allait véritablement sa nièce.

Florence lui jeta un regard affectueux. Chère

Andréanne... De tout ce que l'existence lui avait apporté en presque soixante ans, sa sœur s'avérait le plus beau des cadeaux. La petite fille d'autrefois qui détestait travailler ses gammes s'était toujours montrée présente, fidèle, sincère, fiable et généreuse. Le pilier sur lequel Florence s'était appuyée maintes fois.

«Alors, maman et ma tante, vous voilà toutes les deux à l'eau chaude comme des petites vieilles, maintenant?»

Marie-Hélène glapissait, mais Florence tressaillit. Était-ce bien là le signe que sa sœur et elle étaient en train de basculer de l'autre côté de l'âge? Celui de l'âge d'or? Non, non! Elle se sentait plus jeune que jamais, amoureuse par-dessus la tête d'un homme de son âge, des projets plein l'esprit et de l'énergie à revendre. Ne l'avait-elle pas prouvé en s'occupant de deux jeunes enfants durant presque six mois? Ah non! Flo D'Or n'avait d'or que son nom de plume. Certainement pas l'âge! Et pourtant, elle ne prenait pas d'eau chaude à la place du thé durant les belles soirées d'autrefois... Hum!

Andréanne prit instantanément leur défense.

«T'en fais pas pour nous, ma fille. Tu n'es pas près d'enterrer ta mère! Et moi non plus! Ma nouvelle condition de veuve ne va pas m'empêcher de me lisser les ailes, tu vas voir!

— Bon, bon, je n'ai rien dit. Oublions l'eau chaude. Mais... j'ai déniché une bouteille de calvados dans une armoire de la cuisine. Si on la sortait? Ce Philippe Lamontagne a vraiment toutes les qualités! Il a même réussi à introduire quelques flacons intéressants dans la vieille maison rouge! Mmmm... bien meilleur que de l'eau chaude, ça!»

L'espace d'un instant, l'image d'une certaine bouteille de scotch traînant sur une table de salon à Vancouver traversa l'esprit de Florence. Ah non! Pas ça! Pas encore l'alcoolisme... Marie-Hélène devina-t-elle ses appréhensions? Elle se leva aussitôt et l'entoura de ses bras par-derrière, après avoir servi deux verres.

«Ma petite maman d'amour, je sais que tu t'en fais pour moi. Rassure-toi! Je me suis maintenant sortie de l'enfer, tu n'as plus à t'inquiéter. Je ne consomme plus de drogue ni d'alcool. Même pas un petit verre exceptionnel, le soir de Noël, en compagnie de ma maman. Le calvados, c'est pour vous deux, vous semblez en avoir besoin! Pas moi! Moi, toutes mes histoires d'horreur sont finies, bel et bien finies.

— Tu habites si loin. J'en sais si peu sur ton existence au quotidien.

— Je vais te dire une chose qui va te surprendre, maman. Sais-tu ce qui m'a le plus soutenue, cet automne, quand je me suis inscrite pour la nième fois à une nouvelle thérapie? Tu ne le croiras jamais...

— Quoi?

— Le courage de Désiré. Lui, il a réussi à se reprendre en main malgré ses problèmes encore plus profondément ancrés que les miens. Et autrement plus graves! Il a fait ça tout seul alors qu'on le détestait et le montrait du doigt. Alors que le monde entier le jugeait et le condamnait de tous les côtés. Personne d'autre que toi ne l'appuyait et ne croyait en lui. Il est pourtant parvenu à tourner la page et à recommencer à neuf. À relever la tête. Et il tient le coup depuis dix ans. Regarde, aujourd'hui, il est devenu le directeur d'une maison d'édition prospère. Quelle belle victoire pour vous deux! Et quel exemple pour moi! Merci, maman, pour ce que tu as fait pour Désiré, et ce que tu fais pour moi...»

Cette dernière remarque alla droit au cœur de Florence. Jamais personne ne l'avait remerciée, elle, pour sa ténacité à soutenir son fils et, maintenant, sa fille. Ni louangée pour son pardon à Désiré de lui avoir fait vivre ces horreurs dont elle payait encore le prix et subissait toujours les conséquences aujourd'hui : l'humiliation ressentie dernièrement à New York face à Philippe, la haine irréversible de ses deux aînées, l'éloignement de cinq de ses petits-enfants et surtout, surtout, la peur inexprimée d'une récidive. Une peur effroyable et silencieuse, un secret dont elle ne parlait jamais et qui lui donnait encore mal au ventre, certains jours.

À part Vincent autrefois et Andréanne maintenant, personne ne lui avait jamais manifesté d'empathie pour son drame à elle, la mère du pédophile. La honte, la désillusion, la culpabilité semblaient n'appartenir qu'à elle seule. Surtout cet affreux sentiment d'impuissance devant l'ampleur d'un problème qui lui échappait totalement. Au contraire, on l'avait jugée et haïe pour son silence qui n'avait été, au fond, que maladresse. Et voilà que, tout à coup, en ce soir de Noël mémorable, quelqu'un venait lui dire merci d'avoir tenu bon. Elle croyait rêver.

«Je n'avais pas envisagé les choses de cette manière!»

Marie-Hélène ne releva pas la remarque de sa mère et enchaîna avec ferveur:

«À part mes sœurs rancunières et ses victimes qui semblent s'en être bien remises, personne ne sait que Désiré Vachon a déjà complètement perdu le nord à un moment donné de sa vie et commis des gestes hautement répréhensibles. Eh bien, pour sa volonté, pour son courage, pour sa détermination à se reprendre en main tout seul et en silence, pour sa ténacité, sa continuité sur le bon chemin depuis dix ans, moi je l'admire. Et derrière lui, tu t'es tenue debout, maman, tu l'as soutenu, tu lui as instillé ta force et ton immense amour de la vie. Tu as toujours été là, présente malgré tout, envers et contre tout. Envers et contre tous. À mes yeux, tu es une mère extraordinaire. Et cette seule pensée m'a soutenue et continueras à me fortifier. Pour mes enfants, je veux devenir une mère comme toi, maman.

Cet automne, toi et Désiré m'avez donné, sans le savoir, le goût de vraiment m'en sortir. Sincèrement. »

Cette fois, c'est Marie-Hélène qui se mit à renifler. Moment de grâce où l'on voudrait voir les mots porteurs de force et de vérité à jamais fixés dans les mémoires. Florence fut la première à se ressaisir.

« As-tu déjà dit cela à ton frère, Marie-Hélène?

— Non. J'en ai pris conscience seulement ces derniers mois, aux prises moi-même avec mes problèmes de drogue et d'instabilité affective avec le père de mes enfants. Après votre visite, j'ai compris tant de choses sur moi-même et sur mon passé, mon enfance, mon environnement, ma façon de voir, mes forces et mes faiblesses, mes ambitions. Mes responsabilités, surtout, et l'immense amour que je porte à mes enfants. Nos conversations sur la plage se sont avérées fructueuses, ma chère mère!

— Tu me rassures, ma fille!

— Toi, maman, tu as réussi à compenser les graves lacunes dans le comportement de notre père envers nous. Son désengagement vis-à-vis de toi, son manque d'intérêt pour ses enfants et leurs besoins, sa violence envers Désiré... Tu restais là, calme et aimante, solide comme un roc, à part tes crises de colite. À ta manière, tu nous sécurisais. »

Florence se raidit. Cette reconnaissance inattendue lui faisait chaud au cœur, mais, à bien y penser, elle n'avait plus envie de continuer à ressasser le passé. Pas celui-là, trop éloigné et à jamais révolu, enfoui dans la nuit des temps. Du moins, elle le souhaitait. Pas en ce soir de Noël. Les mauvais souvenirs risquaient trop de réveiller la peur latente qui sommeillait au fond d'elle-même comme un prédateur tapi sournoisement, prêt à lui tordre de nouveau les entrailles. Elle détestait le calvados, mais s'en servit une deuxième rasade assez copieuse pour se donner du courage. Après tout, une fois n'était pas coutume! Et briser la barrière du silence l'ébranlait passablement.

Devant l'émotion de sa sœur, Andréanne restée muette se sentit obligée d'intervenir.

«Ta mère a connu une existence tourmentée, je peux te le certifier, Marie-Hélène. Mais jamais, au grand jamais, elle n'a cessé de vous aimer un seul instant. Tous, sans exception.

— Oui... Elle a sauvé mon frère. Et elle est en train de me sauver aussi.»

Florence se leva d'un bond.

«Bon. Ça suffit, les larmes! Si on parlait de l'avenir?

— Dans ce cas-là, maman, je te fais la promesse solennelle d'au moins une rencontre par année avec Lili et Nick... et moi! Serment devant témoin, ci-devant dame Andréanne Coulombe. Je lève la main droite et je dis: je le jure!

— Je voudrais tellement te croire, ma fille. Mais tu m'as déjà fait ce genre de promesse en ramenant Lili à Vancouver lorsque je l'ai gardée la première fois.

— Fais-moi un cadeau de Noël, maman: redonne-moi ta confiance. Cette fois est vraiment la bonne. Liu Won m'empoisonnait l'existence avec sa double vie, sa dureté, ses exigences, ses excès de violence, son obsession de l'argent. Alors moi, je cherchais l'oubli dans la drogue. Mais cet automne, il m'a vendu ses actions de la nouvelle compagnie pour un prix dérisoire. Sans doute voulait-il se racheter. Ou plutôt se débarrasser de moi et de la responsabilité de ses enfants. Cette compagnie peut nous faire vivre dans l'abondance si je ne commets pas de folies.

— C'est vraiment terminé entre vous?

— Définitivement! La compagnie *Marie-Hélène* m'appartient désormais, je suis seul maître à bord. Un seul faux pas et ce serait la ruine. Penses-tu que je vais prendre des risques et me geler le cerveau pour tout et pour rien pendant des jours?

— À mes yeux, ma fille, cela ne représente pas une raison suffisante.

— Je sais où tu veux en venir: tu penses à mes enfants. J'y arrivais justement. Avant longtemps, Nicolas et Lili auront une petite sœur.

— Quoi? Ne me dis pas que tu es enceinte!

— Non, non. Mais je deviendrai bientôt la belle-maman de l'adorable fillette de Pierre. J'ai tellement hâte de la présenter à mes enfants...

— Pierre? Quel Pierre?

— Oui, Pierre Labrecque, un Québécois émigré comme moi en Colombie-Britannique. Je t'en avais parlé, maman. Croyez-moi, il est l'homme de ma vie.

— Tu as dit ça quand tu as rencontré Liu Won...

— Nous allons nous marier en mai prochain. Tu vas donc revoir Nick et Lili au printemps, puisque ma tante et toi serez mes premières invitées. Avec Désiré et Marie-Claire, naturellement. Et ma compagnie payera le voyage!

— Ah bien, ça alors! lança Andréanne. Tu parles d'une nouvelle! Cela nous fera deux mariages au printemps, car Olivier attend une confirmation de sa date de vacances pour annoncer ses épousailles avec la belle doctoresse Katherine. »

Les trois femmes se sautèrent au cou et s'embrassèrent à qui mieux mieux. On se servit un troisième verre de calvados. Florence se demanda comment il se faisait qu'il ne goûtait plus aussi mauvais, et éclata de rire.

***

Quand ils rentrèrent à Mandeville après avoir reconduit à l'aéroport une Marie-Hélène rayonnante et deux enfants passablement excités par le voyage en avion, Philippe ramassa Florence à la petite cuillère. En pénétrant dans la maison rouge, il sortit de son sac un colis enveloppé de papier brun.

«C'est pour toi, ma Flo.»

Elle déballa le paquet d'une main fébrile et lança un cri en retrouvant le tableau intitulé *Le Temps des coquelicots* que l'artiste s'empressa de suspendre sur le mur du salon, juste au-dessus de la machine à écrire.

«Je suis passé au logement exprès pour le chercher, mon amour. Tu as si souvent prétendu être inspirée par ce tableau... Maintenant que le recueil de contes est terminé, que dirais-tu de te remettre à l'écriture de ton roman?»

Il fut décidé que le couple demeurerait à la campagne pour le reste de l'hiver. Philippe avait déniché une galerie d'art où écouler sa collection de tableaux et d'aquarelles, ce qui lui permettait d'accepter moins de travail de la maison Lit-Tout.

«Il s'agit d'une sorte de préretraite, avait-il annoncé à Florence toute contente d'envisager la fin de l'hiver dans sa chère maison de campagne.»

Chapitre 32

14 février 1975

Le temps des grandes décisions est venu. Le temps de penser à moi... Marie-Claire insiste pour acheter mon magasin dont les affaires marchent plus ou moins bien. La clientèle a changé, les chapeaux ne se vendent plus du tout, les bricoles rapportent peu. Il me faudrait en changer la vocation, entreprendre de nouvelles collections, tout chambarder, retaper, rénover, innover. Je n'en ai plus l'envie ni le courage.

Ma nièce, elle, déborde d'ambition et d'idées nouvelles. D'ailleurs, ces derniers temps, le magasin est devenu son bébé. Sans mari, sans enfants, sans même un homme dans sa vie, elle se donne corps et âme au commerce. Dommage... Avec les années, elle va réaliser que ni la réussite et l'argent, ni son chien et ses chats ne remplaceront jamais la chaleur humaine. Mais son ex-mari l'a tellement échaudée, la pauvre! Un coureur de jupons de la pire espèce! Rien pour lui donner envie de recommencer avec un autre! Il faut croire que les jumelles de ma sœur n'ont pas le bonheur facile. Sans doute une répercussion de l'atmosphère familiale malsaine créée autrefois par Adhémar Vachon en sa demeure, et à laquelle j'ai un peu contribué indirectement...

Si je n'avais pas eu mon Olivier, j'ignore où j'en serais aujourd'hui, à cinquante-huit ans. Devant rien, absolument rien, probablement. Un peu d'argent en banque laissé par Samuel, quelques chats comme Marie-Claire, et rien d'autre. Une retraite blanche et vide... Et si je n'avais pas eu Olivier, je ne m'inquiéterais pour personne, aujourd'hui, tandis que, maintenant, tout se bouscule dans ma tête.

Il a suffi, l'été dernier, d'une tentative de coup d'État à Chypre, au beau milieu de la Méditerranée, pour que l'ONU réclame l'envoi de nouvelles troupes de Casques bleus en renfort afin de patrouiller l'île. Comment expliquer que mon fils et sa fiancée se soient portés volontaires au lendemain de Noël? Entraide humanitaire, maintien de la paix, sauver des vies dans un des endroits les plus chauds du globe... Bel idéal, sans aucun doute, mais je pourrais bien ajouter d'autres motivations sans risque de me tromper: opportunisme, recherche de la réussite, désir de se distinguer et de monter en grade dans la hiérarchie des forces canadiennes.

Oui, mais à quel prix? Servir de rempart humain entre les belligérants et les populations civiles me semble hasardeux. Mission pacifique, Olivier me l'a répété mille fois, mais il arrive parfois qu'on rapporte des pertes de vie chez les Canadiens. Mourir pour la sauvegarde de la paix... Je ne suis pas prête à ce sacrifice. J'ai déjà donné un frère à la paix, cela me paraît suffisant. Qu'on me laisse mon fils!

L'armée a peut-être sauvé Olivier de la délinquance, elle lui a donné un idéal, une fierté, certes, mais elle me l'a arraché ni plus ni moins. Toutes ces années d'entraînement à Saint-Jean puis à Kingston... Et maintenant, on l'envoie à Chypre. Que reste-t-il à une mère quand son fils unique vit à distance depuis des années? Quelques rencontres trop courtes lors de rarissimes permissions. À la longue, on finit par ne plus se connaître, à se contenter de politesses en feignant l'harmonie parfaite alors que le silence constitue le seul véritable trait d'union. Perd-on sa raison de vivre quand ceux que l'on aime évoluent à l'autre bout du monde? Si j'en juge par ma sœur et sa fille, je suppose que non. La distance ne semble pas exister pour ceux qui habitent au creux de l'âme...

Et l'amour d'une femme? Et fonder un foyer? Cela ne vaut-il pas toutes les missions humanitaires du monde? Le mariage d'Olivier et de Katherine a été renvoyé aux calendes

grecques, justement! Ils s'épouseront dès leur retour de là-bas.
«Dans quelques mois», il me l'a promis. Mais ils habiteront
en Ontario. Vont-ils communiquer en français avec leurs
enfants? Si jamais enfants il y a...

Moi qui croyais avoir oublié comment prier, voilà que je
me mets à implorer le ciel de protéger mon lieutenant préféré.

Chapitre 33

Son dernier recueil de contes dédié à Nick terminé, Florence se remit à l'écriture de son roman pour adultes, à la grande satisfaction de Philippe. Déjà, le dernier chapitre avait été ébauché lors de la mort de Samuel. Il s'agissait maintenant de redémarrer l'histoire inspirée par la vie du docteur Vincent à ses tous débuts.

À la vérité, elle avait conservé peu de traces du beau médecin à l'époque où, jeune fille, son père l'avait priée, par un frisquet matin d'hiver, d'aller chercher le docteur pour soigner sa mère en pleine crise d'éclampsie. Qu'importe, elle allait imaginer cette jeunesse inconnue d'elle. Dans le texte romancé, avec la magie des mots, elle esquissa sur les pages blanches le corps du jeune colosse et lui prêta des reflets de beauté, de force et de fraîcheur. De plus, elle dota cet Yves Montpetit fictif d'une personnalité imprégnée de bonté, heureux mélange du Vincent de ses souvenirs et du Philippe des temps présents. Elle se sentit presque jalouse de la femme qui attisa l'amour du bel étudiant en médecine. Hélas, le destin allait mener la mère de ses enfants vers une aliénation mentale irréversible et dramatique. Cette histoire ne pouvait y échapper.

Jusque-là, l'écriture allait bon train et les idées surgissaient plus rapidement que la plume ne pouvait les noter. La fiction et la réalité emmêlées tressaient facilement la trame, et les chapitres commençaient à s'accumuler. Le grand amour du jeune médecin pour sa fiancée un peu bizarre, leur mariage, la naissance de deux petites filles, la conciliation de la carrière de médecin de campagne avec la vie familiale, la description des lieux et des états d'âme trouvaient aisément leur place.

Cependant, quand il s'est agi de décrire la montée de la folie chez la mère et ses premières crises de démence, Florence eut l'impression de frapper un mur. Elle ne connaissait, de la vraie femme du docteur, que son regard vitreux porté sur elle à la fin de la messe de minuit, un certain Noël d'antan. Mais entre la vivacité de la jeune épouse et mère de famille, et l'impassibilité maladive de cette femme prématurément vieillie, quinze ans plus tard, qu'avait-il pu se passer? Vincent en avait si peu parlé... De quelle manière un homme s'apercevait-il de la débilité naissante de sa femme? Comment se rendait-il compte de la maladie mentale qui s'implante insidieusement, sournoisement? Des cris, des pleurs, des gestes insensés? À moins que la folie ne soit abruptement apparue d'un bloc, comme un coup de foudre, à la suite d'un traumatisme ou d'un événement précis venu déséquilibrer à jamais la vie paisible d'une famille? Quel événement alors? Quel choc? La découverte de l'existence d'une maîtresse suffisait-elle?

Florence donnait libre cours à son inspiration, oubliait le reste de l'existence, retranchée du monde et emportée dans son univers imaginaire. N'eût été de Philippe pour lui rappeler l'heure, elle aurait négligé de manger et même de dormir! Le feu de la créativité l'enflammait, elle ne savait plus s'arrêter. Plus qu'un simple plaisir, l'écriture devint une passion. Une nécessité. Une urgence. Une éclaircie.

Un jour, elle décida de se documenter sur les maladies mentales et s'en fut, lors d'une expédition en ville, chercher quelques livres sur le sujet à la Biblio-

214

thèque municipale de Montréal. Cette initiative attisa la curiosité de Philippe.

«Ton roman ne raconte-t-il pas l'histoire d'un médecin de campagne? Pourquoi toute cette documentation sur la psychiatrie?

— Tu verras...»

Bien sûr, Philippe aurait le privilège de lire le manuscrit avant tout le monde. Mais pour soutenir l'intérêt de ce premier lecteur, Florence se devait de rester discrète sur l'intrigue et son déroulement. Elle trouvait toutefois difficile de passer des heures et des heures sur un travail dont elle se sentait fière sans pouvoir le partager dans l'immédiat. Évidemment, si on publiait le roman, elle rejoindrait des centaines, voire des milliers de lecteurs, mais le délai lui semblait trop éloigné. Les enfants n'accouraient-ils pas d'instinct pour montrer à l'instant même leur dessin en le brandissant triomphalement?

Philippe se réjouissait de voir Florence, obnubilée par l'écriture, écouler des heures heureuses pendant que lui se remettait à l'aquarelle. À la fin des vacances de Noël, après le départ des enfants, la maison rouge se trouva envahie par un vide insupportable. Florence arrivait mal à réapprivoiser le silence. Les enfants lui manquaient. Elle prêtait l'oreille au moindre bruit, le tic tac de l'horloge, le grincement d'une porte, le couinement des marches d'escalier sous les pas feutrés du peintre. Était-ce cela, les bruits de la vie? Les bruits de sa vie?

Parfois, n'en pouvant plus supporter davantage, elle s'assoyait au piano, ce fidèle confident de son existence, et se lançait avec fougue dans une valse endiablée ou un allegro passionné. À vrai dire, elle martelait rageusement le silence bien plus qu'elle ne faisait de la musique. Puis, une fois calmée, elle reprenait sa plume et chargeait les pages des bruits familiers de la maison du docteur remplie de vie, de rires et de cris d'enfants. Et aussi des hurlements déments de la folle.

Ses lectures sur la maladie mentale lui apportèrent quelque lumière, mais cela ne lui suffit pas. Elle se rendit à l'hôpital Louis-Hyppolite Lafontaine dans l'espoir de circuler librement dans les lieux. Après quelques explications, un gardien se montra bon prince et accepta de l'accompagner à travers les corridors et les salles bondées de patients.

Ce qu'elle observa la glaça d'épouvante. Elle ne pouvait croire que des êtres humains puissent en venir à un tel état de débilité, totalement coupés de la réalité, certains réduits au simple état de végétal, d'autres, perdus dans un univers connu d'eux seuls. Gestes répétés à l'infini, regards égarés, yeux hagards, bouches baveuses, démarche claudicante, discours incohérents, rires effrayants, colère, rage, pleurs inexpliqués, automutilations, elle n'arrivait pas à croire que de telles horreurs avaient fait partie de l'univers immédiat de Vincent sans qu'il lui en ait jamais parlé. Elle avait cru posséder entièrement cet homme et réalisait, maintenant seulement, qu'il lui avait caché un large pan de sa vie.

Lors de cette visite à l'hôpital, elle avait eu l'impression de chercher désespérément des yeux l'incarnation réelle du personnage de la femme fictive du médecin de son roman. Elle la vit soudain, recroquevillée sur sa chaise dans un coin, échevelée et livide, se balançant d'avant en arrière en se lamentant. Qui sait si elle ne pleurait pas sur les amours illicites de son mari avec une belle paysanne de la région? Florence frissonna à la pensée de la femme que Vincent venait fidèlement visiter dans ce lieu tous les dimanches. Sans doute espérait-il que la maladie lui laisse parfois quelques périodes de lucidité. Jamais elle ne l'avait entendu se plaindre ou se révolter.

Riche d'images et d'idées nouvelles, elle se penchait de nouveau sur son roman en oubliant le temps qui passait pour lui dérober, une minute à la fois, des parcelles de son existence. Elle savait maintenant comment dépeindre les premiers signes de folie qui s'emparèrent de la malheureuse épouse, et elle n'éprouva pas de mal à deviner les états d'âme de son mari à la découverte des premiers délires et actes démentiels de sa femme. Ainsi, elle imagina un incendie allumé volontairement dans la cuisine d'été en se rappelant l'embrasement du vieux chalet sur le bord du lac. Ou encore, elle conçut mentalement une journée entière écoulée par la malade accroupie au fond d'un placard en laissant ses deux bambines à elles-mêmes. Pour écrire ce passage, Florence n'eut qu'à se souvenir des longues heures où, autrefois, recroquevillée sur le divan du salon, elle attendait Adhémar en pensant devenir folle. Songeant à son retour de Vancouver en compagnie de Nick et Lili, elle arriva aussi à décrire l'affolement du médecin devant l'obligation de séparer ses enfants de leur mère devenue un danger pour elles. Puis elle prêta à l'homme son propre désarroi de jadis à la vue de Désiré inscrit en thérapie au département de psychiatrie quand vint, dans le récit, le temps de placer la démente dans une insti-tution et d'inscrire les petites filles au couvent. Elle sut parler de la honte, des faux espoirs qui devaient hanter cet homme, du poids insupportable de son secret, sans oublier la pénible tâche de visiter sa femme à l'asile chaque semaine. Sur ses pages abondamment bar-bouillées, Florence sut parfaitement saisir la souffrance silencieuse de Vincent, à l'époque.

Et elle n'en aima que davantage son souvenir.

***

Le printemps se pointa enfin avec ses montées de sève, ses airs de renaissance et les épousailles de Marie-Hélène. Florence s'y rendit, accompagnée d'Andréanne et de Marie-Claire. Elle retrouva avec plaisir ses petits-

217

enfants, juste à temps pour remettre à chacun un exemplaire de son recueil de *Les nouveaux Contes de grand-maman Flo*. Le marié, sérieux et d'agréable compagnie, semblait amoureux de Marie-Hélène. Sa fillette, Michèle, avait l'âge de Nicolas et paraissait bien s'entendre avec les enfants de la mariée. Florence revint au Québec le cœur tranquille, cette union lui paraissait de bon augure.

Elle retrouva Philippe à Mandeville, fort occupé à retaper la maison rouge.

«Cette maison tombe en ruine!

— Je sais, je sais! Désiré ne s'est jamais montré très zélé pour la rénovation. Ça prenait un génie comme toi, mon chéri.»

Il ne se le fit pas dire deux fois et écoula l'été au complet à jouer du marteau et de la scie, pendant qu'elle cliquetait sur sa machine à écrire. Le soir, après une journée bien remplie, ils allaient marcher sur les chemins de campagne, humant le trèfle en fleurs ou le foin coupé, ajustant leurs pas au chant des rénettes ou celui des grillons en fin d'été.

La saison fraîche les surprit resserrés autour du poêle, frileux.

«Dis donc, ma chère, si on retournait à Montréal pour l'hiver? Rien ne nous empêche de venir passer quelques week-ends ici. C'est bien beau des jolies couleurs sur les murs et les nouvelles tablettes pour la vaisselle, mais cette maison a besoin d'améliorations plus sérieuses. Changer l'isolement et installer un nouveau système de chauffage, voilà ce que nous devrions envisager au printemps prochain, qu'en penses-tu?»

Ce qu'elle en pensait? Elle eut envie de répondre que personne n'avait jamais pris de telles initiatives pour elle au cours de son existence, sauf une fois, quand le docteur Vincent s'était porté acquéreur de la maison. Elle eut envie de dire à Philippe qu'elle lui donnait carte blanche pour tout travail qu'il jugeait utile et nécessaire. Elle eut envie de lui dire combien elle appréciait sa présence et goûtait enfin le bonheur de partager sa résidence avec un homme qui prenait tout à cœur... Elle eut envie de lui dire qu'elle était d'accord pour tout, qu'elle se sentait prête à supporter de longs hivers en ville même si la neige devenait sale et encombrante, par pur amour pour lui. Elle eut envie de lui dire merci d'être là.

Après tout, une machine à écrire se transporte facilement! Et elle se sentirait plus proche de Désiré et d'Andréanne. Bien sûr, ce n'était pas l'harmonie parfaite entre l'artiste et son fils, loin de là. Les deux hommes s'évitaient et Florence se doutait bien qu'une simple étincelle suffirait à mettre le feu aux poudres. À l'instar de Nicole et Isabelle, Philippe n'avait jamais pu supporter l'idée des gestes pédophiles de Désiré même si toute cette histoire datait d'une dizaine d'années. Il ne parlait jamais du passé de son employeur mais maintenait volontairement les distances en se contentant de rares rencontres professionnelles et obligées au secrétariat de Lit-Tout.

De son côté, Désiré, toujours indépendant et solitaire, se gardait bien de venir à Mandeville. Florence n'en parlait guère, mais elle se languissait de son fils qui adoptait de plus en plus, face à elle, l'attitude de l'éditeur et homme d'affaires, plutôt que celle du fils aimant. Il roulait carrosse, conduisait une rutilante voiture, collectionnait les tableaux haut cotés, affectionnait les vins hors de prix, multipliait les voyages. Il parlait même de s'acheter une maison à Outremont. Elle aurait souhaité la présence d'une douce conjointe faufilée dans la trame de cette vie-là, à tout le moins une maîtresse. Mais il valait mieux mettre une croix sur ce rêve, semblait-il. Désiré Vachon se complaisait apparemment dans le célibat endurci et irréversible. Et cela tracassait sa mère.

Et sa libido, alors? Où se trouvait son expression, sa soupape d'échappement? Elle se demandait parfois si les perversions sexuelles, même contrôlées, demeuraient toujours en latence, à l'instar de la toxicomanie. Elle aurait dû vérifier cela dans les livres de psychiatrie. Une rechute de Marie-Hélène ou une récidive de Désiré amèneraient la catastrophe. Elle frémissait à cette seule pensée.

Hélas, le bonheur ne peut fleurir sous l'épée de Damoclès. Elle chassait vite ces idées troublantes et cherchait l'apaisement dans les bras de Philippe sans lui expliquer l'objet de ses crises subites de panique. Aurait-il pu comprendre les tourments de sa maîtresse? Il la caressait doucement sans prononcer les mots attendus. Au fond, elle préférait ce silence. Trop de compréhension et d'empathie de la part du peintre n'auraient servi qu'à justifier ses appréhensions pas aussi insignifiantes qu'elle voulait le croire.

De plus, en résidant à Montréal, elle pourrait revoir plus souvent son petit-fils Charles. Depuis quelque temps, il était tombé amoureux d'une élève de sa classe de Polytechnique. Dans deux ans, ces deux-là gradueraient comme ingénieurs et convoleraient en justes noces. Florence s'était prise d'amitié pour la belle Geneviève. Sans le savoir, la jeune fille servait de modèle au personnage de la maîtresse pure et naïve du beau docteur de son roman. La rivale de la folle.

***

Le dernier recueil *Les nouveaux Contes de grand-maman Flo* fut bien accueilli par la critique et ne mit pas de temps à remporter un certain succès. Non seulement il fut traduit comme les précédents et vendu sur le marché américain, mais une maison d'édition de France en acheta les droits et le répandit dans toute la francophonie. Flo D'Or devint une écrivaine pour la jeunesse relativement connue. On commença à la solliciter pour raconter elle-même ses contes aux enfants dans certaines bibliothèques ou écoles primaires, moyennant rémunération.

Florence n'en croyait pas ses yeux. Quand une vingtaine de petits bouts de chou assis par terre la dévoraient des yeux dans l'attente de la suite de son histoire, elle avait l'impression, une fois de plus, de prendre sa revanche sur son destin. Elle rattrapait certains de ses petits-enfants à peine entrevus, devenus maintenant de grands adolescents sinon des adultes. Elle reprenait tout à coup ses droits de grand-mère, et partageait avec eux, à travers ses personnages fictifs et leurs petites intrigues, ses propres états d'âme. Avec grand-maman Flo, les enfants de l'auditoire avaient peur ou s'inquiétaient, ils avaient hâte ou soif, se sentaient anxieux ou contents, avec elle, ils se désolaient ou se réjouissaient. Les histoires se terminaient toujours bien, à l'instar de l'histoire personnelle de Florence.

La vie lui avait fait don de l'écriture et avait placé Philippe sur son chemin. Que demander de plus? Le déroulement de son existence allait bien... Même si, inconsciemment, sur les frimousses tendues vers elle, elle cherchait avec avidité les ressemblances, les yeux verts de Nicole et d'Adhémar, la blondeur d'Isabelle, ses pommettes saillantes et son nez légèrement retroussé, elle avait enfin réussi, vaille que vaille, à faire son deuil de ces descendants qu'elle ne connaîtrait sans doute jamais.

Elle ne pleurait plus, elle se sentait maintenant libre et riche d'avenir. D'extérioriser et de formuler ses sentiments par la plume la grisaient. Elle savait qu'elle ne pourrait plus s'arrêter.

Chapitre 34

12 mai 1975

Ah! quelle fête! Ma sœur n'oubliera pas de sitôt l'anniversaire de ses soixante ans. Désiré avait tout planifié, à mon grand étonnement. Jamais je ne l'ai vu aussi excité. Il a dû m'appeler dix fois pour organiser le repas, le transport de chacun et surtout, surtout, le merveilleux cadeau qu'il s'apprêtait à offrir à sa mère. Quelle bonne idée! Bien sûr, je m'étais assurée, mine de rien et de connivence avec Philippe, que tous les deux se rendraient bel et bien à Mandeville, ce dimanche-là, et s'y présenteraient vers onze heures.

Quelques minutes avant le moment fatidique, je nous vois encore, Désiré, Marie-Claire, Charles, Geneviève et moi entassés derrière la fenêtre du salon, le cœur battant. La table était dressée et ornée de fleurs, le champagne mis au frais, mon bœuf bourguignon mijotait doucement sur la cuisinière, et quelqu'un avait camouflé le gâteau au chocolat de Marie-Claire dans une armoire. À l'extérieur, nous avions rangé nos voitures derrière la maison de sorte que seule une Chevette blanche inconnue montait la garde près de l'entrée.

Je vois encore le regard interrogateur de Florence à la vue de cette voiture dès son arrivée avec Philippe. À qui donc appartenait-elle? Des intrus se seraient-ils introduits dans sa maison durant leur absence? Ça alors! Philippe joua bien son rôle et se montra aussi intrigué. Ils allaient voir de quel bois ils se chauffaient! Ils montèrent les marches plus rapidement qu'à l'accoutumée, le visage inquiet. Moi, je me sentais paralysée par l'émotion. Quel bonheur de choyer ceux qu'on aime...

D'une voix émue, nous avons tous crié en chœur «Joyeux anniversaire!» au moment où ils entrouvraient la porte. Florence parut tellement étonnée de nous trouver là, réunis dans la maison rouge, qu'elle demeura sans réaction pour quelques secondes, les jambes coupées. Puis le flot de larmes n'a pas tardé à jaillir de part et d'autre, naturellement. On s'embrassa avec effusion, on formula des souhaits de bonne santé et de longue vie, on rit aux éclats, on expliqua en long et en large la manipulation dont elle avait fait l'objet pour organiser cette fête-surprise.

Désiré, méconnaissable tant il se sentait nerveux, ne tenait plus en place et brûlait d'envie de passer au moment d'offrir les cadeaux. Il se dépêcha de porter un toast à sa mère en levant son verre, puis il sortit de sa poche une minuscule boîte enveloppée de papier rose. Florence, qui s'attendait à y trouver un bijou, sursauta à la vue d'une paire de clés. Elle plissa les yeux sans trop comprendre. Désiré s'approcha et la prit par les épaules pour lui annoncer que la Chevette, à la porte, était pour elle. « Une folie pour réparer toutes les fois où je ne t'ai pas gâtée comme tu le méritais, maman. »

Je n'en revenais pas de voir mon neveu aussi ému et démonstratif. Florence non plus n'en croyait pas ses yeux. Une automobile bien à elle! À son âge! Saurait-elle apprendre à la conduire et à se débrouiller? Je devinai un certain effarement dans son regard, malgré l'excitation.

Je me suis empressée de lui tendre mon enveloppe. Elle contenait une inscription à un cours de conduite automobile dans une école reconnue, offert par Marie-Claire et moi. Au jour et à l'heure fixés par elle, on entreprendrait de lui enseigner les rudiments de la bonne conduite automobile. Elle avait même droit à des reprises si jamais elle coulait l'examen pour l'obtention du permis. Après tout, je me débrouillais bien au volant depuis des années, moi! Pourquoi ma sœur n'y arriverait-elle pas?

Tout le monde s'esclaffa. Florence ne savait pas comment

réagir, trop étonnée par toute cette manigance planifiée à son insu.

Philippe se leva à son tour pour annoncer que le coût d'enregistrement des plaques d'immatriculation et la police d'assurance étaient de son ressort. Charles et Geneviève, eux, avaient en main un cadeau un peu plus volumineux. Il contenait un assortiment de cartes routières de même qu'une trousse de secours. Restait un autre colis, sur la table, emballé de papier brun et couvert de timbres en provenance de la Colombie-Britannique. Florence y trouva une petite boîte accompagnée de trois cartes, deux dessinées par chacun des enfants, la troisième signée par Marie-Hélène et portant ces mots :

Chère maman,

Il me fait un énorme plaisir de t'offrir ce porte-clés en forme de soleil. J'ai longtemps cherché un coquelicot, mais ces fleurs n'existent pas à Vancouver, semble-t-il. Puisse-t-il te porter chance et éclairer tes jours au volant de ta mini-limousine. Mais n'oublie pas la prudence!

Mais mon plus beau cadeau, cependant, est de t'assurer que tout va bien pour moi de ce côté-ci du continent. Je te l'affirme, j'ai réellement trouvé le bonheur auprès de Pierre. Ensemble, nous coulons des jours paisibles auprès de nos adorables enfants. Ne t'en fais plus pour moi, maman. Je vais d'ailleurs te téléphoner cet après-midi pour te le confirmer.

Je t'aime, ma petite maman d'amour,
Marie-Hélène

Pendant toute la durée de cette journée mémorable, j'ai senti mon cœur gonflé de tendresse pour ma grande sœur toujours belle, d'une beauté naturelle et sans artifice. Je la suis de près sur les sentiers de l'âge, mais je n'oserais jamais sortir sans un savant maquillage et mes cheveux colorés, ondulés, frisés, fixés. J'envie sa minceur, son teint clair et la rareté de ses rides, ses cheveux striés de blanc mais toujours souples et abondants, attachés en un simple chignon derrière la tête, son regard direct et transparent que le moindre mascara viendrait gaspiller. Le bonheur lui va bien. Ma Flo a enfin trouvé sa voie dans l'écriture, sa place auprès de Philippe et de nous tous. Et la sérénité qui va de pair.

Fasse le ciel prolonger cette lumière durant de nombreuses années...

Chapitre 35

2 juin 1975

Le beau temps n'a pas duré. Quelques jours à peine s'écoulèrent après l'anniversaire de Florence avant qu'un appel téléphonique ne vienne annoncer l'orage. Notre frère Alexandre se trouvait entre la vie et la mort dans un hôpital d'Albany. Infarctus du myocarde. On craignait pour ses jours.

Nous n'avons pas eu à nous consulter très longtemps pour prendre la décision de nous rendre aux États-Unis, Florence, son fils et moi. Désiré nous conduirait dans sa voiture plus confortable que la minuscule Chevette de ma sœur.

Étrange voyage que celui qui nous mène vers l'ultime rencontre avec un être cher... Rendez-vous des adieux où les émotions du passé rejaillissent pour se mêler aux espoirs de retrouvailles dans les mystères de la vie éternelle... Moment pathétique où l'on tente de résister à la cruelle déchirure, mais où l'on doit, humilié et si petit, oh! combien si petit! baisser la tête devant les puissances vertigineuses du silence. De l'absence. De la mort.

À l'insu de Florence, descendue à la cafétéria de l'hôpital, Désiré a longuement parlé avec son oncle, au moment où ils se trouvaient seuls dans l'un des cubicules des soins intensifs. Quand je l'ai vu se pencher en chancelant au-dessus du moribond, j'ai cru bon de m'esquiver. Je refusais d'entendre ce que ces deux-là voulaient se dire. Peut-être avaient-ils certains comptes à régler? Des choses à s'expliquer ou à se pardonner?

Je ne l'ai jamais avoué à ma sœur, mais à l'époque où mon frère, déserteur de l'armée, a séjourné dans le grenier de la maison rouge, j'ai éprouvé quelques vagues soupçons quant à sa relation de « mononcle » avec son jeune neveu. Désiré n'a pas développé des perversions sexuelles pour rien. Qui sait si Alexandre...

Mais aucun aveu et, encore moins, aucune preuve n'est venue corroborer ma méfiance secrète durant cette période. C'est pourquoi j'avais préféré me taire et n'en parler à personne. Après tout, il n'existait aucune raison de suspecter mon frère, à part certaines circonstances de temps et de lieu. À part, surtout, son départ précipité vers les États-Unis après l'amnistie. Je fus sans doute la seule à me demander s'il ne s'agissait pas d'une fuite.

Je ne connaîtrai vraisemblablement jamais la vérité, mais les yeux rougis de Désiré, en quittant le chevet de son oncle, en disaient long sur son attachement particulier. Florence n'a jamais songé un seul instant que son frère aurait pu abuser du petit Désiré, jadis... Et je me garderai bien de semer le doute dans son esprit. D'ailleurs, cela changerait quoi? On ne recommence pas le passé! D'un autre côté, je possède peut-être un esprit tordu en voyant du mal là où il ne s'y trouvait pas...

Alexandre nous a quittés le lendemain matin, entouré de tous les siens, au terme d'une vie réussie. Il s'en est allé rejoindre notre frère Guillaume, là où le silence se fait le gardien de tous les secrets. Que son âme repose en paix.

Pourquoi donc ai-je tant pleuré?

Chapitre 36

Les années s'écoulèrent une à une, tirant à la dérive leur lot de petits bonheurs mais aussi d'ennuis. Florence termina enfin la rédaction de son roman intitulé *Le Temps des coquelicots*. Elle hésita longtemps sur le dénouement. Dans la réalité, le docteur Vincent n'avait jamais vécu avec elle, et elle l'avait toujours secrètement regretté. Quand il lui avait offert, au milieu d'une crise de colite ulcéreuse, de venir habiter chez lui, elle avait refusé pour ne pas laisser Désiré abandonné à lui-même.

Elle prit néanmoins sa revanche dans son œuvre de fiction. Le docteur Yves Montpetit et sa belle maîtresse s'épousèrent civilement malgré l'interdiction de divorcer prônée par l'Église. Ils vécurent une union heureuse un peu semblable à celle de Florence et de Philippe présentement, avec ses hauts et ses bas. L'existence de la folle, toujours vivante et internée, jeta toutefois une ombre au tableau. Dans le roman, les deux filles du docteur n'acceptèrent jamais la présence de l'intruse dans l'existence de leur père, et elles lui tournèrent le dos méchamment, lui imposant le rejet de la même manière que Nicole et Isabelle agissaient présentement avec leur mère.

Florence décrivit ces événements avec un nœud dans la gorge. À sa manière, elle les avait vécus. Elle noircit des pages et des pages empreintes de tristesse, de révolte et de cris à l'injustice. À la fin, quand la mort vint frapper à la porte du beau docteur Yves, elle ressortit les textes déjà écrits au moment du décès de Samuel. Étrangement, elle réveilla les sentiments éprouvés lors de la mort de Vincent et non celle du conjoint d'Andréanne. Vincent était parti trop rapidement et, déjà aux prises avec d'autres problèmes, elle n'avait pas eu le temps d'assumer réellement ce deuil tragique. Elle le fit par écrit à travers le personnage de l'amante éplorée.

Souvent, Philippe la trouvait en larmes au-dessus de sa tablette à écrire. Il tentait vainement de la consoler sans trop comprendre l'objet de ces crises.

« Voyons, ma Flo, il s'agit seulement d'un roman! Rien de tout cela n'est vrai, pourquoi permettre à cette histoire fictive de te démolir de la sorte? »

Elle se laissait dorloter, prenait les bouchées doubles de la tendresse de l'artiste et se lovait comme une chatte au creux de ses bras. Tout n'allait pas comme sur des roulettes entre les deux amoureux, toutefois. Philippe tolérait de moins en moins la présence de Désiré. Le fossé entre lui et l'éditeur s'agrandissait. N'ayant plus à le rencontrer professionnellement à cause de l'abandon définitif de son poste d'illustrateur, Philippe le critiquait sans cesse.

« Ce type-là va mettre les éditions Lit-Tout à la ruine s'il continue sur la même travée. Il prend des risques inutiles, fait une gestion erronée des profits, publie des œuvres de mauvaise qualité, surtout ses romans populaires pour adultes. Au lieu d'aller se pavaner dans les coûteux salons du livre de Bruxelles ou de Paris où sa présence produit l'effet d'une aiguille dans une botte de foin, il ferait mieux d'investir dans la mise en marché et la publicité intensive ici, au Québec, pour les rares bons auteurs qu'il a réussi à dénicher. Monsieur préfère se promener en grosse voiture et laisser ses auteurs à eux-mêmes, dilués dans la masse. Je te dis,

Florence, ton fils risque de conduire sa maison d'édition à la débâcle s'il ne change pas de cap.»

La pauvre femme, écrasée d'inquiétude, hochait la tête et ne savait que répondre. Pourquoi Philippe lui tenait-il de tels discours? S'imaginait-il qu'elle possédait un certain pouvoir sur son fils au sujet de ses affaires et arriverait à lui faire changer sa politique de direction? Elle ne connaissait strictement rien sur le monde de l'édition et n'avait pas l'intention de s'en mêler. Tout cela ne servait qu'à l'énerver inutilement.

«Tu devrais le lui dire toi-même, Philippe.

— Jamais dans cent ans!

— Tu connais pourtant cet univers depuis plus longtemps que lui. S'il commet des erreurs, il apprécierait sûrement de t'entendre lui en parler. Mon fils n'est pas un homme borné, que je sache! Pourquoi ne pas le faire profiter de ton expérience et lui prodiguer quelques conseils?

— Parce que ton fils m'enverrait paître royalement, ma Flo...»

Florence admettait difficilement que le fameux fils, homme introverti et renfermé s'il en est, puisse envoyer quelqu'un paître royalement, à moins qu'il n'ait changé au point d'être devenu méconnaissable. Non... Si jamais Désiré Vachon voulait envoyer paître quelqu'un, il le ferait insidieusement peut-être, mais sans contredit de manière polie et respectueuse. La haine ou la jalousie faisaient déblatérer des propos malicieux à Philippe et, pour cette raison, elle lui en voulait.

Ce genre de discussion se produisait trop souvent et tournait au vinaigre la plupart du temps. Boudeur, le peintre disparaissait pour quelques heures sans avertissement puis reparaissait, la mine déconfite. À bien y penser, Florence s'en fichait un peu. Le fait qu'elle possédât maintenant une voiture pour se déplacer facilement lui procurait une indépendance nouvelle.

Elle avait éprouvé quelques difficultés à s'habituer à conduire dans le trafic, au début. Mais son entêtement et, surtout, la perspective d'une plus grande marge de manœuvre en vinrent à bout. Elle avait obtenu haut la main son permis de conduire. Bien sûr, elle évitait les heures d'affluence et les carrefours achalandés, mais elle utilisait volontiers sa voiture pour faire des courses ou même se rendre par beau temps à Mandeville en solitaire.

Après une dispute avec Philippe, il lui arrivait parfois de se réfugier chez Andréanne qui tentait de la calmer.

«Mieux vaut se chicaner avec son amant que de ne pas en avoir du tout!

— Ouais... tu as peut-être raison!»

Quand ils se retrouvaient, les amoureux ne tarissaient pas d'excuses et de regrets, et la réconciliation se terminait souvent sur l'oreiller. Les prétentions de Philippe au sujet de Désiré n'étaient cependant pas sans inquiéter Florence.

Elle avait effectivement noté un vague changement chez son fils, comme une sorte de retranchement subtil que seule une mère était en mesure de détecter. Un regard à peine plus fuyant que d'habitude, une sorte de nervosité qui lui faisait agiter le genou sans raison, une visite écourtée ou une conversation téléphonique anodine terminée un peu plus rapidement qu'il n'aurait fallu.

Elle se garda bien d'en parler à qui que ce soit, surtout à Philippe. Tout cela devait provenir de son imagination. Et puis, il s'avérait normal qu'une maison d'affaires connaisse des périodes de vache maigre. Lit-Tout suivait les fluctuations du marché, aussi simple que cela! Les années quatre-vingt seraient difficiles pour tout le monde. Les économistes ne prévoyaient-ils pas une récession économique?

Quand elle lui remit, tremblante d'émotion, son

manuscrit de quatre cents pages, un sourire satisfait éclaira la figure de Désiré. Il bondit sur ses pieds, contourna son bureau et embrassa sa mère avec effusion.

«Ah! petite maman, on va faire un énorme succès de ce roman, tu vas voir!

— Comment peux-tu dire cela, Désiré? Tu ne l'as même pas lu!

— Je n'ai aucun doute sur tes talents d'écrivaine. J'ai tout de même lu, re-lu et re-re-lu tes contes.

— Cela n'a rien à voir avec un roman, tu sais. Philippe, lui...»

Désiré l'interrompit aussitôt. L'opinion de Philippe Lamontagne ne l'intéressait absolument pas.

«*Le Temps des coquelicots*... J'aime bien ce titre. Il va falloir trouver une de ces fleurs rouges ou quelque chose du genre pour illustrer la première de couverture.

— Philippe va se faire un plaisir...

— Lui ou un autre, on verra. Et que raconte l'histoire?

— À toi de le découvrir, mon cher!»

Elle eut envie d'ajouter qu'il allait retrouver le cœur de sa mère sur certaines pages et reconnaître aussi le docteur Vincent, celui qui les avait mis au monde, lui et ses sœurs, cet ange gardien omniprésent qui avait tant de fois sauvé la famille de la misère autant morale que matérielle, jusqu'à ce que la mort vienne le faucher précocement. Désiré serait surpris par la conclusion du roman, car, autant pour se consoler elle-même que pour faire plaisir aux lecteurs, Florence avait fait une entorse à la vérité et imaginé que la nouvelle épouse du docteur Yves se trouvait enceinte au moment de sa mort. Le roman se terminait par conséquent sur une ouverture et non un aboutissement. Un enfant viendrait au monde et continuerait l'histoire... Rien ne finissait réellement, tout recommençait et «*les coquelicots continuèrent de chanter silencieusement leur hymne à la vie, bercés tendrement pas le souffle du vent ».* Pas beau, ça?

Elle poussa un soupir de fierté et préféra laisser Désiré lire lui-même la conclusion, en temps et lieu. Elle n'avait jamais considéré l'homme assis en face d'elle autrement que comme son fils, mais il venait soudain de se transformer en simple directeur d'une maison d'édition. Et cela la fascinait. Par contre, auteure déjà réputée chez Lit-Tout, elle n'avait pas à vanter ses talents et à lui vendre sa salade. Tout se présentait facilement. Trop facilement.

« Je fais préparer ton contrat et, ensuite, on se lance dans l'aventure : quelques relectures et corrections, choix de la jaquette, rédaction de la quatrième de couverture, impression, distribution, vente et... réussite ! »

Les paroles de Philippe remontèrent soudain à l'esprit de Florence, l'espace d'une seconde. « De bons auteurs sont laissés à eux-mêmes et se dissolvent dans la masse au lieu d'émerger... » Subirait-elle le même sort ? Sa notoriété comme auteure pour la jeunesse allait-elle au moins lui ouvrir certaines portes, ou bien devrait-elle repartir à zéro ?

« Je te souhaite tout le succès possible, maman. Je nous le souhaite à tous les deux, à vrai dire. La venue d'un best-seller fait toujours du bien aux coffres d'une maison d'édition.

— Dois-je en conclure qu'ils se trouvent à sec ?

— Bof... Des années de crise succèdent à des années d'abondance, et vice-versa, c'est connu. Rien de plus normal. Ici, les manuels scolaires et les livres pour la jeunesse ont toujours cours, et les quelques romans populaires publiés chez nous auront leur heure de gloire à un moment donné. Il faut rester positif. »

Ainsi, Philippe ne se trompait pas. Lit-Tout ne roulait pas sur l'or. En quittant l'édifice de l'entreprise, Florence eut presque envie d'aller allumer un lampion à l'Oratoire Saint-Joseph pour le succès de son livre. Puis elle se ravisa et se mit à rire d'elle-même. Allons donc! La première à croire en son œuvre doit être l'auteure elle-même! Sinon, qui y croira? Elle choisit plutôt de faire une longue promenade au parc Lafontaine pour savourer cette journée particulière où s'enclenchait la saga de son premier roman pour adultes.

Assise sur un banc devant la fontaine qu'elle affectionnait, elle adressa une prière mentale à Vincent en lui demandant instamment de s'occuper de cette œuvre qu'elle considérait quasiment comme son bébé, issue d'elle-même après une longue et laborieuse gestation. « Moi, Vincent, je n'ai pas eu d'enfant de toi comme la maîtresse du docteur Yves du roman, mais j'ai mis au monde ce livre, germé au plus profond de mon être. Il vient de moi, certes, mais il vient aussi de toi. Il a habité ma tête comme l'enfant remplit le ventre de sa mère. Je l'ai porté jour et nuit durant des mois et des mois. Il concerne ton histoire. Notre histoire ou ce qu'elle aurait pu devenir. Et si ce livre marche bien, non seulement tu continueras à vivre en moi, mais aussi dans le cœur de tous mes lecteurs. Là où tu te trouves, du haut de ton nuage, occupe-toi de mon roman, tu veux bien? »

***

Il s'en occupa. Trois mois plus tard, le roman faisait son entrée en librairie. Quand elle le vit sur une tablette, Florence éclata en sanglots devant les clients qui se demandaient bien pourquoi cette femme pleurait là, toute seule, au milieu de l'allée. À ce moment-là seulement, elle réalisa à quel monde gigantesque elle se mesurait. La librairie n'avait commandé qu'un seul exemplaire, et on l'avait placé sur un rayon, classifié par ordre alphabétique: Flo D'Or aux côtés de Réjean Ducharme, sous la rubrique « Romans québécois ».

Avec ses nombreuses pages, le livre présentait une tranche d'environ un pouce d'épaisseur. Un pouce sur huit pouces et demi de hauteur, barbouillés de vert et tachetés de rouge vif, perdus parmi des milliers, voire des millions d'autres livres, voilà tout l'espace qu'on avait alloué à des dizaines de mois de travail acharné, des nuits d'insomnie, des torrents de larmes et d'épanchements de l'âme.

Qui?... Qui entrerait dans ce lieu pour porter la main sur son «bébé»? Qui s'y intéresserait au point de l'acheter pour le lire? Au pire, une fois le livre vendu, rien ne garantissait que ce lecteur béni l'apprécierait à sa juste valeur!

Florence quitta l'endroit l'esprit confus et le cœur en charpie, se demandant si elle devait se réjouir ou laisser le découragement la gagner.

Elle ne pouvait se douter que, huit mois plus tard, le nom de Flo D'Or se trouverait sur toutes les lèvres, qu'on s'arracherait *Le Temps des coquelicots* dans les salons du livre et les bibliothèques, que les critiques parleraient de best-seller, et qu'on réclamerait à l'auteure une suite dans les plus brefs délais.

Chapitre 37

18 juillet 1978

J'ai vu Florence à la télévision encore une fois, hier. Je n'en reviens pas de constater comme elle se débrouille bien et semble parfaitement à l'aise. On dirait qu'elle a fait ça toute sa vie! Vêtue de son costume bleu poudre, maquillée et coiffée par les professionnelles du poste de télévision, elle paraissait superbe. Moi, devant le beau Marc-André Marion, j'aurais littéralement fondu, j'aurais bafouillé et cherché mes mots. Bref, je serais devenue complètement dingue! Pas elle!

Elle fait bien de préciser que Le Temps des coquelicots *ne constitue pas une autobiographie. Évidemment, comme la plupart des auteurs, elle s'est inspirée de certaines personnes, de certains événements pris dans la réalité, mais il s'agit d'une œuvre de fiction. Je me sens fière de ma grande sœur.*

Elle a aussi abondamment parlé de la fantastique et périlleuse aventure de l'écriture, affirmant sans pudeur s'estimer fort chanceuse d'avoir franchi la barrière de l'indifférence des lecteurs, contrairement à bien d'autres auteurs tout aussi talentueux qui resteront dans l'oubli. Elle a raison : on se contentera de coller les ouvrages peu connus sur les rayons obscurs au fond des librairies trop avides de faire de l'argent avec des livres à sensations et des best-sellers américains ou autres, étalés bien en vue à l'entrée des commerces, et loin en avant des romans québécois. Ces œuvres de chez nous témoignent pourtant de notre identité propre, elles représentent le miroir de nos paysages et des gens qui les habitent, elles véhiculent nos valeurs, nos idées, notre façon de penser et d'interpréter les événements et les choses. Notre reflet...

Un peu plus et ma sœur montait sur ses grands chevaux! Jamais je ne l'ai vue aussi emportée pour des raisons sociales. À croire que son nouveau métier lui tient à cœur! « Il faut se soutenir et s'entraider, prônait-elle, au lieu de s'ignorer. » Sidéré, le beau Marc-André Marion l'écoutait religieusement, peu habitué à autant de générosité de la part d'une auteure lors d'une entrevue de ce genre.

La semaine prochaine, elle est invitée en direct à une table ronde avec Monica Hébert et quelques autres invités pour une discussion sur la culture au Québec. Wow! Ma sœur en est rendue là! Tu écris un livre qui marche bien, et vlan! voilà qu'on te donne une tribune et... qu'on écoute ce que tu as à dire!

Comme il y a loin, de la petite maîtresse d'école de rang qui ouvrait sa porte la nuit au séduisant Adhémar jusqu'à cette charmante femme d'âge mûr, épanouie et sûre d'elle, en gros plan sur mon nouvel écran de télévision en couleur. J'espère que Nicole et Isabelle Vachon et leur progéniture ont vu Florence à la télé, elles aussi. Qu'elles prennent conscience au moins que leur haine n'a pas réussi à la détruire, même s'il s'en est fallu de peu.

Mon neveu, lui, se promène la tête haute en se targuant d'avoir découvert une vedette. Où donc se trouve son mérite? Si Désiré Vachon a droit à certains attributs dans la fabrication de ce roman, c'est d'avoir poussé sa mère, au cours de sa vie, à un inconcevable état de souffrance et de l'avoir obligée à vivre le cœur à vif, à tel point qu'elle en a éprouvé inconsciemment le besoin instinctif, un jour, de larguer, par l'écriture, ce trop-plein d'émotions. Même dans ses contes pour enfants, Flo D'Or étale son âme sans même s'en rendre compte. Moi, je le sais. Ma sœur réussit à prêter des sentiments à ses personnages pour la bonne raison qu'elle ressent le besoin impératif de s'en libérer elle-même. Bien sûr, elle déguise cette émotivité, elle la transforme, la modifie, la camoufle, mais elle provient du plus profond d'elle-même, j'en sais quelque chose!

Si là se trouve la véritable motivation qui pousse ma sœur à écrire de la sorte, avec l'encre de son cœur, on n'a pas fini de voir ses écrits se transformer en best-sellers!

Chapitre 38

Pendant plus d'une année, Florence savoura la popularité de son roman *Le Temps des coquelicots*. Le succès ne lui monta pas à la tête, cependant, même si la réussite, à ses yeux, allait de soi après tant de travail et de don d'elle-même.

Des dizaines d'exemplaires s'empilaient maintenant sur la devanture des librairies, bien à la vue. Sans s'en rendre compte, elle oublia rapidement le sentiment d'impuissance éprouvé devant la visibilité minime allouée à son livre au fond d'une boutique, les premiers jours après sa publication. Elle ne se demanda pas non plus par quel miracle il avait accompli un tel cheminement en si peu de temps, mettant sa montée phénoménale sur le compte de ses hautes qualités littéraires. Elle ne réalisa pas l'énorme coup de pouce de son éditeur.

Désiré avait en effet mis le paquet sur le marketing. Il s'était également occupé lui-même de monter un magistral dossier de presse en usant de ses propres contacts et influences. Bien sûr, le roman possédait déjà tous les atouts nécessaires et les hautes qualités littéraires essentielles au succès, saluées bien bas, d'ailleurs, par les nombreuses critiques unanimement flatteuses. Tout avait concouru à ce qu'il passe la rampe : une histoire poignante et empreinte d'émotions, une trame bien menée sur un ton juste, une jaquette magnifique, œuvre originale du peintre Philippe Lamontagne, une publicité abondante et bien rodée et, ce qui ne devait pas nuire, la personnalité fort attachante de l'auteure qui ne manqua pas de séduire les médias par sa spontanéité et son naturel.

Florence se laissait porter comme une princesse, souriait, répondait gentiment aux questions, promettait d'autres chefs-d'œuvre, dédicaçait ses livres avec un plaisir évident. Quand on s'informait de ses projets, elle répondait avec fierté qu'un autre recueil de contes enfantins précéderait sans doute la venue d'un prochain roman pour adultes en raison de la naissance d'un arrière-petit-fils ou petite-fille annoncée pour très prochainement. Elle avait bien l'intention d'offrir d'abord ce livret à l'enfant en cadeau de baptême. Le roman viendrait plus tard.

En effet, un soir de pluie verglaçante où pas âme qui vive ne parcourait les rues de Montréal, on avait sonné à la porte de la maison de Florence et de Philippe. Elle s'était demandé qui avait le courage de sortir par un temps pareil et avait découvert, avec plaisir, une Geneviève et un Charles complètement trempés mais rayonnants de bonheur. Les jeunes mariés n'avaient même pas pris le temps de retirer leurs manteaux avant d'annoncer la bonne nouvelle.

«Coucou, arrière-grand-maman!

— Arrière-grand-maman? Comment ça?

— Geneviève est enceinte. Nous venons de recevoir le résultat de la pharmacie à l'instant.

— Quoi?

— Tu es la première à l'apprendre, grand-maman. Je n'ai pu résister à l'envie de venir te le dire de vive voix. Je savais que cela te rendrait heureuse.»

Heureuse? Florence s'était sentie folle de joie. Elle avait ri et pleuré tout à la fois. Ce bébé serait le premier d'une génération nouvelle, sans faille et sans tache, et il grandirait dans une atmosphère familiale saine. Celui-là ne lui échapperait pas, s'était-elle juré. «Je l'aimerai tant, qu'il aura des réserves d'amour pour le reste de sa vie... »

Elle l'accueillerait sans crainte de le perdre, elle pourrait l'aimer, le choyer, le dorloter jusqu'à la fin de ses jours. Soudain, les cauchemars d'autrefois n'existaient plus. Désiré menait maintenant sa vie loin d'elle, en adulte mûri et à son gré, et fort correctement, semblait-il Elle se sentait moins responsable de ses actes, elle pouvait enfin tirer un trait sur ce sinistre passé.

La perspective de la naissance de cet enfant signait la propre renaissance d'elle-même, comme la marque tangible d'un véritable recommencement. Après avoir partiellement échoué dans son rôle de grand-mère, le destin procurait à Florence une deuxième chance, une nouvelle opportunité de se rattraper dans un rôle tout neuf, celui d'arrière-grand-mère. Pour sûr, elle allait se montrer parfaite!

Muette d'émotion, elle avait sauté au cou des futurs parents, fous de joie. Même Philippe avait pris des airs de grand-père et sorti son flacon de Grand Marnier. On avait bavardé longtemps au salon. Le jeune couple avait l'intention de s'acheter une petite maison de banlieue au nord de Montréal, pas trop loin de leur lieu de travail, lui chez General Motors à Sainte-Thérèse, elle dans une firme de Laval qu'elle abandonnerait dans quelques mois pour préparer la venue du bébé.

Charles ne tenait pas en place, et son excitation faisait sourire Florence. Cher Charlot! Il n'avait jamais cessé de fréquenter sa grand-mère grâce à Andréanne d'abord, puis de sa propre initiative ensuite. Et quand il lui avait présenté sa « blonde », tout content, Florence avait immédiatement fraternisé avec la jeune fille. Elle la trouvait sérieuse et d'un charme irrésistible, en plus d'être jolie. La candidate idéale pour rendre heureux son petit-fils adoré. « Ça fera de beaux enfants! » lui avait-elle alors lancé à l'oreille avec un air coquin.

D'une certaine façon, Charles avait hérité de l'enthousiasme et de l'énergie de son grand-père durant ses rares périodes d'abstinence. Si seulement Adhémar n'avait pas tant bu... Mais rien ne servait de regarder en arrière, l'heure était à l'avenir.

«Tu sais quoi, Geneviève, toi qui aimes les antiquités... Je crois que... Et puis, non! Oublie ce que je viens de dire.

— Quoi, grand-maman?

— Rien... Je croyais avoir conservé quelque part le trousseau de baptême dans lequel ta belle-mère, en l'occurrence ma fille Nicole, a été baptisée. Mes quatre enfants, d'ailleurs. À la naissance de Charles, Nicole trouvait cet habillement trop démodé et m'en avait commandé un nouveau. L'ancien, jauni et défraîchi, était alors resté au fond de mon coffre. Mais je me rappelle, maintenant, m'en être débarrassée quand j'ai déménagé ici, à Montréal, avec Philippe.

— Oh... quel dommage!»

Soudainement affolée, Florence s'était ravisée et venait de mentir. La robe et la cape de satin, de même que le châle et le bonnet de dentelle, existaient toujours, vieux de quarante-cinq ans et en parfait état, enveloppés dans du papier bleu avec des boules à mites au fond de son coffre de cèdre, dans un recoin du grenier de la maison rouge. Mais ils avaient servi au baptême de Désiré, de Nicole et d'Isabelle, ces trois personnages qui avaient causé son malheur. Soudain, elle refusait de voir son arrière-petit-fils endosser les mêmes vêtements pour la cérémonie religieuse où l'on renonce au mal devant Dieu et devant les hommes. C'eût été tenter le diable. Tout se devait d'être neuf, pur et vierge.

Elle avait hoché la tête, étonnée elle-même par sa panique subite et cette tromperie, elle qui ne mentait jamais, et confondue par cet excès de superstition à laquelle elle n'avait pas l'habitude de faire des concessions. Tant pis! Personne n'en saurait rien de toute manière.

«Tu prendras celui que j'ai cousu pour la naissance de Charles. Sa mère doit le posséder encore, je suppose.»

À bien y penser, elle n'assisterait probablement même pas au baptême de ce bébé nouvellement conçu. Sa fille Nicole, forte de son nouveau statut de grand-mère, n'accepterait certainement pas de l'inviter. C'était son droit et privilège essentiel, personne ne pourrait y redire.

Florence s'était mordu les lèvres. Et voilà! Il avait suffi de quelques minutes pour que la souffrance se montre le bout du nez, même un soir de bonne nouvelle! Elle n'y échapperait donc jamais? Le bouleversement fulgurant de Florence n'avait pas échappé à Charles.

«Grand-maman, te voilà bien triste tout à coup.

— Non, non... Je viens seulement de prendre un puissant coup de vieux! Pas une sinécure, tu sais, de devenir arrière-grand-mère! Cela donne un sérieux choc à l'ego et aux capacités de séduction d'une femme qui se croyait encore jeune!»

Philippe s'était senti visé et avait immédiatement entouré Florence de ses bras recouverts de poils gris sous ses manches retroussées.

«Moi, j'ai justement un faible pour les arrière-grands-mères!»

Florence lui avait lancé un regard amoureux. Sans ses quelques caprices de vieux garçon et ses réticences envers Désiré, le peintre s'avérait le conjoint parfait. Il avait déjà, d'ailleurs, proposé le mariage à Florence, et elle avait refusé non sans quelques hésitations. Les motifs religieux intervenus jadis avec Vincent ne lui importaient guère, maintenant. La rigidité et l'indif-férence de l'Église catholique à accorder un divorce pourtant légitime au médecin, naguère, l'avaient écœurée au plus haut point. Depuis cette époque, elle pratiquait sa propre religion absolument dissociée des préceptes des curés. À vrai dire, la véritable raison de son refus était l'opposition de plus en plus radicale de Philippe à côtoyer Désiré. Il existait déjà suffisamment d'antagonismes dans la famille sans qu'elle donne l'occasion à une autre rupture de s'officialiser. Son fils faisait partie de l'univers immédiat de sa mère, il venait avec la mère, c'était à prendre ou à laisser!

Philippe avait décidé de laisser. Et n'avait plus insisté. La perspective d'un mariage avait fondu comme neige au soleil. Florence n'en reparla jamais, pas même avec Andréanne. Peu importe, au fond! Le couple écoulait des années heureuses, et des épousailles n'auraient rien changé sinon de compliquer les choses, ne serait-ce qu'au sujet de l'héritage de la maison rouge que les enfants de Florence se partageraient après sa mort. Et il n'était pas question de déshériter les deux filles qui l'avaient évincée de leur vie. Un jour, au moment d'ouvrir son testament, elles sauraient que leur mère n'avait jamais renoncé à elles. La maison ne valait pas grand-chose, mais le terrain en face, entre la route et la plage, continuait de prendre de la valeur et devenait l'objet de convoitise de promoteurs touristiques de tout acabit. Désiré l'avait hypothéqué au moment d'acheter Lit-Tout, mais il avait rapidement remboursé la dette. Aux yeux de Florence, la valeur de ce terrain représentait une sorte de sécurité pour ses vieux jours. Elle continuait de passer ses étés à Mandeville en compagnie de Philippe, mais Désiré, lui, n'y venait presque plus.

«À quoi penses-tu, Florence? Te voilà bien loin de nous, tout à coup!

— Oui, je me vois sur la galerie de la maison rouge, en train de bercer mon arrière-petit-fils, en regardant le coucher de soleil.»

***

Le lendemain, Florence n'avait pas aussitôt annoncé la bonne nouvelle de la venue d'un nouveau descendant à Désiré, au téléphone, qu'il s'empressa de jeter une douche froide sur son enthousiasme. Lit-Tout se portait mal, très mal.

«Je dois absolument trouver un certain montant d'argent au plus vite, sinon, il faudra fermer boutique.

— Comment cela? Mon roman ne devait-il pas apporter de l'eau au moulin?

— Oui, oui, Mais cela ne semble pas suffisant. Un seul best-seller ne suffit pas. Je suis dans de mauvais draps, maman... Le pire, c'est que je ne pourrai plus te verser tes redevances si je déclare faillite.

— J'ai de la difficulté à démêler tout cela, moi!

— C'est la maudite réforme scolaire qui a tout chambardé. Pour répondre aux exigences des commissions scolaires, il a fallu fournir trop de nouveau matériel en même temps, payer des chercheurs, des analystes, des pédagogues, des concepteurs à haut prix. Ajoute à cela quelques revers dans la lignée des romans populaires, et bingo! La boîte menace de sauter. La faillite n'est pas loin, maman. Lit-Tout ne peut plus faire face à ses créanciers.

— Ah! mon Dieu! Que puis-je faire? Je ne peux tout de même pas te pondre un nouveau best-seller en trois jours!

— J'ai mis ma maison et ma voiture à vendre, confié mes tableaux à un vendeur aux enchères...

— C'est grave à ce point?

— Je crains que oui.

— Mais j'y pense! On pourrait hypothéquer de nouveau le terrain de Mandeville. La banque a déjà accepté une fois de nous prêter de l'argent sur cette garantie, pourquoi pas deux fois?

247

— Non, maman. J'apprécie ta générosité, mais je refuse. Trop dangereux de le perdre, cette fois. Verrais-tu ça, un hôtel construit entre la maison et la plage? Oublie cette idée.

— J'ai aussi des économies à la banque provenant de la vente de mes livres. Quelques milliers de dollars.

— Maman, il s'agit de mon problème, pas du tien! »

Ce soir-là, Florence se coucha le cœur lourd sans avoir confié ses inquiétudes à Philippe. Il n'était pas question d'alimenter l'antipathie de son amant envers son fils. Lui faire part des problèmes de Désiré ne ferait que lui donner raison et encourager les critiques qu'il ne se gênait pas de proférer à son endroit. Il fallait éviter de mêler les affaires et la famille.

Tout à coup, l'écart entre elle et Philippe lui apparut plus grand qu'elle ne croyait. Prise de panique, elle se blottit contre lui et caressa d'une main tremblante l'épiderme de l'homme endormi. Il se retourna en poussant un grognement de satisfaction inconscient, puis replongea dans un sommeil profond.

Incapable de fermer l'œil, elle se demanda laquelle des Florence survivrait aux autres et résisterait aux perturbations. L'écrivaine Flo D'Or ou la maîtresse de Philippe Lamontagne? La mère de Désiré Vachon ou l'arrière-grand-mère de l'enfant de Charles? En cette nuit glaciale où son univers fragile semblait en train de basculer, elle avait l'impression qu'elle n'arriverait plus à les concilier toutes à la fois.

Contre la vitre de sa fenêtre entrouverte, la pluie se mit à tambouriner brusquement, suivie d'un sourd grondement du tonnerre, au loin. L'orage menaçait...

Chapitre 39

23 mai 1980

Le baptême de la petite Juliette s'est déroulé sans ani-croche. Ma nièce Nicole, maintenant consacrée grand-mère, resplendissait littéralement. Elle a semblé n'avoir aucune pensée pour sa propre mère devenue pourtant une arrière-grand-mère possédant le droit de partager une pareille exaltation. Elle ne m'a pas demandé de ses nouvelles, non plus. Même les événements les plus purs et les plus beaux de sa vie n'auront pas réussi à dissoudre sa rancune et celle de sa sœur Isabelle. Et, par le biais, celle de tous leurs enfants. À part Charles, nul n'a bronché. Pour eux, Florence Coulombe-Vachon n'existe tout simplement pas. J'avais espéré qu'avec l'âge, certains de leurs enfants parmi les plus vieux prendraient conscience de la cruauté silencieuse de leur mère et chercheraient à établir un certain contact avec leur grand-mère. Rien! Le lavage de cerveau a bien fonctionné sur tous les points et dans tous les sens.

Dieu merci, ma sœur avait autre chose pour la distraire cet après-midi-là, sinon, elle n'aurait pu supporter la frus-tration de ne pas assister à la cérémonie baptismale de son arrière-petite-fille. Désiré avait besoin d'elle. Pauvre bonhomme... Il n'en mène pas large devant la menace de faillite de sa compagnie. Il perdrait tout, semble-t-il, à commencer par l'estime de lui-même. Dieu sait ce que le destin lui réserve! Mais je lui fais confiance, il va se reprendre, se rattraper et sauver son entreprise. Il le faut!

Après la cérémonie religieuse, je ne suis restée que

quelques moments au buffet servi chez Charles et Geneviève. Quelqu'un a protesté en me voyant quitter si tôt, et j'ai tourné ma langue sept fois pour m'empêcher de répondre qu'une autre célébration tout aussi importante m'attendait : celle de l'arrière-grand-mère.

En effet, tel que prévu, Florence, accompagnée de Philippe, s'est rendue chez moi à la rencontre de mon Olivier et de sa femme Katherine, en fin d'après-midi. En catimini, nous avions préparé une petite fête en l'honneur de ma pauvre sœur. Il avait été entendu que les parents du bébé, Charles et Geneviève, de même que Marie-Claire, nous rejoindraient avec la petite dès le départ de leurs invités. Désiré, lui, ne s'est montré le bout du nez que quelques minutes, le temps de jeter un regard distrait sur le bébé. Il est aussitôt reparti, préoccupé par un dossier important à préparer pour le lendemain. M'inquiète vraiment, celui-là...

La mignonne poupée a fait fondre le cœur de chacun. Florence jubilait en la pressant sur son cœur. Tout le monde lui a trouvé une ressemblance du côté paternel. Il n'en fallait pas plus pour que Charles adopte une contenance de coq. Mais la maman a vite fait de revendiquer ses droits sur l'enfant pour lui offrir le sein devant tout le monde, au beau milieu du salon. Quelle scène émouvante! Dire qu'autrefois, les femmes se retiraient pour accomplir ce geste on ne peut plus naturel. Comme les temps changent!

Mine de rien, j'ai observé Olivier et Katherine. Trente-six ans tous les deux, et sans enfants... Hélas! je n'ai décelé aucune trace de regret dans leurs regards quand ils ont manipulé le bébé. Il faut croire que leurs missions humanitaires dans le monde les satisfont pleinement. Leurs bébés s'appellent Liban, Plateau du Golan, Désert du Sinaï, Proche-Orient... N'ont-ils pas remarqué la supplication silencieuse écrite sur mon visage de veuve solitaire? De femme esseulée? Après tout, je ferais une excellente grand-mère, moi aussi!

Chapitre 40

Florence sembla se remettre plus difficilement de la faillite de Lit-Tout que son fils lui-même. La compagnie survécut vaille que vaille durant tout l'été et l'automne suivant, mais rendit l'âme au début de l'hiver. Sur le bord de la panique, l'auteure, incapable de se concentrer, laissa tomber son projet d'un autre recueil de contes dédié à son arrière-petite-fille, et cessa toute activité littéraire. Son inspiration tournait à vide.

Elle avait présumé que les choses allaient de mal en pis à partir du moment où elle s'était rendue à Mandeville dans sa Chevette, un après-midi de décembre, pour prendre dans sa bibliothèque quelques livres dont elle avait besoin. À sa grande surprise, l'entrée avait été déneigée et une paire de raquettes traînait, appuyée sur le bord du balcon. Ni elle ni Philippe ne s'y étaient pourtant rendus depuis plusieurs semaines. Quand elle avait vu des restes de nourriture dans le frigo et le vieux parka de Désiré et sa ceinture fléchée suspendus aux crochets du corridor, elle avait compris que son fils était venu y chercher refuge.

Pourquoi ne lui avait-il jamais parlé de ces visites clandestines? Il s'agissait donc de cela, toutes ces réunions importantes dont la secrétaire de Lit-Tout lui rabâchait les oreilles chaque fois qu'elle réclamait son fils au téléphone?

Elle avait attisé un feu de bois et était restée plus longtemps que prévu dans l'espoir de voir surgir Désiré probablement parti en promenade dans sa voiture. Ce moment d'attente, dans le silence de la maison rouge, avait déclenché chez elle un état d'affolement proche de la panique. Outre ces dernières années en compagnie de Philippe, les souvenirs qui remontaient à la surface de chaque recoin de cette maison la replongeaient dans un passé nébuleux, ces orages qu'elle ne voulait pas se rappeler.

Malgré elle, le silence avait ressuscité le passé. La violence d'Adhémar sans cesse attisée par l'alcool envers le fils qu'il n'avait jamais accepté; la chambre de Désiré là-haut, habitée par Alexandre après la mort douloureuse de Guillaume; la première scène de pédophilie sur la plage avec le petit Olivier âgé de quatre ans, entrevue à travers la fenêtre du grenier; la mort étrange d'Adhémar au fond d'une barque de l'autre côté du lac; la crainte abominable de voir récidiver son fils, cette peur viscérale enfouie sous le couvert du silence et exprimée de manière sanguinolente dans la cuvette de la minuscule salle de bain, les boyaux tordus par les crampes, puis la rechute de Désiré avec Charles et l'éclatement de la vérité, comme une fin du monde... La fin de son monde à lui mais aussi de celui de sa mère. Et la détresse... Ô Dieu, quelle détresse!

Mais elle avait aussi connu de bons moments dans cette demeure, son habitation depuis l'âge de dix-huit ans. D'abord la naissance de chacun de ses enfants. Elle se rappelait l'été passé avec Andréanne dans le chalet de la plage au moment où elle se trouvait enceinte des jumelles. Que dire des visites réconfortantes de Vincent, d'abord charitables, puis amicales et, plus tard, amoureuses? Le souvenir du débarquement de Marie-Hélène, enceinte, pour un long séjour, et son départ précipité en lui abandonnant Lili faisaient aussi partie de son coffret aux trésors. L'enfant avait ensoleillé la vie de sa grand-mère durant plus de trois ans. Un temps de douceur et de tendresse... Et quelques années plus tard, le retour de Lili en compagnie de son petit frère Nick ne lui avait procuré que de la joie. Elle avait tant savouré ces quelques mois où Philippe avait pris son rôle de grand-père adoptif au sérieux. Et depuis, tous ces étés et ces fins de semaine en compagnie du peintre, leurs petits soupers au vin et aux chandelles, en amoureux, à côté du poêle à bois ou sur le coin de la galerie, les beaux soirs d'été...

Une vie... C'était cela, une vie, encastrée au sablier du temps. Un sable fin et blanc pour les temps de lumière emmêlé au gravier rocailleux des tempêtes où les jours s'écoulent alors avec une lenteur douloureuse... Sables des chemins et sables des déserts, sables mouvants, mouillés ou brûlants, vaseux ou coulants, tous fusionnés dans le même boîtier d'un même destin...

Florence s'était approchée du coin du salon où elle avait écrit son premier recueil de contes. La machine à écrire ne s'y trouvait plus, mais le petit tableau restait suspendu au-dessus de la table. Le temps des coquelicots, le temps du bonheur... «Ah! mon Dieu, que ce temps de paix perdure encore et encore. Que rien ne change! Je ne possède plus la force d'affronter les orages. Je me sens fatiguée, mon Dieu, je me sens tellement fatiguée...»

Elle avait décroché le cadre et, une fois de plus, l'avait pressé sur sa poitrine comme l'objet le plus précieux du monde, comme une garantie de quiétude. Ces braves petites fleurs si fragiles qui résistaient à toutes les intempéries... Puis elle s'était installée sur la berceuse et, l'œil rivé sur la fenêtre, en position d'attente, elle avait bercé le tableau comme s'il s'était agi d'un enfant.

En fin d'après-midi, elle avait dû se rendre à l'évidence : Désiré ne reviendrait pas ce jour-là. Mieux valait retourner à Montréal pour éviter à Philippe de s'inquiéter et de lui poser des questions. Elle avait remis le tableau à sa place, fermé la maison à clé et démarré sa voiture en poussant un soupir. La vie continuait...

À son arrivée, elle trouva dans le courrier une lettre en provenance de Colombie-Britannique. Marie-Hélène annonçait la visite de sa famille pour la semaine suivante. Elle avait l'intention d'amener les enfants, en congé scolaire, skier au mont Sainte-Anne près de Québec. Ils reviendraient ensuite passer quelques jours avec grand-maman Flo. Pourraient-ils tous habiter à Mandeville pendant leur séjour?

Florence n'avait pu réprimer un sourire et avait accepté de bon cœur le verre de pineau des Charentes que Philippe lui tendait.

Dieu avait momentanément entendu sa prière, le bonheur semblait sauvegardé. Mais le sursis resta de courte durée.

Quelques jours après la visite des Vancouvérois, Florence voulut parler à Désiré, toujours inaccessible, et composa le numéro téléphonique de Lit-Tout. Une voix impersonnelle lui répondit: «Il n'y a plus d'abonné au numéro que vous avez composé.» Elle ne mit pas de temps à comprendre. Le syndic avait saisi les lieux. Tout était fini. La faillite était devenue officielle.

Mais son fils, lui? Où se trouvait Désiré? Alarmée, elle fit le numéro de sa résidence à Outremont à plusieurs reprises sans obtenir de réponse. Elle se mit à appeler à la maison rouge sans succès, là non plus. Elle s'obstina à renouveler ses appels toutes les cinq minutes, au grand étonnement de Philippe.

«Pourquoi t'acharnes-tu? Il ne se trouve pas là, ça me paraît évident!

— Il dort peut-être...»

Elle sut finalement ce qu'elle voulait savoir. À un moment donné, quelqu'un décrocha le combiné, mais sans répondre.

«Désiré? Réponds-moi, je t'en prie, réponds-moi!

— ...»

La main, à l'autre bout du fil, referma l'appareil

puis décrocha de nouveau dans le but flagrant de ne plus recevoir d'appels. La tonalité monocorde, indicatrice d'une ligne occupée, résonna bientôt à l'oreille de Florence.

« Il est là! Je le savais qu'il finirait par décrocher le téléphone pour ne plus entendre la sonnerie. Je connais la patience de mon fils! Je vais y aller, tout de suite. »

Cette fois, Philippe offrit de l'accompagner, mais, devant son peu d'insistance, elle préféra s'y rendre seule. Désiré avait besoin de sa mère, pas de quelqu'un pour le juger ou lui donner des conseils trop tardifs. Il méritait la sympathie et non le blâme, et Philippe Lamontagne ne pourrait certainement pas se retenir de lui chercher quelque maladresse responsable de cette débâcle. Et Dieu sait dans quel état Désiré se trouvait présentement. Peut-être avait-il bu?

Elle ne s'était pas trompée. Étendu sur le divan du salon, de nombreuses bouteilles de bière vides autour de lui, il ne broncha même pas en la voyant arriver.

« Désiré? J'ai téléphoné chez Lit-Tout... C'est officiel maintenant, n'est-ce pas? »

L'homme n'émit qu'un vague grognement en guise de réponse, et se retourna face contre le mur.

« Désiré, réponds-moi! Parle-moi! Tout cela te fait mal, je m'en doute. Mais tout le monde, un jour ou l'autre, peut essuyer un échec. Ta vie ne se termine pas là pour autant. Tu n'as que quarante-sept ans, tu peux te reprendre...

— Je n'ai plus rien, maman. On a saisi ma maison d'Outremont, mes économies, tous mes avoirs. Je n'ai plus rien, plus rien... »

L'homme avait bu et prononçait ses mots d'une bouche molle. Il se mit à pleurer comme un enfant. Florence n'hésita pas à le prendre dans ses bras avec toute la tendresse du monde.

« Mon petit garçon... »

Non seulement elle serrait sur son cœur l'être présentement écrasé par la mauvaise fortune, mais aussi le fils battu et humilié par son père, autrefois, et aussi le jeune homme de vingt ans, suicidaire et dépassé par ses problèmes d'ordre sexuel.

«Désiré, Désiré, ne te sens pas coupable de ce qui t'arrive. Beaucoup d'hommes d'affaires vivent une situation semblable par le temps qui court. Le climat économique...

— J'ai été maladroit, j'ai pris des décisions erronées, j'ai considéré cette compagnie comme une vache à lait, j'ai investi aux mauvais endroits, j'ai gaspillé, dépensé à outrance. Je suis un raté, maman, un raté...

— Je n'accepte pas de t'entendre parler de la sorte. Tu as trop bu et tu vois tout en noir. Boire ne réglera rien. Viens, mieux vaut essayer de dormir.»

Elle l'aida à monter à sa chambre et à se dévêtir. Puis elle le borda comme un enfant et ne le quitta qu'une fois endormi.

En redescendant l'escalier, elle porta les yeux sur le fameux tableau aux coquelicots. Les fleurs rouges semblaient la narguer. Elle s'en empara brusquement et le précipita dans les flammes voraces du poêle. L'enfer...

Florence venait de cesser de croire au bonheur.

Chapitre 41

5 février 1981

Voilà Désiré parti au Mexique. Drôle de façon de régler ses problèmes financiers! S'agirait-il d'une fuite? Florence se montre peu loquace. Elle prêche l'optimisme et semble lui faire confiance. Selon elle, ce voyage va lui faire du bien. Il va se reposer, faire le vide, réfléchir pour rentrer, dans trois semaines, frais et dispos et prêt à se relancer dans une nouvelle aventure.

Hum!... J'ai quelques réticences là-dessus, moi! Désiré Vachon n'a jamais débordé d'initiative et je le vois difficilement repartir à zéro avec enthousiasme dans quoi que ce soit. Plutôt profiteur et opportuniste, le neveu! Il faut dire que le destin ne l'a pas particulièrement choyé. Pour une fois qu'il réussissait dans une belle entreprise, cela n'aura duré que quelques années. Pauvre lui, il semblait si fier de sa compagnie. Le voilà maintenant ruiné, sans femme, sans enfants et sans avenir, traînant son horrible passé comme un boulet. Je me demande ce que l'avenir lui réserve...

J'ai accompagné Florence à l'aéroport. La mère et le fils se sont quittés de façon presque pathétique. On aurait dit une rupture définitive, comme s'ils n'allaient plus jamais se revoir. Espérons qu'il ne s'agit pas là d'une prémonition. Après tout, Désiré part pour vingt et un jours seulement. Il visitera d'abord le Mexique colonial dans un tour organisé pendant quelques jours au début de son voyage, puis il se rendra par lui-même à Acapulco pour un repos bien mérité sur le bord de la mer. Le retour est prévu pour le vingt-six février à six heures du soir, vol 1207 d'Aeromexico. Nous y serons!

J'ai ramené ma Flo ici et l'ai gardée à souper. Elle a beau fanfaronner, je sais dans quel état d'angoisse elle se trouve. Depuis cette maudite faillite, elle se morfond sans bon sens pour Désiré. S'il se bougeait un peu, aussi... Mais non! Il restait prostré dans la maison rouge, sans réagir. Se contentait de regarder le temps passer en tétant sa satanée bière. Ma sœur ne savait plus où donner de la tête, tiraillée entre Philippe, qui refusait de l'accompagner à Mandeville et la réclamait sans cesse à Montréal, et son fils, terré dans sa chambre dans un état dépressif profond. Ce départ lui apportera au moins un peu de répit. Elle en a grand besoin!

Au cours du repas, elle s'est excusée par trois fois pour se rendre à la salle de bain. Je soupçonne la colite de faire de nouveaux soubresauts même si elle refuse de me le confirmer...

Chapitre 42

Malgré sa promesse de lui téléphoner, Désiré ne donna pas signe de vie à sa mère au cours de son voyage. Mais elle ne s'en inquiéta pas outre mesure. Les communications téléphoniques entre le Mexique et le Canada s'avéraient parfois difficiles, paraît-il. Elle mit donc sur le compte d'un problème technique quelconque ce silence tout de même troublant.

Elle se rendit cependant à l'aéroport plus d'une heure à l'avance, le jour de son retour, en compagnie de sa sœur. À Mirabel, du haut de la passerelle, on pouvait voir les passagers entrer et s'aligner derrière les guichets de l'immigration. Dieu merci, l'avion n'accusa pas de retard et Florence, le nez collé contre la vitre, regardait les Québécois joyeux rentrer dans leur pays de froidure en arborant un enviable teint du Sud.

À la vue d'un grand bonhomme en chemise blanche, la figure dissimulée sous un large sombrero très coloré, Andréanne s'écria, presque soulagée:

«Je le vois! Je le vois!

— Mais non, ce n'est pas lui, voyons! Désiré est plus mince et ne possède pas de chemise blanche.

— Ben quoi? Il a peut-être engraissé, le cher neveu! Les tortillas, la cerveza, la tequila[5]...»

---

5. Les galettes, la bière, la boisson...

Florence haussa les épaules et poursuivit son guet. Le nombre de passagers commençait à diminuer. Certains avaient retrouvé leurs bagages et s'acheminaient vers les comptoirs de la douane pour rejoindre ensuite leurs familles.

Florence et Andréanne ne parlaient plus, dressées comme deux sentinelles au-dessus de la salle des arrivées maintenant presque déserte. Désiré avait dû malencontreusement échapper à leur regard et s'était sans doute faufilé à travers la foule d'un côté ou de l'autre des murs alors qu'elles surveillaient au centre. Il devait probablement les attendre à l'étage inférieur, à l'endroit où les voyageurs prennent contact avec les gens venus les chercher. Il devait se morfondre lui aussi, à la recherche de sa mère.

Affolées, les deux femmes dévalèrent les escaliers, dévisagèrent la foule en scrutant chaque visage et en questionnant du regard chaque attroupement, chaque personnage masculin leur tournant le dos. Elles durent se rendre à l'évidence : Désiré ne se trouvait pas sur ce vol. Mais alors? Florence avait envie de hurler, ne savait plus où donner de la tête. Manifestant plus de sang-froid, Andréanne prit les choses en main.

«Rien ne sert de s'énerver. Il doit y avoir une explication. Es-tu bien certaine que ton fils rentrait aujourd'hui? Tu t'es peut-être trompée de date.

— Il me l'avait écrit sur un papier. Naturellement, je l'ai laissé à la maison.

— Allons téléphoner à Philippe. Il faut d'abord vérifier cette date.»

Florence hésita quelques secondes. Elle aurait préféré tenir le peintre le plus loin possible de tout ce qui concernait son fils. Mais, cette fois, elle n'avait pas le choix. Philippe trouva finalement le billet. Florence ne s'était pas trompée, il confirma la date, l'heure du retour et le numéro de vol sans ajouter de commentaire.

«Et mon fils n'a pas téléphoné à la maison pour annoncer un changement de vol?

— Non, tu n'as reçu aucun appel.»

Le peintre aurait pu, au moins, prononcer quelques mots de réconfort, et laisser entendre qu'il partageait l'énervement de sa conjointe. Rien! Il n'ajouta absolument rien! Florence referma le combiné en serrant les dents. Tôt ou tard, il faudrait bien vider l'abcès de cette animosité souterraine entre ces deux-là. Mais ce n'était pas le moment.

«Allons au bureau d'Aeromexico. Ils doivent bien posséder une liste des passagers. S'il se trouvait à bord de cet avion et a échappé à notre rencontre, Désiré est vraisemblablement assis dans un taxi, en ce moment même, en route vers chez toi ou chez moi en se demandant pour quelle raison sa mère ne s'est pas rendue à l'aéroport, tel qu'entendu.»

La représentante de la compagnie mexicaine sembla ne pas attacher beaucoup d'importance à la requête des deux femmes.

«Non, madame, Désiré Vachon ne se trouvait pas sur l'avion, je ne vois pas son nom sur ma liste. Par contre, un siège était réservé pour lui, mais il ne s'est pas présenté à l'aéroport d'Acapulco. Ce genre de choses se produit très souvent. Il a dû adopter l'heure mexicaine et arriver en retard à l'aéroport, tout simplement, ah! ah! Vous connaissez l'heure mexicaine? Au moins une heure plus tard que celle de votre montre!»

Florence lui jeta un regard noir. Elle n'en avait rien à foutre, de l'heure mexicaine. Son fils avait disparu et elle voulait le retrouver, rien de plus. La femme réalisa sa bévue et tenta de se montrer plus compréhensive et rassurante.

«Ne vous en faites pas, vous n'êtes pas la première à qui cela arrive. Son réveil n'a pas sonné... Ou bien la navette entre les hôtels et l'aéroport a oublié de venir le chercher... Ou encore le taxi a subi une crevaison en route vers l'aéroport... Vous allez le retrouver sur un prochain vol, vous verrez.

— Au fait, à quand le prochain vol?

— Demain, à la même heure. Du moins pour notre compagnie. Et il n'est pas certain qu'on lui trouve une place, cependant. Les sièges sont souvent survendus. Il lui faudra attendre une annulation. Autre possibilité : après avoir manqué son avion, il s'est peut-être adressé à une autre compagnie faisant escale aux États-Unis.

— Oh! mon Dieu! Comment le savoir?

— Monsieur Vachon va sûrement vous téléphoner d'ici là, madame. Sinon, appelez-moi demain, vers deux heures. J'aurai alors reçu la nouvelle liste des passagers. »

Désiré ne téléphona pas. Ni le lendemain ni le jour suivant. Hors d'elle-même, Florence ne savait que faire. Elle pleurait sans arrêt, appuyée contre la fenêtre du salon, espérant désespérément voir surgir un taxi devant la porte d'où descendrait son fils avec sa valise noire.

Elle composa aussi des dizaines de fois le numéro de téléphone de la maison rouge. Depuis la faillite, Désiré avait officiellement élu domicile à Mandeville en attendant de se trouver un nouveau pied-à-terre à Montréal. La sonnerie sans réponse résonnait dans l'oreille de Florence comme un marteau-pilon qui lui démolissait le moral. Cinq fois, dix fois, quinze fois... Puis elle recommençait au bout d'une demi-heure. Elle priait, se lamentait, ne se possédait plus.

Qu'était-il donc arrivé à Désiré? Peut-être gisait-il là-bas sur un lit d'hôpital, foudroyé par la tourista[6] ou, pire, par un infarctus ou une maladie grave, incapable de prononcer son nom? Il possédait pourtant des cartes

---

6. Gastroentérite des touristes.

d'identité et un passeport canadien. Pourquoi ne l'avertissait-on pas, alors? Ou n'avisait-on pas l'ambassade? Qui sait si des bandits ne l'avaient pas volé, battu, kidnappé, pris en otage...

Mais, à la vérité, le pire scénario dans l'esprit torturé de Florence ressemblait à autre chose. Bien malgré elle, elle imaginait son fils déprimé se jetant dans le précipice du haut d'une falaise, ou à la mer, du pont d'un navire. Et personne ne retrouverait jamais le corps dévoré par les chacals ou les requins de celui que la vie avait trop malmené. Désiré Vachon avait tiré sa révérence et ne reviendrait plus jamais. Et cette perspective effroyable consumait sa malheureuse mère. Elle pensa devenir folle.

Cette fois, Philippe eut pitié d'elle et se montra plus coopératif. Il prit lui-même l'initiative d'une petite enquête. Tout d'abord, il s'informa auprès de l'agence de voyages pour s'assurer que Désiré Vachon avait bien pris part au tour organisé à San Miguel Allende, Queretaro, Guanajuato et au lac Patzcuaro. La réponse fut négative. Monsieur Vachon ne s'était jamais montré au moment du départ du groupe, et il n'avait pas effectué ultérieurement de réclamation pour cette tournée de dix jours pourtant payée à l'avance.

Philippe vérifia ensuite si Désiré avait bien habité à l'hôtel Parasol d'Acapulco où des réservations avaient été faites par l'agence pour sa dernière semaine au Mexique. Il découvrit qu'un certain monsieur D. Vachon avait en effet occupé une chambre de cet hôtel durant trois jours, mais à partir du cinq février et non aux dates prévues par la réservation, soit la dernière semaine de février. S'agissait-il du bon D. Vachon? Il existait certainement des dizaines d'autres D. Vachon en Amérique! La téléphoniste de l'hôtel Parasol ne parlait pas le français et ne comprenait pas grand-chose à l'anglais tortueux de Philippe teinté d'accent provençal. Elle affirmait ne pas trouver les coordonnées du fameux client en question et semblait ne pas s'expliquer pourquoi. Elle-même bara-gouinait l'anglais avec une forte intonation espagnole.

« *Desappeared, sir*, disparou... *I'll call you back!*[7] »

Philippe entendit « caillou black », ne comprit rien du tout, s'enragea et finit par couper la communication brusquement. Évidemment, la jeune fille ne rappela jamais. Le peintre, piteux, tenta de rassurer Florence.

« Ton fils a dû décider de prendre une semaine ou deux de surplus dans un autre hôtel, et il a simplement oublié de t'en aviser. Le sacripant!

— Non, Désiré n'aurait jamais agi de la sorte. Il lui est sûrement arrivé quelque chose de grave.

— Dans ce cas-là, il te reste à signaler sa disparition à la police, mon amour... Je ne vois pas cinquante-six solutions. »

Florence se retourna d'un bloc. Elle venait de prendre une décision.

« Je vais y aller moi-même.

— Où? Au bureau de police du coin de la rue?

— Non, au Mexique. Je vais y aller et retrouver Désiré. Je veux en avoir le cœur net et savoir ce qui s'est passé. Je n'en peux plus, je n'en peux plus...

— Ma pauvre Flo, tu ne parles même pas l'espagnol. Comment vas-tu te tirer d'affaire?

— Je saurai bien me débrouiller. »

Forte de sa décision, elle se sentait soudain grande, toute-puissante même! La mère, prête à toutes les folies et à toutes les épopées, allait retrouver et sauver son fils. Et rien ne l'arrêterait!

« Laisse donc faire les spécialistes, Florence. Le Mexique est un pays immense, fort populeux... et parfois dangereux. Que vas-tu faire? Te planter sur le coin d'une

---

7. Disparu, monsieur, disparu... Je vais vous rappeler!

rue et surveiller les passants dans l'espoir d'apercevoir ton grand bébé de quarante-sept ans? C'est ridicule!

— J'ignore encore ce que je vais faire, Philippe, mais je vais me bouger, sois-en certain!»

Le peintre aurait pu offrir de l'accompagner, mais il n'ajouta plus un mot. Andréanne, de son côté, essaya elle aussi de la dissuader de partir.

«Ce n'est pas prudent, Florence. Il peut t'arriver n'importe quoi. »

Elle faillit ajouter: «Peut-être la même chose qu'à lui», mais elle s'en garda bien.

«Si j'avais de l'argent, je t'accompagnerais. Mais je n'ai pas les moyens...

— Moi non plus! Mais j'emprunterai. Je veux trouver mon fils!»

Philippe lui recommanda tout de même de signaler le cas aux autorités policières. Au Bureau central, on sembla prendre l'histoire de Florence à la légère.

«Des cas comme ça, on en voit tous les jours, surtout chez les adolescents. Le type s'en va en vacances pour un temps déterminé, mais il rencontre une donzelle là-bas et le voilà parti pour la gloire! Ni vu ni connu. Il revient généralement au bout de quelques semaines ou de quelques mois, désenchanté et la "fale" basse, désolé d'avoir oublié d'avertir sa famille.

— Mon fils n'est pas un ado mais un homme d'âge mûr. Un homme responsable.

— Ne vous inquiétez pas, madame. Nous allons transmettre son signalement à l'ambassade du Canada à Mexico. S'il tente de quitter le Mexique pour un autre pays, son passeport va le trahir. Nous l'aviserons alors que sa mère le cherche. Au fait, il n'est pas toxicomane, j'espère?»

Trois jours plus tard, Florence s'envolait à destination d'Acapulco, le cœur en émoi. Dans son sac à main, elle transportait une photo de Désiré datant de plusieurs années. La seule qu'elle possédait.

Chapitre 43

Une bouffée d'air chaud et humide saisit Florence dès sa sortie de l'avion. Elle essaya de garder son sang-froid en se disant que ce jour-là, à la même heure, en cet instant précis, son fils respirait le même air. Mais Dieu seul savait où...

À travers le hublot, elle avait observé l'aspect géophysique du pays, ces hautes montagnes sauvages aux sommets enneigés, ces cratères béants, ces espaces infinis recouverts de forêts denses où de rares villages nichaient au fond des vallées, reliés entre eux par un unique sentier s'enroulant autour des pics et serpentant au fond des gorges. Du haut des airs, ces minuscules agglomérations ressemblaient à des repaires de brigands. Peut-être avait-on capturé Désiré et résidait-il dans un de ces lieux, à la merci de *bandidos* assoiffés de rançon? Allons donc! Ces gens-là choisissaient leur proie et ne s'embarrassaient pas d'un petit éditeur complètement fauché, étranger par surcroît!

Non, Désiré se trouvait ailleurs, quelque part en un point déterminé de cet immense territoire. Et sa mère allait le trouver, sain et sauf. Elle n'avait aucune idée où ni comment, mais elle allait réussir. Rien ni personne ne pourrait s'interposer. Parce que son fils vivant avait besoin d'elle, elle le sentait. Parce qu'il respirait le même air torride en ce moment même. Parce qu'il l'attendait quelque part.

Elle héla le premier taxi à la sortie de l'aéroport.

«Hôtel Parasol, s'il vous plaît.»

Affable, le chauffeur prononça quelques amabilités en espagnol auxquelles Florence ne sut répondre. Il fit alors certaines tentatives en anglais, puis en français, et finit par comprendre que la dame ne se sentait pas d'humeur à faire la conversation. En d'autres circonstances, elle se serait exclamée sur la beauté du trajet entre l'aéroport et l'hôtel, la route vertigineuse en lacet, la vue imprenable sur la mer turquoise, la végétation luxuriante, la somptuosité des hôtels le long du chemin. Mais elle jeta sur tout cela un regard distrait. Trente minutes plus tard, elle paya le chauffeur sans faire attention à sa monnaie et s'engouffra dans le hall du Parasol en refusant de laisser le valet s'occuper de sa valise.

Au comptoir d'accueil, quand elle voulut retenir une chambre, on lui demanda son numéro de réservation.

«Je n'ai pas de réservation. Donnez-moi une chambre pour un jour ou deux, simplement.

— *Sorry, we don't have any room left*[8].

— Pardon?

— *No more room, madam.*

— *Speak French?*

— *No, I'm sorry...*

— Y a-t-il quelqu'un qui parle français ici?»

Un touriste américain, témoin de la conversation ardue, offrit de servir d'intermédiaire. Il maîtrisait un peu d'espagnol et un peu de français. Florence finit par comprendre qu'il ne restait plus de chambre pour elle à l'hôtel Parasol. Cependant, à la succursale d'en face, le Pequeno Parasol, moins luxueux et aux tarifs plus abordables, on pourrait l'accommoder.

Florence ne se laissa pas décourager et réussit à

---

8. Désolé, nous n'avons plus de chambres libres.

expliquer tant bien que mal, grâce à ses maigres connaissances de l'anglais acquises à l'époque de Liu Won autrefois, qu'elle cherchait son fils, Désiré Vachon, ayant séjourné dans cet endroit en février. On sortit devant elle la liste des clients du mois précédent. Un certain D. Vachon avait effectivement occupé une chambre du cinq au huit février. Curieusement, quelqu'un avait effacé ses coordonnées, citoyenneté, adresse, numéro de passeport, sur la liste. On lui montra la page en ouvrant les mains en signe d'impuissance, comme s'il s'agissait d'un grand mystère.

Devant son désarroi manifeste, on annonça à Florence que l'une des employées de l'hôtel, Anita, parlait très bien le français et pourrait sans doute répondre à ses questions. Elle se trouvait cependant en congé ce jour-là, et Florence devrait patienter jusqu'au lendemain. Quant à la photo qu'elle n'avait pas manqué de sortir de son sac sous le regard intrigué du personnel d'accueil, tous haussèrent les épaules en regardant attentivement Désiré assis sur les marches de la galerie de la maison rouge, en train de dévorer un sandwich.

On se montra néanmoins gentil. Si la *signora* avait l'intention de séjourner à l'hôtel d'en face, le valet se ferait un plaisir de traverser sa valise au Pequeno Parasol. On lui préparerait dès maintenant une chambre attenante à la piscine. Complètement dépassée, Florence n'eut pas le choix d'accepter.

La chambre réfrigérée à l'air climatisé empestait le désinfectant. Elle en ressortit aussitôt pour retraverser la rue et se rendre directement sur la plage. Assise sur le sable encore chaud, elle y écoula la plus longue soirée de sa vie, à regarder le temps passer. Pas très loin, un groupe de jeunes garçons d'une dizaine d'années baragouinaient entre eux des phrases incompréhensibles et attirèrent son attention. Quelques-uns jouaient au ballon, mais la plupart semblaient tourner en rond et attendre quelque chose ou quelqu'un. D'autres sautaient dans les vagues en lançant des cris de joie. Elle les trouva beaux avec leurs yeux noirs et leur teint cuivré, et se demanda pour quelle raison, à cette heure du soir, ils ne se trouvaient pas à la maison en train de faire leurs leçons et leurs devoirs avec leur mère. Peut-être ne se rendaient-ils à l'école que le matin et le soir pour éviter la chaleur insupportable de l'après-midi? Ou peut-être revenaient-ils d'une joute de soccer et ressentaient-ils le besoin de se détendre avant d'aller se coucher? Elle les oublia finalement, fascinée par le roulis des brisants sur un océan illuminé par le rougeoiement du couchant. La couleur des coquelicots mais aussi celle du sang... Elle rentra en claquant des dents.

À huit heures le lendemain matin, elle se pointa au comptoir du Parasol, photo en main. On lui présenta Anita, femme d'une quarantaine d'années, qui parlait effectivement bien le français, malgré un fort accent. Florence ne perdit pas son temps en politesses.

«Mon fils a habité ici au début de février plutôt qu'à la fin du mois, tel que prévu. Il n'est jamais revenu au Canada. Cette photo vous dit-elle quelque chose? Peut-être le reconnaissez-vous? S'agit-il du D. Vachon inscrit sur votre liste?»

La femme examina longuement la photo puis la redonna à Florence en secouant la tête négativement.

«Je regrette, cela ne me dit rien. Je travaille à la cuisine, vous savez, et des milliers de clients vont et viennent dans l'hôtel.»

À n'en pas douter, Anita semblait éprouver un malaise devant les interrogations de Florence, mais elle accepta tout de même de bon gré de réviser une fois de plus la liste des clients de février et de s'informer auprès du personnel sur la raison pour laquelle on avait rayé l'identification complète du fameux monsieur D. Vachon.

«Vous pouvez attendre dans le hall, madame, j'irai vous chercher quand j'aurai fini d'interroger mes confrères de travail.»

De loin, Florence vit Anita fouiller dans un casier sous le comptoir et en retirer une chemise contenant une pile de feuilles. Au lieu de faire signe à Florence de venir la retrouver, elle pénétra dans l'un des bureaux situés derrière la réception. Florence pouvait la voir à travers la porte. Une longue discussion eut lieu avec deux hommes en cravate. Le ton monta, ce qui mit la puce à l'oreille de Florence. Elle vit Anita brandir le dossier à plusieurs reprises. De toute évidence, il se passait quelque chose de louche. Florence retenait sa respiration, les mains moites et la gorge sèche. «Désiré, Désiré, que t'est-il donc arrivé?»

Anita mit une éternité à la rejoindre dans le hall de réception. Elle s'assit en face d'elle dans l'un des fauteuils de cuirette et enleva ses lunettes.

«Alors voici, madame. Monsieur Vachon a bel et bien séjourné ici à partir du cinq février, dans la chambre 505. Il s'agit de Désiré Vachon, résident de Mandeville, au Canada. C'est votre fils, n'est-ce pas?

— Oui, oui, mais il s'est éclipsé! Et ses réservations n'étaient pas prévues pour cette date-là dans son plan de voyage.

— Écoutez...»

La femme se racla la gorge et sembla hésiter un instant. Elle remit ses lunettes et posa la main sur le bras de Florence en la regardant au fond des yeux. Puis, elle se lança.

«Écoutez-moi bien, madame. L'homme qui occupait la chambre 505 a quitté sans régler sa note, ni emporter ses affaires. Il avait réservé sa chambre pour trois semaines, mais, d'après les dires des femmes de ménage, il y aurait séjourné deux ou trois jours seulement. Comme il arrive souvent que des clients voyagent ailleurs tout en conservant leur chambre ici, la disparition de monsieur Vachon n'a été considérée comme officielle qu'au terme de sa réservation, il y a quelques jours. On y faisait le ménage sans souligner son absence, voilà tout.

— A-t-on donné son signalement à quelqu'un?

— Au fait, oui. On a même signalé sa disparition aux autorités policières... comme voleur et non comme personne disparue! Il a quitté l'hôtel sans régler sa note. Une facture lui a été envoyée à sa résidence au Canada, ainsi qu'un avis précisant que, s'il ne réclamait pas ses effets personnels dans les dix jours, ceux-ci seraient transférés à un organisme de charité dans les plus brefs délais. Les riches clients se donnent rarement la peine de revenir chercher leurs affaires. D'autres disparaissent dans le décor et ne donnent plus jamais signe de vie à leur famille, allez savoir pourquoi. Il y a toute sorte de monde ici-bas, vous savez... Surtout parmi les touristes! »

Florence s'était mise à pâlir et manqua de s'évanouir, incapable de répondre. Ainsi, Désiré avait bel et bien logé ici. Il avait menti à sa mère sur l'orientation de son voyage, lui qui se prétendait excité de visiter toutes ces villes du Mexique colonial. Elle n'arrivait pas à s'expliquer ce mystère. S'il avait décidé de s'enlever la vie, pourquoi aurait-il réservé une chambre pour toute la durée de son voyage? Il se croyait sans doute assez fort pour surmonter sa déprime, mais avait dû flancher dès les premiers jours...

« Madame, vous ne vous sentez pas bien?

— Oh! Ce n'est rien. Probablement un coup de chaleur.

— Attendez, je vais vous chercher quelque chose à boire. »

Anita revint avec une bouteille d'eau minérale glacée.

« Ici, vous ne devez pas boire l'eau du robinet,

madame, à cause des amibes auxquelles vous n'êtes pas habituée. La tourista...

— La tourista, je l'ai déjà justement! Je l'avais même avant de partir. Je l'ai eue toute ma vie, moi, la tourista... Mais cela n'a rien à voir avec notre problème. Et si mon fils se trouvait justement mal en point à cause de la tourista ou d'une autre maladie tropicale, quelque part, dans un hôpital d'Acapulco?

— Il faudrait en parler aux policiers. Votre fils ne pourrait-il pas être parti en lune de miel avec une *bonita chica*[9]?

— Non, je suis certaine que non.

— Écoutez, je dois travailler. Si jamais je peux vous aider encore...»

Florence voulut sortir un billet de son sac à main, mais la femme refusa poliment et s'éloigna d'un air soulagé en se contentant de lui souhaiter bonne chance. Florence demeura deux heures dans l'entrée de l'hôtel, incapable de se lever, paralysée par la peur.

Puis, s'arrachant péniblement de son fauteuil avec l'impression de porter le poids accablant de son destin sur ses épaules, elle se dirigea vers la sortie et fit signe à un taxi.

«*Policia Central, por favor*[10].»

Le chauffeur comprit mal la consigne et, au lieu de s'orienter vers les quartiers généraux de la police, il la mena au poste de police local où se trouvaient deux agents en train de lire des bandes dessinées, les pieds appuyés sur le comptoir. Évidemment, ni l'un ni l'autre ne parlait un traître mot de français. À force de gestes, Florence finit par leur faire comprendre que l'homme

---

9. Jolie fille.
10. Police centrale, s'il vous plaît.

dont elle leur tendait la photo s'était volatilisé. Ils lui remirent un billet sur lequel ils inscrivirent l'adresse du bureau central de la police d'Acapulco, au centre-ville.

Elle retourna à l'hôtel Parasol pour demander à Anita de l'accompagner. Après quelques hésitations, la femme accepta, mais seulement une fois son service terminé, à quatre heures.

Si elle avait connu des journées difficiles au cours de son existence, Florence se dit que celle-ci comptait parmi les pires. La présence de Philippe ou d'Andréanne lui manquait. Au moins, elle aurait pu partager son angoisse. Elle décida d'aller marcher en attendant quatre heures. Elle déambula lentement dans les rues d'Acapulco, mais ne vit rien des allées bordées de palmiers royaux, des murs recouverts de fleurs de bougainvilliers, du ciel d'azur d'une grande pureté, des magnifiques oiseaux dessinant des arabesques au-dessus de l'eau. Elle ne s'arrêta pas sur la beauté des enfants et elle n'entendit pas le charme chantant de la belle langue espagnole. À peine remarqua-t-elle les Indiennes tendre la main pour quêter, drapées dans leurs vêtements colorés, leur bébé suspendu dans un châle. Elle passa, sans les voir, à côté de bambins de six ou sept ans qui tentaient de vendre des paquets de gomme Chicklet entassés dans des boîtes à chaussures accrochées à leur cou. Elle ne vit pas non plus les détritus jonchant le sol de certaines rues, dans le vieux quartier, ni ne sentit la puanteur des ruelles. Elle n'arrêta pas son regard sur ce pays de contrastes où la richesse et la misère, la beauté et la laideur se côtoyaient, s'emmêlaient paradoxalement sans jamais se nuire.

«Désiré, où te trouves-tu, mon fils adoré? Qu'a-t-on fait de toi?» Petit à petit, la thèse du suicide semblait se concrétiser. Elle n'arrivait pas à y croire et refusait de l'admettre. Non! Il lui aurait écrit pour l'avertir, pour lui expliquer. Quoique... Quand on en est rendu là, reste-t-il un peu d'espace dans le cœur pour penser aux autres?

Anita se montra solidaire, en route vers le centre-ville. Sans doute avait-elle réfléchi, au cours de la journée, et décidé de prendre les choses en main pour la pauvre Canadienne désemparée. Florence ne savait comment lui manifester sa reconnaissance.

«Je prends de votre temps, n'est-ce pas? Je suis navrée. Laissez-moi au moins vous dédommager. Peut-être un mari et des enfants vous attendent-ils?

— Non, non, ça va aller. Je peux comprendre comment vous vous sentez. Laissez-moi vous aider.

— Vous parlez bien le français.

— Ma mère était française. Elle venait de Provence.»

Florence faillit lui expliquer que son conjoint venait de là, mais elle choisit de se taire. La simple évocation de Philippe indifférent, resté à trois mille milles d'elle et de son problème au lieu de la soutenir par sa présence, fit monter une bouffée de colère. Qu'il aille au diable, celui-là!

Au poste de police, on fit attendre les deux femmes pendant presque une heure sur une banquette de bois dur, sans même s'informer s'il s'agissait d'une urgence. L'efficacité et la sollicitude de la police mexicaine en prirent un coup dans l'estime de Florence. Pouvait-elle leur faire confiance? Désiré avait le temps de mourir dix fois avant de recevoir du secours et de l'aide.

Anita raconta finalement en long et en large la problématique de Florence. Elle palabra avec les deux officiers pendant au moins quinze minutes.

«Ils vont photocopier la photo de votre fils et communiquer son signalement dans tous les hôpitaux des environs, les gares et les aéroports du pays. Eux aussi soutiennent la thèse de la fuite avec une fille. Mais le suicide reste dans le domaine du possible, selon leurs dires.»

Florence se mit à pleurer, anéantie.

«Je suis désolée, madame... Ils vous conseillent de vous rendre à l'ambassade du Canada à Mexico et de signaler cette disparition. Là-bas, on va vous prendre en charge et vous conseiller.

— À Mexico? C'est loin?»

Dans son énervement, Florence avait quelque peu perdu la notion des distances.

«Une journée d'autobus.

— Une journée!»

C'était plus qu'elle ne pouvait en supporter. Florence redoubla ses pleurs. Elle avait l'impression de vivre un suspense dans un film d'horreur de troisième ordre. Anita posa amicalement sa main sur son épaule.

«Allons, madame, ils vont le trouver, votre garçon.»

Florence haussa les épaules. Elle n'y croyait plus guère. Elles reprirent un taxi.

«Je pourrais vous déposer chez vous, si vous voulez, Anita.

— Non. Nous retournons à l'hôtel Parasol, si vous le voulez bien. De là, nous allons essayer de téléphoner à l'ambassade canadienne. Et puis, j'ai des choses très importantes à vous dire.

— Vous m'intriguez, Anita!»

Les deux femmes s'installèrent dans un coin tranquille du bar extérieur attenant à la piscine. À cette heure de la tombée de la nuit, les fêtards n'avaient pas encore commencé leur joyeux tintamarre. Elles se firent servir des bières glacées, et Anita entama aussitôt son discours.

«Ce que je vais vous dire, Madame, n'est pas à la gloire de mon pays. J'en ai plutôt honte, à la vérité. Mais vous me faites trop pitié. Je me sens obligée de vous informer qu'il existe une autre possibilité à laquelle vous n'avez probablement pas songé.

— Je vous écoute.

— Je ne connais pas votre fils, et cela ne le concerne peut-être pas du tout. Mais, au moins, vous serez au courant.

— Vite, parlez, je vous en prie!

— Vous voyez ces jeunes garçons qui flânent sur la plage, là-bas?»

Florence fit signe que oui, le souffle coupé, suspendue aux lèvres de la Mexicaine.

«Eh bien, ce sont des prostitués. Il existe dans ce quartier, depuis des années, un réseau souterrain de prostitution juvénile. Croyez-moi, ça rapporte gros! Certains touristes sont prêts à payer des prix exorbitants pour s'offrir ce pitoyable plaisir. Cela se passe dans une maison située pas très loin d'ici, dans la montagne derrière nous. Le recrutement se fait sur la plage, autour des hôtels de grand luxe comme le Parasol. Les organisateurs du réseau en profitent, les familles des garçons en profitent, les hôtels où débarquent les clients en profitent, et même la police en profite en fermant les yeux et en exigeant des rançons. Toute cette corruption constitue la pire des abjections, madame, et, croyez-moi, j'ai honte de devoir vous en parler!»

Pourquoi Florence ne s'est pas mise à hurler comme une démente, là, au fond d'un bar, à l'autre bout du monde, cela tenait du miracle. Le silence ayant toujours constitué son ultime refuge, elle n'eut pas d'autre choix que de s'y tapir comme un petit oiseau écrasé, sur le point de mourir.

Anita comprit alors qu'elle avait visé juste et enchaîna, pressée d'en finir.

«Je ne connais pas les détails de ce qui a pu se produire dernièrement. Mais comme je travaille à l'hôtel, j'ai ouï dire que la police a effectué une descente, au début du mois de février, et arrêté plusieurs clients et prostitués dans la maison de la montagne. Ils agissent ainsi de temps à autre pour sauver la face aux yeux du monde entier. Mais le lendemain, ils laissent les choses recommencer exactement comme la veille. La date des arrestations coïnciderait avec la disparition de votre fils.

— Ah! mon Dieu...

— Je me demande si ce n'est pas la raison pour laquelle on a rayé ses coordonnées de la liste des clients du Parasol. Les hôtels font tout pour ne pas être mêlés à cette abomination, vous comprenez. Même les policiers du bureau central sont restés avares de détails à ce sujet, cet après-midi. Leur degré de corruption est tel qu'ils essayent de soutirer de l'argent de ces touristes pris sur le fait avant de les relâcher. Sinon, ils les gardent en boîte tant et aussi longtemps qu'ils ne payent pas.

— Mon fils n'a pas d'argent. Il vient de faire faillite et a pris ses dernières économies pour s'offrir ce voyage de ressourcement.»

«Méchant ressourcement!» songea Florence, éberluée. Maintenant qu'elle savait son fils vivant, une rage incontrôlable s'empara d'elle. La pauvre mère effondrée qui n'avait pas crié, quelques minutes plus tôt, se retenait maintenant pour ne pas tout casser, pour ne pas grimper sur les murs et arracher le toit de chaume, pour ne pas lancer par la tête des clients les bougies qu'un employé distribuait en ce moment sur les tables. Pour ne pas courir sur la plage comme une perdue et entrer dans la mer en courant, toujours plus loin, toujours plus profond, pour disparaître enfin, se dissoudre dans l'infini. Dans le silence. Pour en finir, finir, finir...

Mais sur la plage, les jeunes garçons avaient disparu à part un seul. Elle vit la silhouette d'un gamin maigrelet se dresser, solitaire, tournée vers la mer. L'enfant, immobile et silencieux, semblait regarder les vagues mourir à ses pieds. Un petit prostitué... À quoi pensait-il? Pourquoi ne rentrait-il pas chez lui? Un père injuste et violent le battrait-il s'il ne rapportait pas suffisamment d'argent? Comment percevait-il ces gestes innommables imposés par des adultes chaque nuit? Ce bambin méritait-il d'être battu ou bercé? Deviendrait-il un homme équilibré plus tard?

L'espace d'une seconde, elle eut envie de courir vers lui et de le serrer tout contre elle, comme une désespérée. «Pauvre petit garçon...» Mais elle se leva brusquement, remercia rapidement Anita et traversa la rue, le visage baigné de larmes, sans jeter un œil sur le passage des voitures, pliée en deux par les crampes. Elle s'en fut, dans sa salle de bain, évacuer la fange qui constituait son pain quotidien depuis trop d'années.

***

À la prison d'Acapulco, le lendemain matin, on confirma la présence de Désiré Vachon parmi les détenus. Mais on refusa une rencontre avec sa mère. Après avoir longuement discuté avec le gardien-chef, Anita dressa la liste des prix à payer en argent comptant pour sortir Désiré de ce mauvais pas: cinq cents dollars pour le visiter, dix mille dollars pour obtenir sa libération, et un autre dix mille dollars pour que la police mexicaine ne divulgue pas son nom et la nature de son arrestation aux autorités canadiennes.

Florence sentait la moutarde lui monter au nez.

«Et si je menace de raconter cette histoire dégueulasse à mon ambassade?

— Votre pays va sûrement réagir, mais les Mexicains ne laisseront pas partir votre fils et vont l'obliger à purger sa sentence ici, selon leurs lois. Et si vous mettez votre ambassade au courant, il y a de fortes chances pour que les médias de votre pays se saisissent du dossier. Votre histoire risque d'être divulguée à travers le monde entier. Cela est déjà arrivé à deux touristes italiens. En général, les gens préfèrent payer la rançon. Croyez-moi, le silence est d'or...»

Anita avait prononcé ces dernières phrases sur un ton bizarre. Pour la première fois, Florence jeta sur elle un regard soupçonneux. Se pourrait-il qu'elle soit plus au courant qu'elle ne l'ait laissé paraître au début? Récolterait-elle une commission par hasard? Comptait-elle un de ses enfants parmi la bande de gamins qui animaient la plage, le soir?

Florence chassa vite ces suspicions grotesques. La souffrance lui faisait perdre la tête... Quelques instants plus tard, elle tenta d'obtenir une ligne téléphonique vers le Canada et donna le numéro de Philippe Lamontagne à la téléphoniste.

Chapitre 44

10 mars 1981

Trente mille pieds dans les airs, encore une fois... Direction sud. Si je ne me retenais pas, je commanderais un autre drink. Dix autres drinks pour oublier les raisons de ce voyage. Pour arrêter de penser. Pour cesser de voir tout en noir.

Ça va barder bientôt, ouille! J'ai bien l'impression que les jours de Philippe Lamontagne sont comptés dans la vie de ma sœur. Le chéri va prendre une débarque dès le retour de Florence à Montréal, si jamais elle finit par se sortir de ce cauchemar.

Tant pis pour lui, il n'avait qu'à se rendre à sa demande. Ce n'était pas si sorcier de transférer l'argent issu de la vente de ses livres dans leur compte de banque commun, de s'acheter un billet d'avion et de lui apporter le fric en coupures de cent dollars américains. Vingt-cinq mille dollars, la seule et unique richesse de Florence... Quelle horreur!

Et moi, je ne savais rien de tout cela. Elle avait donné rendez-vous au peintre à l'hôtel Pequeno Parasol en le priant de ne rien raconter à personne. Elle l'attendrait impatiemment durant les jours suivants sans bouger de l'endroit. Elle avait besoin de lui de toute urgence.

Évidemment, le peintre a exigé des explications. Avec raison d'ailleurs! Il a écouté en silence, puis, avec beaucoup d'hésitation, d'après les dires de Florence, il a fini par accepter. Alors, ma sœur s'est mise à l'attendre là-bas. Un jour, deux jours, trois jours...

À la quatrième journée, elle a tenté de le joindre au

téléphone pour savoir ce qui se passait. Mais ses appels restaient sans réponse. À l'instar de Désiré, Philippe Lamontagne semblait s'être volatilisé. Florence a tout de même attendu deux autres jours de plus avant de me téléphoner. Elle m'a alors tout raconté d'une voix entrecoupée de sanglots.

Écœurée par ce qui arrivait à mon neveu, et inquiète du silence de Philippe, je me suis rendue chez lui à petits pas, appréhendant de le trouver mort dans son lit. Eh bien non, le cher artiste se prélassait dans son salon, en train de regarder la télévision!

Incroyable! Le mec n'a pas bougé de chez lui et a cessé de répondre au téléphone. «Absence psychologique», a-t-il prétexté devant mon ahurissement. Non seulement il refusait de se rendre au Mexique, mais il n'avait pas effectué le retrait demandé par ma sœur. Et cela, sans l'aviser! Quand je pense à cette pauvre Florence qui l'attendait comme une belle dinde! Quoi! Elle se morfondait là-bas, comptait les heures et maintenant les jours, et l'«absent psychologique» visionnait des films sans se soucier d'elle? Et il se prétendait son amoureux? C'est bien simple, j'ai failli l'assassiner!

«Objecteur de conscience.» Voilà sa réplique à mes invectives. La conscience du cher monsieur s'opposait au retour au pays d'«une canaille de la pire espèce». Il refusait que son nom y soit mêlé de quelque manière que ce soit. Et vlan! pour la mère de la canaille! Elle pouvait bien se débrouiller toute seule, il s'agissait de son problème à elle, pas du sien!

Je n'en croyais pas mes oreilles. Avais-je devant moi le conjoint de ma sœur, celui avec qui elle partageait le meilleur et, sans doute très peu, le pire depuis des années? Ce pur, cet incorruptible, ce vertueux, ce désinfecté, cet intact, cet aseptisé, ce parfait, ce saint autorisé à lancer la pierre aux autres?

Sa réaction m'a toutefois fait réfléchir. Moi non plus, je n'ai absolument pas envie de jouer à ce jeu-là. Désiré m'apparaît soudain comme un sale individu, et il mérite d'être puni. Et il me déplaît, à moi aussi, de le voir réintégrer mon existence et surtout celle de ma sœur avec la récurrence *de son vice. Qu'il nous fiche donc la paix avec ses maudites bébittes! Je croyais pourtant tout cela terminé et enterré à jamais. Si Désiré Vachon ne revenait plus, je ne pleurerais pas très longtemps, je crois. Je n'éprouve pas pour lui les sentiments d'une mère, moi! Et je suis la mère d'un fils qu'il a autrefois agressé sans vergogne. Bon. J'ai pardonné, à l'époque, et mis cela sur le compte de la jeunesse. Mais là, maintenant et à son âge, cela sent la dépravation et la cochonnerie à plein nez. La merde, quoi!*

Cette fois, je regrette, mais mon neveu a outrageusement dépassé les bornes! Je veux bien croire qu'il a subi un revers de fortune dernièrement et qu'il l'a endossé comme une faillite personnelle. Oui, il a vécu sa vie en solitaire, rejeté par ses sœurs; oui, il a eu une enfance difficile, mais qu'il en revienne, pour l'amour du ciel! Il n'existe pas de raison suffisante pour aller violer des enfants, fût-ce dans un autre pays! Des enfants consentants, paraît-il. Des enfants qui l'ont sans doute sollicité, sur la plage, et induit en tentation. De pauvres petits innocents... Cela ne peut absolument pas constituer une excuse à mes yeux.

Mais à entendre la voix suppliante de ma sœur à l'autre bout du fil, j'ai eu pitié d'elle. Pauvre, pauvre Florence qui subit encore une fois les contrecoups des folies de son fils... Je n'ai pas été capable de refuser de l'aider. J'ai supplié Philippe Lamontagne de me faire un chèque au montant des économies de Florence. Seulement cela. Il a accepté, l'a signé et me l'a remis d'une main rageuse. J'espère ne plus avoir affaire à cet individu.

Me voici donc en route pour le Mexique avec, attaché à ma ceinture, un sac contenant la petite fortune de Florence. Tout son avoir. Son avenir. Dans quelques heures ou quelques jours, il ne lui restera plus rien. Et elle aura sur les bras son cristi de fils encore un peu plus poqué qu'il ne l'était déjà.

Autour de moi, dans l'avion, les autres passagers en partance pour des vacances dans le Sud semblent à la fête. Ça rit, ça parle fort, ça se promène d'un siège à l'autre. Moi, j'ai envie de pleurer. Par le hublot, j'aperçois d'épais nuages sombres masquer les rayons de soleil. Pourquoi faut-il, mon Dieu, que revienne la tourmente?

Chapitre 45

Florence ne connaissait rien au monde carcéral à part avoir circulé à quelques reprises devant la prison de Bordeaux de Montréal, cet énorme édifice surmonté d'un dôme tenant davantage du château que du pénitencier. *El carcel de Acapulco*[11], par contre, ressemblait à une série de constructions basses juxtaposées les unes contre les autres et alignées autour d'une cour intérieure carrée sans issue. Les murs extérieurs, sales et décrépits, étaient percés de minuscules fenêtres haut juchées et ornées de barreaux donnant sur une palissade entourant les bâtiments. Quand un prisonnier regardait dehors, ses yeux butaient contre cette barricade surmontée de barbelés. Bien malin qui pouvait s'évader d'une telle forteresse. Et bien malin qui réussissait à survivre à long terme dans un tel trou!

En attendant l'arrivée promise d'Andréanne, Florence se présentait à cet endroit chaque jour et offrait timidement un billet de cent dollars au préposé dans l'espoir de le soudoyer. Mais elle essuyait invariablement un refus catégorique. Chaque fois, elle apportait une lettre pour Désiré. Il la lançait nonchalamment sur le comptoir sans l'ombre d'une promesse de la lui remettre.

Le gardien lui montrait alors avec les doigts qu'elle

---

11. La prison d'Acapulco.

devait multiplier le montant par cinq, assuré que tôt ou tard son indifférence tenace deviendrait rentable : la mère éplorée finirait bien par casser et payer. Florence avait beau essayer d'expliquer avec des gestes inutiles que, *manana*[12], sa sœur arriverait avec plus d'argent, on lui pointait le chemin de la sortie.

Un jour, l'un des gardiens sembla avoir pitié d'elle. L'homme, armé d'un fusil, s'empara du billet de cent dollars et l'empocha rapidement après s'être assuré que nul ne le surveillait. Puis il fit signe à Florence de le suivre. Elle pénétra derrière lui dans la bâtisse sombre et humide. Une puanteur insoutenable la saisit à la gorge. Odeur de latrines, odeur de sueur, odeur de crasse. Des voix d'hommes émanaient par les orifices percés à la partie supérieure des portes des cachots et laissaient entendre qu'on entassait plusieurs individus à la fois dans chacune des cellules.

Le gardien déambula longtemps avant d'arriver à la porte numéro vingt-deux. Florence le suivit, les jambes flageolantes et le cœur battant à un train d'enfer. Il mit une éternité à sortir son trousseau de clés dans un cliquetis de ferraille, et à entrouvrir la porte en appelant « *el senor Vachonne* ». Il eut à répéter le nom à deux reprises avant que Désiré n'apparaisse par l'entrebâillement de la porte en titubant, l'air abruti.

Au premier coup d'œil, Florence ne reconnut pas l'homme devant elle. Il avait certainement perdu une dizaine de kilos, et une barbe hirsute et grisâtre lui mangeait la figure. Le gardien leur fit un signe avant de s'éloigner de quelques pas.

« *Cinco minutos, no mas*[13] ! »

---

12. Demain.
13. Cinq minutes, pas plus !

La mère et le fils subjugués restèrent immobiles un bon moment, l'un en face de l'autre, sans réagir, là, dans la pénombre d'un corridor de bagne, sous l'œil curieux d'un étranger habillé en uniforme et muni d'une arme. Rage, soulagement, honte, amour, rancœur, regret, désolation, tendresse, peur, espoir, toute la gamme des sentiments contradictoires se bousculait dans leur tête.

C'est Florence qui rompit le silence la première.

« Désiré? Je suis là, maintenant. Je vais te sortir de là, ne t'inquiète plus. Andréanne s'en vient et...

— Maman, maman, ne fais rien pour moi. Je t'en supplie, ne fais rien. Je récolte ce que je mérite. Je suis un minable, un moins que rien. J'ai tellement honte de moi, tu n'as pas idée.

— Tu avais tenu le coup pendant tant d'années, Désiré... C'est à cela que tu dois t'accrocher : ta capacité de te reprendre en main, encore et encore.

— Je n'en peux plus, je n'en peux plus. Je suis fou, malade dans ma tête et dans mon corps. Te rappelles-tu, maman, quand j'avais mis le feu au chalet, au bord du lac? C'était pour me protéger, pour que ce lieu de toutes les tentations n'existe plus.

— Je m'en suis doutée à l'époque.

— Pourquoi suis-je obligé de lutter autant? Cette fois, je n'ai pas su résister à ces garçons qui me sollicitaient sans cesse sur la plage. Je n'allais pas au Mexique pour abuser des enfants, moi! Cette idée ne m'avait même pas effleuré l'esprit avant mon départ. Je lisais tranquillement sur la plage quand ils sont venus eux-mêmes s'offrir à moi. C'est eux qui voulaient, eux qui me suppliaient. L'envers du bon sens, quoi! Au bout de trois jours, je n'en pouvais plus. Je me disais : moi ou un autre, quelle importance? Pourquoi ne pas en profiter?

— Ne devais-tu pas te joindre à un groupe pour visiter le Mexique au début de ton voyage?

— Dès mon arrivée ici, j'ai changé d'idée. Je n'avais

plus envie de suivre un troupeau de Québécois qui ne manqueraient pas de brandir sans cesse sous mon nez leurs réussites financières alors que moi, je venais de subir un cuisant revers. Je me sentais épuisé et j'ai préféré la plage. Je voulais me reposer, prendre du recul face à ma vie, faire le point. Je ne m'attendais pas à me mesurer à de tels appâts. Un soir, j'ai succombé et accepté de suivre l'un de ces garçons. Une seule fois...

— Une fois de trop, on s'entend!

— Oui, une fois de trop... Quel beau salaud je fais! Il s'appelait Roberto, le petit prostitué avide d'argent. Il avait neuf ans. Comment en est-il arrivé là, cet ange qui me tirait par la main? Certains adultes se comportent de façon ignoble et font se prostituer des enfants. Une vraie aberration! La pédophilie n'a pas été inventée par des enfants, que je sache! Encore moins la prostitution juvénile! Ce ne sont pas eux, les vicieux! Un bel écœurant possédait ce petit être innocent au point de s'en servir misérablement pour faire de l'argent. Pour faire de l'argent, maman, tu te rends compte? L'industrie de la chair... Au moins, Olivier et Charles, je les aimais. »

Florence se hérissa. Il n'allait tout de même pas tenter de se justifier!

« Je sais, je sais, maman. L'amour n'est absolument pas une excuse à l'abus sexuel d'enfants, mais elle rend la pédophilie moins dégoûtante que pratiquée uniquement pour de l'argent et un plaisir sexuel répugnant. Tu vois, ton misérable fils est conscient de tout cela.

— Et tu as pourtant joué le jeu.

— Non, je ne l'ai pas joué. Dans un sens, je me sens fier de moi. Sinon, je me serais pendu à un barreau d'une fenêtre depuis longtemps, tu sais.

— Je ne comprends pas.

— Quand je me suis retrouvé avec le petit Roberto dans cette maison surplombant Acapulco, et que j'ai vu tous ces vieux cochons entrer là pour jouir de l'ingénuité de ces petits, je me suis dégoûté de moi-même. Qu'est-ce que je faisais là, moi? Cette charogne provenait de tous les pays. J'ai vu un Allemand, un Japonais, trois Américains et plusieurs autres. Non... je n'allais pas les imiter. Désiré Vachon n'allait pas tomber aussi bas. Ne me crois pas si tu veux, maman, mais je n'ai pas touché à ce petit. Quoique tu en penses, ton fils a tout de même progressé, et il lui reste un fond de dignité. Un fond d'intégrité. Même si je reste un faiblard de la pire espèce!»

L'homme se mit à larmoyer, la tête basse, comme si le seul horizon qu'il méritait de contempler se trouvait au ras du sol. Florence le secoua, sa curiosité l'emportant sur sa compassion.

«Comment t'es-tu retrouvé en prison, alors?

— Une fois dans la chambre avec Roberto, je me suis contenté de l'asseoir sur le lit et de l'interroger sur sa famille, sa vie d'enfant, sa vie de sans-le-sou, sa vie d'exploité. Pauvre petit être sans défense... Pour rien au monde je ne l'aurais touché, je te le jure sur ce que j'ai de plus cher, maman. Les policiers ont effectué leur descente juste au moment où j'allais repartir. Évidemment, ils n'ont pas cru à mon histoire.

— Désiré...

— Oublie-moi, maman, et retourne au Québec. Je vais écouler mon temps d'incarcération ici, comme un homme. Cela me rachètera à mes propres yeux pour toutes les fois de ma vie où je me suis comporté en méprisable. Ensuite, on verra...

— Non, non! Andréanne arrive d'une journée à l'autre avec de l'argent. Beaucoup d'argent. Il y en a suffisamment pour racheter ta liberté, payer le silence des autorités mexicaines sur ton arrestation, et notre retour au pays. Et nul n'en saura rien, personne d'autre que toi et moi, et ma sœur.»

Florence n'osa prononcer le nom de Philippe. Elle réglerait cette autre source de tourment au retour.

«On expliquera que tu as prolongé ton voyage de quelques semaines au Mexique en compagnie de ta mère, voilà tout!

— Non, maman. Tu vas gaspiller toutes tes économies. Je ne mérite pas ça. Oublie-moi, je te dis! Ce sera mieux pour tout le monde.»

Désiré se remit à pleurer. C'est à ce moment-là seulement que Florence lui ouvrit ses bras. Elle pressa sur son cœur ce fils détraqué qui la faisait tellement souffrir, ce fils faible et vicieux qu'elle aimait pourtant au-delà de tout, ce fils qu'elle avait envie de battre autant que d'étreindre. Ce fils qu'elle avait cru mort. Ne l'était-il pas déjà un peu? Ne l'avait-il pas toujours été?

L'image du petit garçon solitaire de la plage lui revint à l'esprit. Lui aussi, on était en train de le tuer à petit feu en vendant son corps. Là résidait toute l'horreur de la pédophilie: le massacre de l'innocence, le viol de ce qui est pur et vierge. À sa manière, Désiré avait failli contribuer à ce meurtre psychologique. Lui avait-il dit la vérité? Et arriverait-elle, une fois de plus, à fermer les yeux sur ses égarements? Pourquoi fallait-il qu'à chacune de ses récidives, elle remette en question ses clémences d'autrefois? Comme si les abominations sincèrement pardonnées n'arrivaient pas à se dissoudre dans l'oubli. Fallait-il être Dieu pour pardonner réellement et passer outre à de telles ignominies?

Florence chassa tous ces questionnements et resserra son étreinte. Pour le moment, l'important était de voir Désiré réintégrer la maison rouge, vivant et en bonne santé. Pour le reste, elle aviserait plus tard.

Le gardien leur fit signe:

«*Se acabo!*[14]»

---

14. C'est terminé!

Florence serra le bras de son fils d'une main crispée.

« Dans quelques jours, tu seras libre.

— Non. Je t'en prie, laisse-moi vivre ma vie.

— J'ai trop besoin de toi, Désiré. »

***

Florence avait prévu régler avec la prison d'Acapulco en un jour ou deux, mais les autorités mirent trois longues semaines à remettre Désiré en liberté. On obligea le détenu à prendre un avocat mexicain, ce qui engendra des dépenses supplémentaires pour le pseudo-procès dont l'issue était planifiée à l'avance, aux frais de Florence. On augmenta aussi la somme requise pour la libération inconditionnelle du prisonnier « *mas pronto*[15] »! On brandissait sans cesse cette expression et le signe de piastre au nez de Florence quand elle se plaignait des délais interminables, malgré la somme faramineuse en argent comptant déjà remise au moment de l'arrivée d'Andréanne. Dès son retour au Québec, cette dernière se trouva d'ailleurs dans l'obligation de renvoyer d'autre argent liquide à Florence. Elle n'hésita pas à le puiser à même ses économies personnelles.

« T'en fais pas, Florence, on s'arrangera! »

Florence n'eut pas le choix d'accepter la générosité de sa sœur. La visite d'Andréanne au Mexique fut de courte durée, mais elle lui fit un bien énorme. La tante restait quelque peu sceptique quant à la thèse du neveu prétendant n'avoir pas touché à l'enfant, mais elle garda pour elle ses impressions. Elle ne s'étendit pas trop longtemps non plus sur l'épineux sujet de Philippe

---

15. Plus rapidement.

Lamontagne : une méchante bronchite avait empêché le peintre de voler au secours de sa bien-aimée, rien de plus. Une fois remis, l'artiste avait soi-disant décidé d'aller terminer sa convalescence dans le chalet de sa sœur dans les Laurentides en attendant son retour, voilà la raison pour laquelle il ne répondait pas à ses appels téléphoniques. Mieux valait rassurer Florence avec ces mensonges pieux, elle en avait déjà plein les bras pour l'instant. Il importait, dans l'immédiat, de les tirer d'abord de ce mauvais pas, elle et son vaurien de fils.

Les deux femmes s'étaient encouragées mutuellement, elles avaient bu un coup ensemble, avaient pleuré ensemble, écoulé ensemble quelques jours sur la plage ou sur le bord de la piscine, ou dans les rues d'Acapulco. Soudain, Florence s'était sentie revivre. Pour le reste de sa vie, elle éprouverait de la reconnaissance envers sa sœur pour son soutien incomparable. Tout à coup, Andréanne avait personnifié la normalité, l'ordinaire, la sécurité, le train-train de la vie qui continue, l'assurance que la planète tournait encore dans le bon sens. La vraie vie, quoi !

Florence avait regardé avec dépit sa sœur prendre le chemin de l'aéroport.

« Ne pleure pas, ma Flo, dans quelques jours, ce sera ton tour de t'envoler vers chez nous. Je t'envoie l'argent par l'entremise de ma banque dès mon arrivée.

— Andréanne, je t'aime ! »

***

À l'enquête, le petit Roberto confirma que « el Senor Vachonne » ne l'avait absolument pas touché et s'était restreint à parler avec lui simplement. Florence poussa un soupir de soulagement et s'en voulut d'en avoir douté.

L'espoir renaissait.

Chapitre 46

5 avril 1981

Ma sœur et son fils sont enfin rentrés sains et saufs de leur mésaventure. Ils feraient mieux de se reposer et de reprendre un peu de couleurs avant de se montrer au reste de la famille s'ils veulent laisser croire qu'ils reviennent d'un voyage de repos dans le Sud!

Au départ de Florence pour le Mexique, tout le monde était au courant de l'étrange disparition de Désiré, et chacun partageait l'inquiétude de la malheureuse mère. On me téléphonait sans cesse pour s'informer du déroulement de l'histoire.

Dès que j'ai su la vérité, j'ai inventé pour tout le monde le scénario d'un malaise cardiaque chez Désiré, hospitalisé d'urgence à Acapulco et incapable de communiquer avec sa mère. Après tout, entre le prisonnier d'un lit d'hôpital et celui d'un grabat de cachot, il n'y avait qu'un pas à franchir... Mais quel pas! Celui de la liberté, mais aussi celui de la dignité. Et celui de la vérité.

Tant mieux si ma salade a réussi à sauver la face de mon neveu! Hélas, si le reste de la famille ignore et ignorera cette fameuse vérité, moi, elle m'obsède. Depuis son retour au pays, je ne regarde plus Désiré comme un homme libre mais comme un aliéné enchaîné à ses pulsions sexuelles et torturé depuis l'âge de sa puberté. Un danger public... Dire que je le croyais guéri à jamais!

À bien y songer, j'aurais tout donné pour le savoir réellement malade dans son corps et non dans sa tête. Une fois de plus, il s'en est tiré à bon compte. Cette fois, par contre, j'ai

de la difficulté à l'absoudre. Et je doute un peu de ses préten-
tions de n'avoir pas touché au petit Mexicain. De toute
manière, l'intention était là. Comme il s'en faut de peu, parfois,
pour briser la confiance qu'on a pris des années à bâtir... Il
suffit d'une étincelle pour embraser les certitudes acquises à
long terme qui s'envoleront en fumée en quelques secondes.

Si les autres apprenaient ce qui est effectivement arrivé à
mon neveu, hésiteraient-ils comme moi à passer l'éponge sur
sa conduite? Mon Olivier trouverait-il encore la force de lui
pardonner une fois de plus? Et Charles lui redonnerait-il sa
confiance? À part Philippe, le premier et le seul à connaître
la vérité, ni Olivier et Katherine, ni Charles et Geneviève, ni
Marie-Claire, ni Marie-Hélène et son mari ne seront mis au
courant. J'en fais le serment solennel, par amour et respect
pour ma sœur. Et pour sauver la réputation de Désiré.

Bof... après tout, pourquoi pas? Que servirait d'éveiller
les préjugés, la méfiance, voire la haine? On ne construit pas
un monde avec cela! Tous croient que la santé de Désiré se
porte mieux maintenant et que son cœur malade ne donne
plus lieu de s'alarmer. L'infortuné a soi-disant écoulé sa
convalescence dans un charmant hôtel sur le bord de l'océan,
en compagnie de sa mère. Voilà comment un simple petit
mensonge de rien du tout peut arriver à masquer l'horreur
d'une vérité dont personne ne pourra se douter.

Parfois, je me demande s'il ne vaudrait pas mieux la
crier crûment sur les toits, cette vérité effroyable, et stigmatiser
sur le front même des agresseurs sexuels l'étiquette de «violeur
d'enfants». Non pour les punir, non pour attiser l'aversion
et la soif de vengeance, mais pour protéger leurs innocentes
victimes. Pour prévenir. Pour placer l'univers entier sur la
défensive et sauvegarder la pureté de la jeunesse. Pour éviter
que la roue ne tourne et que l'enfant blessé à mort ne
reprenne le même modèle une fois à l'âge adulte. Alors, il
faudrait également, je suppose, étiqueter tous les autres qui,
eux aussi, possèdent un terrible pouvoir de destruction : les
batteurs d'enfants, les saboteurs de leur confiance en eux-

mêmes et dans autrui, les démolisseurs de leur amour de la vie, les profanateurs de leur foi en l'avenir, les destructeurs de moral, les promoteurs d'injustice, les briseurs de famille, les exploiteurs éhontés, les pères ou les mères agressifs, négligents, menteurs, tricheurs, indifférents, irrespectueux, absents, tous ceux-là qui ne savent pas aimer leurs enfants.

Mais on ne dit rien, on ne fait rien. Lâchement, on garde le silence. Pour ménager le cœur d'une mère, pour sauver l'honneur d'un pauvre type, pour protéger le moral d'une sœur, pour minimiser le terrible drame de l'enfant. Et pour que la vie continue, pour que les cœurs continuent de battre, on ne dit rien, d'un silence à l'autre...

Et parce que moi, je garderai le silence pour sauver la face, je me déteste.

Chapitre 47

Le silence de Philippe Lamontagne fut d'un autre ordre. Au lieu de masquer la réalité, ce silence semblait parler tout haut et, aux yeux de Florence, il menaçait d'annoncer la mort d'un amour et le terme d'une liaison de plusieurs années. La fin d'une époque. Mais elle ne le voulait pas.

Dès son arrivée à l'aéroport, elle s'empressa de l'appeler. Andréanne lui avait fait part de la décision du peintre de séjourner au chalet de sa sœur en attendant le retour de sa dulcinée. Mais l'attendait-il vraiment, ce retour? Ne s'agissait-il pas d'une autre entourloupette d'Andréanne pour ménager le moral de sa sœur meurtrie et déjà aux prises avec des problèmes démesurés?

À vrai dire, Florence souffrait de l'éloignement de son conjoint et s'expliquait mal son mutisme. Tant de fois elle avait regretté de ne pas le voir à ses côtés durant ces jours affreux où elle se sentait perdue, seule dans un pays inconnu. Pourquoi n'était-il pas venu lui-même lui porter l'argent? Ne s'était-elle pas adressée confidentiellement à lui d'abord, en toute confiance? Et pourquoi ne se trouvait-il pas à l'aéroport pour l'accueillir? Andréanne ne s'était pas éparpillée en explications, et Florence doutait qu'une simple bronchite suffise à clarifier une telle indifférence.

En musique, les silences prennent le nom de «pause». Pourquoi donc cette pause inexpliquée? Elle soupira. Hélas, ils peuvent aussi s'appeler «soupir» dans le discours musical... Elle espérait trouver un billet adressé à son nom sur le coin de la table de leur logement de Montréal, un gentil petit mot de bienvenue, quelques explications, une excuse à son absence inadmissible, à tout le moins une indication pour le rejoindre dans les Laurentides. Rien! Elle ne trouva rien d'autre que l'appartement désert et silencieux.

Elle sentit la colère s'emparer d'elle. S'il ne voulait plus d'elle, il pourrait au moins avoir le courage de le lui annoncer en pleine figure. Aux yeux de Florence, une relation entre un homme et une femme bâtie sur le meilleur et non le pire ne valait pas la peine. Elle en savait quelque chose! Facile de s'aimer et de se faire des mamours dans le meilleur des mondes... Mais quand se déchaîne la tempête, il faut se rapprocher, se soutenir, se souder l'un à l'autre, conjuguer ses énergies et ses efforts, s'emmêler pour devenir plus résistant.

Philippe, lui, l'avait lâchement laissée tomber. Tant qu'il avait fréquenté une femme libre, heureuse et en santé, dépourvue de problèmes majeurs et auteure à succès par surcroît, il l'avait affectionnée. Mais il avait suffi d'un écart de conduite momentané de son fils fragile pour éloigner le bel amoureux et le dissoudre dans un mutisme impardonnable. Un silence éloquent qui en disait long sur la profondeur de ses sentiments...

Florence acceptait mal cet état de choses et essayait de se calmer. «Allons, ma vieille, tu exagères! Quand tu es revenue de Vancouver avec les enfants de Marie-Hélène, il y a quelques années, Philippe est bien venu te retrouver à Mandeville, il t'a aidée et soutenue, il est demeuré en permanence auprès de toi, il a même retapé lui-même la maison rouge.» Mais il s'agissait de partager l'ivresse d'une vie champêtre, l'écoulement paisible des jours employés à lire, à écrire, à peindre, et à s'occuper d'adorables enfants pendant un court laps de temps.

Maintenant, le malheur se trouvait à la porte. Et Florence avait tendance à prendre sur ses épaules la faillite et la ruine de son fils, Philippe l'avait deviné. S'il fallait qu'en plus, elle se mette à endosser ses agissements de pédophile, à lui chercher des excuses et à dissimuler sa conduite, il ne pourrait pas le supporter, elle le savait. À son âge, Désiré Vachon n'avait qu'à s'assumer et à laisser sa mère tranquille. De toute manière, Philippe avait toujours détesté Désiré et n'avait toléré poliment sa présence que pour l'amour de Florence. Cette fois, le fils avait dépassé les bornes, et l'artiste avait préféré s'enfuir bassement. Très peu pour lui, les bêtises honteuses, les drames familiaux, les mères éplorées, les mensonges et les faux espoirs! Il ne se trouvait là rien d'attirant pour un homme mûr à la retraite, n'aspirant qu'à la paix.

Tout cela, Florence pouvait le comprendre. Mais où se trouvait l'amour, alors? L'amour inconditionnel, celui qui transcende l'attirance charnelle et le plaisir partagé? L'amour qui ne s'affaisse pas à la moindre bourrasque, l'amour pour le meilleur et aussi pour le pire? L'amour qui ne meurt pas? Le seul, le véritable amour?

Florence fit lentement le tour de la maison et s'attarda longuement sur les nombreux tableaux de Philippe suspendus aux murs. Elle adorait ces aquarelles aux formes imprécises et aux couleurs vives et riantes, cette luminosité réconfortante. C'était bien lui, cela, avec sa bonne humeur, son enthousiasme, ses rires éclatants et son art de vivre et d'inventer le plaisir! Oui... elle aimait cet homme, elle avait coulé des jours heureux auprès de lui. Ils partageaient une vie des plus agréables dans cet appartement et aussi dans la maison rouge. Elle ne se sentait pas prête à renoncer à tout cela à cause des folies de Désiré.

La colère fit place à un immense abattement. Allait-elle retrouver l'amère solitude qui avait été la sienne après le décès de Vincent? Allait-elle, anéantie par les douleurs de la colite ulcéreuse, réintégrer ses quartiers généraux au fond des salles de toilette? Non, pas ça! Elle refusait d'empaqueter ses effets personnels et sa machine à écrire et de prendre la clé des champs en claquant la porte, comme sa première impulsion le lui avait d'abord dicté quand elle était entrée dans le logement. Non. À bien y réfléchir, il fallait donner une dernière chance au destin. Une chance à l'amour... Tout pouvait potentiellement être sauvé. Il ne fallait pas baisser pavillon. Pas tout de suite, du moins.

Elle troqua ses vêtements d'été pour des habits plus chauds qu'elle lança pêle-mêle au fond de sa valise. Le temps n'était pas encore venu d'arracher sa présence de cette maison où elle avait connu le bonheur. Ils s'expliqueraient, Philippe et elle, ils se retrouveraient, se réconcilieraient, s'inventeraient un nouveau territoire s'il le fallait, mais ils sauraient s'entendre et s'aimer à nouveau. Il le fallait.

Elle rédigea un mot pour lui sur un bout de papier et décida de le poser sur leur lit. Elle ne put s'empêcher de s'emparer de l'oreiller sur lequel le peintre posait sa tête et de le presser sur son cœur en y enfouissant le nez. Pour humer son odeur. Une odeur capiteuse et musquée. Une odeur de mâle. L'odeur de l'homme qu'elle aimait. Une bouffée de désir la saisit soudain et elle fut prise de vertiges. «Allons! ma vieille, un peu d'optimisme, que diable! Philippe va revenir, et tout va bientôt rentrer dans l'ordre.» Elle avait besoin d'y croire et de s'appuyer sur cet espoir. «Au moins celui-là, mon Dieu...»

Elle rabattit le couvre-lit sur l'oreiller après avoir ajouté *Je t'aime et je t'attends* à la note spécifiant qu'elle se trouvait à Mandeville.

***

Le temps s'écoulait lentement, et Philippe s'obstinait à ne pas se manifester. Florence vivait des jours de noirceur parmi les plus pénibles de son existence. Désiré restait continuellement enfermé dans le grenier, et refusait même de descendre à l'heure des repas, tapi dans un isolement insupportable. Elle avait bien essayé de lui parler de tout et de rien, de n'importe quoi sauf de ce qui s'était passé au Mexique. Elle palabrait sur les nouvelles de l'actualité à la télévision, commentait les prévisions météorologiques, lui demandait son opinion sur des détails insignifiants. Il se contentait de hausser les épaules sans se donner la peine d'ouvrir la bouche.

Désespérée, Florence voyait son fils plongé dans la plus profonde dépression de sa vie, et elle s'alarmait sans trop savoir comment réagir devant ce mur dont il s'entourait, plus épais et plus infranchissable que celui du «*carcel*» d'Acapulco. Elle se demandait parfois si elle n'aurait pas dû l'écouter, là-bas, et le laisser vivre son temps d'incarcération, comme il le lui demandait. Cela lui aurait permis, sans doute, de se racheter à ses propres yeux.

Tandis que maintenant, il avait à vivre en hypocrite devant tout le monde et à jouer le rôle du pauvre type malchanceux dont le cœur malade avait failli l'emporter dans l'éternité au beau milieu d'un voyage de rêve. Au cours de la semaine, chacun était venu à la maison rouge pour le saluer et s'informer aimablement de son état de santé. Bien sûr, la maigreur et la pâleur de Désiré confirmaient la maladie et rassuraient les plus incrédules. Mais l'homme se taisait, et la mère exagérait les détails inventés de toutes pièces sur sa soi-disant condition pathologique.

Devant l'attitude renfrognée de Désiré, on finissait par changer de propos. Florence tentait de dissimuler son désarroi sous les regards interrogateurs. Rien n'allait plus. Lit-Tout n'existait plus, elle avait vidé son compte de banque personnel et l'argent ne rentrait plus, même les redevances pour la vente de ses livres aux États-Unis avaient été saisies par le syndic. Malgré elle, elle faisait maintenant partie des créanciers qui poursuivaient la maison d'édition de son fils pour réclamer leur dû. Désiré se trouvait aussi sans argent, sans résidence en ville, sans travail. Surtout sans moral... Et il devait plusieurs milliers de dollars à Andréanne, par surcroît. Quant à Philippe Lamontagne, il semblait bien qu'il ne reviendrait plus. Évidemment, la colite faisait de nouveau des siennes. À part ça, tout allait bien, madame la marquise!

Quand on la questionnait sur l'absence du peintre, Florence baissait la tête et répondait vaguement qu'il se trouvait toujours en vacances chez sa sœur, quelque part dans le Nord. Mais ni Marie-Claire, ni Charles et Geneviève, ni surtout Andréanne ne se faisaient d'illusions sur l'avenir du couple. L'orage grondait.

Un dimanche, Charles et sa femme rendirent visite à la maison rouge sans s'annoncer. De la fenêtre de sa cuisine, Florence, toujours aux aguets dans l'espoir de voir surgir Philippe à l'improviste, avait reconnu leur voiture. L'espace d'un moment, elle hésita entre la contrariété et le ravissement. Bien sûr, elle se sentait heureuse de revoir son petit-fils et sa famille. Par contre, elle devrait feindre encore une fois, et raconter des faussetés au sujet des problèmes cardiaques de Désiré. Et elle n'en avait pas envie, elle se sentait épuisée. Le mensonge, s'il sauve parfois l'honneur, risque aussi de mener sur des sentiers tortueux où l'on manque soi-même de trébucher à chaque détour. Charles n'aurait pas dû venir.

Elle ne savait pas mentir, ne voulait plus mentir. Son passé, et son malheur d'ailleurs, n'avaient été bâtis que sur des mensonges déguisés en silences. Elle ne voulait plus se taire, elle ne voulait plus recommencer le même manège. Elle avait déjà payé le prix du silence, elle avait eu sa leçon, ça suffisait! Maintenant, elle avait trop à perdre, et les êtres qu'elle chérissait s'avéraient trop précieux pour risquer de les voir disparaître à leur tour, remplis de haine et de rancœur parce qu'elle avait de nouveau menti et refusé de dévoiler la vérité. Parce qu'elle n'avait pas, une fois de plus, donné le signal d'alarme. Comme jadis.

Elle avait le droit de vivre au soleil, elle aussi. Elle avait droit à la transparence. Elle ne voulait pas se morfondre, dans l'avenir, quand sa fille Marie-Hélène ou son petit-fils Charles se pointeraient à Mandeville avec leurs enfants, de peur que le violeur ne récidive une fois de plus. Elle avait droit à la sérénité. Et tant pis si Désiré s'écroulait de nouveau, c'était à lui, maintenant, de payer le prix de ses folies. À lui seul. Elle ne l'abandonnerait pas, elle le soutiendrait, l'encouragerait, le supporterait, certes, mais elle vivrait en plein jour. Florence Coulombe-Vachon avait droit à la vérité. Il fallait qu'elle parle, elle devait parler.

Pour la première fois de sa vie, elle accueillit son petit-fils avec un plaisir mitigé. Tout content de revoir sa grand-mère, Charles lui remit entre les bras son paquet remuant tout habillé de rose.

«Ah! comme elle est mignonne! Elle a encore grandi!»

À la vue des yeux verts de la petite Juliette, Florence, en larmes, trouva un peu de courage. Elle reconnaissait si bien ces yeux-là...

«Que se passe-t-il, grand-maman? Désiré ne va pas mieux? D'ailleurs, où se trouve-t-il, mon vieux "mononcle"?

— Il va bien. C'est moi qui n'en mène pas large... Venez, mes amours, venez vous asseoir, on va se parler.»

L'heure de la vérité avait sonné. Florence raconta tout, sans omettre un détail. Elle aurait pu s'attendre à une réaction scandalisée de la part du jeune couple, mais au contraire Geneviève se rapprocha d'elle et la prit par la main. Charles, lui, se contenta de secouer la tête en signe d'impuissance. De pénibles souvenirs d'enfance ne devaient pas manquer d'assiéger son esprit, pourtant.

«Pauvre oncle Désiré... Je me rappelle qu'il n'a jamais usé de violence envers moi, autrefois. Ne m'a jamais pris de force, ne m'a jamais obligé. Il disait m'aimer et n'usait que de douceur. Dans un sens, cette délicatesse rendait peut-être les choses plus difficiles à supporter. Je n'arrivais pas à le détester... Pauvre homme, au fond, qui doit vivre avec des pulsions atroces et complexes archi-difficiles à maîtriser.

— Tu ne lui en veux pas?

— Je ne lui en ai plus voulu à partir du jour où j'ai atteint l'âge de comprendre. Alors, je lui ai pardonné. Tu te rappelles, nous nous trouvions à ton chevet, à l'hôpital. Tu avais failli mourir, grand-maman.

— Parfois, je me sens tellement découragée!

— T'en fais pas. Désiré a tenu le coup durant des années. Il va se reprendre encore, chercher de l'aide, se remettre sur pied, tu vas voir. Je lui fais confiance. Il existe, paraît-il, un nouveau type de thérapie qui marche bien. Des séances de groupes, si je ne me trompe pas, et elles font leurs preuves. La terre va se remettre à tourner pour toi et pour lui. Garde espoir, grand-maman. Un orage ne dure jamais vraiment long-temps, le soleil finit toujours par gagner la partie, tu me l'as dit tant de fois durant mon enfance.»

Soudain, quelqu'un descendit bruyamment l'esca-lier d'un pas lourd, la main agrippée à la rampe. Dans le feu de la conversation, on avait oublié la présence de Désiré, là-haut, enfermé dans son refuge. L'homme, en robe de chambre, n'en menait pas large, les traits tirés et les yeux cernés jusqu'au milieu des joues. Si son cœur se portait bien, sa santé mentale, elle, paraissait dramatiquement déficiente.

Désiré se dirigea directement vers Charles et posa sa main sur son épaule.

«Merci, Charles, pour tout ce que tu viens de dire. T'écouter parler m'a fait un bien immense. Tu viens de me sauver la vie et de me donner l'élan dont j'avais besoin. Je n'arrivais plus à croire en moi-même, tu comprends? Mais si vous tous, dans mon entourage, ne portez pas de jugement sur moi, si vous tous me redonnez votre confiance, si vous m'épaulez, je vais trouver la force de me relever encore une fois. Je vous en fais le serment.

— On ne va pas t'abandonner, Désiré.

— Je n'ai pas touché à un enfant depuis des années, je vous le jure. Pas depuis... toi, Charles! Mais, à Acapulco, j'en suis venu bien près, je l'avoue. J'en suis venu près à quelques autres reprises, d'ailleurs, au cours de mon existence. Le petit Nick... Mais j'ai toujours réussi à résister. Il reste que je demeure un être faible et fragile. La solitude me tue. Au moins, Lit-Tout m'avait redonné l'estime de moi-même et une solide raison de vivre. Il ne me reste plus rien, maintenant. Rien...»

Florence se dressa. Elle avait envie de pousser de hauts cris.

«Et moi, ta mère? Je ne suis pas rien tout de même!

— Toi, maman, tu restes mon ange gardien. C'est grâce à toi si je me suis maintenu debout aussi longtemps... Mais tu as Philippe, tu as ta vie. Il n'est pas normal de dépendre de sa mère à mon âge, tu ne penses pas?

— Philippe est parti, et je ne crois plus à son retour. Avant longtemps, le cours de notre roman-fleuve s'inversera, et c'est moi qui aurai besoin de toi, mon fils, pour mes vieux jours. Je ne rajeunis pas, tu sais.

— T'inquiète pas pour ça, m'man, je prendrai toujours soin de toi!»

Pour la première fois depuis son départ pour le Mexique, Florence percevait un regain de vie dans la voix de son fils. Elle-même se sentait soulagée d'avoir divulgué la vérité à Charles et sa femme. Elle avait pris ce grand risque et en sortait gagnante. L'amour, la tendresse, le pardon, la compréhension semblaient niveler un peu les choses. Rêvait-elle ou une lueur de beau temps se présentait à l'horizon?

La petite Juliette, ne comprenant rien à la conversation des grands, s'amusait sagement avec ses jouets dans un coin du salon. Florence se leva d'un bond.

«Oh! je t'ai rapporté un petit souvenir du Mexique, ma puce. J'allais l'oublier!»

Elle agita une jolie poupée mexicaine devant l'enfant. La bambine se leva, ses menottes agrippées à la table du salon. La mine resplendissante, elle dirigea sans hésiter les premiers pas de sa vie en direction de sa grand-mère, sous le regard émerveillé des adultes. Florence, empourprée de fierté, venait de recevoir le plus beau cadeau de sa vie : les premiers pas malhabiles de son arrière-petite-fille.

C'est plus tard seulement qu'elle remarqua les couleurs du poncho porté par la poupée. Celles de l'arc-en-ciel.

Chapitre 48

Plus qu'un orage, c'est un raz-de-marée qui envahit la maison rouge, le matin où Philippe Lamontagne rencontra Florence pour une explication. Au téléphone, elle l'avait supplié de venir à Mandeville afin de clarifier les choses. Il connaissait déjà les égarements de Désiré au Mexique, mais elle lui ferait part de sa courageuse résistance, là-bas. Elle lui dirait aussi à quel point elle croyait en la réhabilitation de son fils. En peu de temps, Désiré se remettrait du choc, retrousserait ses manches, s'inscrirait de nouveau en thérapie, se referait une place dans la société. Et laisserait sa mère tranquille. Libre de vaquer à ses amours. Toutefois, pour l'instant, elle se devait de l'entourer et de l'assister. Elle expliquerait aussi au peintre son propre manque d'argent et l'impossibilité, pour le moment, de partager encore le coût de leur logement en ville. Philippe comprendrait, coopérerait, participerait. Au mieux, il viendrait habiter ici avec elle, c'est-à-dire avec eux, à Mandeville.

Au fond d'elle-même, Florence se leurrait, elle le savait bien! Sa séparation d'avec le peintre ne provenait pas d'elle mais de lui. Lui, qui l'avait plaquée sans même l'avertir. Lui, insouciant, resté des semaines sans se manifester. Lui, égoïste, disparu avec lâcheté dans le nord de la province sans lui laisser d'adresse ni de numéro de téléphone.

L'homme qui frappa à la porte, ce jour-là, ne ressemblait en rien à l'amant tendre toujours vivant dans les souvenirs de Florence. Non seulement il ne l'embrassa pas, mais il adopta une attitude sèche et désobligeante. Elle se sentit déroutée. Timidement, elle lui offrit une tasse de thé qu'il s'empressa de refuser. Madame voulait des explications? Elle allait en avoir!

«Veux-tu savoir pourquoi j'ai refusé d'aller te porter de l'argent à Acapulco quand tu me l'as demandé, Florence?

— Tu souffrais d'une mauvaise grippe, Andréanne me l'a dit.

— Jamais de la vie! Ta sœur est une menteuse. On m'aurait marché sur le corps avant que je m'y rende.

— Mais pourquoi?

— Jamais je ne me ferai le complice d'un agresseur sexuel. Jamais!

— Comment ça, le complice? Désiré n'a abusé de personne, si tu veux savoir! Et tu aurais voulu qu'il croupisse dans une prison là-bas?

— Tu penses que je vais avaler ça? Il se serait rendu dans un bordel en demeurant blanc comme neige? Seule une mère peut gober de telles chimères! Ton écœurant de fils n'aurait jamais dû revenir ici, c'est ça que j'aurais voulu! Ouvre-toi les yeux, pour l'amour du ciel, Florence. Le beau petit garçon que tu protèges a presque cinquante ans. Et son comportement envers les enfants est inacceptable et dégueulasse. Arrête de le couver, grands dieux! Tu te montres aussi irresponsable que lui!

— Désiré a sa vie à vivre, Philippe. Il a bien fonctionné durant des années sans rechuter, tu es bien placé pour le savoir, tu l'as longtemps côtoyé de près et as déjà travaillé pour lui. Pourquoi ne pas l'aider à tenir bon au lieu de le caler dans ses problèmes?

— Au lieu de devenir son complice, tu veux dire. Au lieu de le laisser s'enfoncer dans son vice et d'y mettre de l'engrais! Désiré est un odieux personnage, et quand il agresse un innocent, tu es aussi coupable que lui. Il est temps que quelqu'un te le dise. »

Florence restait là, subjuguée. Elle, coupable des gestes de Désiré? Elle qui avait lutté contre cela durant toute sa vie? Il n'avait pas le droit de lui parler de la sorte! C'était trop injuste à la fin! Comment cet homme pouvait-il entretenir une telle opinion de la femme avec qui il cohabitait depuis des années? Avait-il toujours pensé ainsi? Elle n'arrivait pas à y croire! N'avait-il donc rien compris de son drame intérieur? De sa souffrance? Tout à coup, elle sentit son univers s'écrouler. Son pitoyable petit univers de bonheur chancelant, bâti de peine et de misère, n'allait pas résister à ces monstrueuses secousses. Elle, coupable... Elle n'en revenait pas!

Elle sentit s'ouvrir les digues de la rage et se raidit, toutes griffes sorties, prête à défendre ses assises qui n'étaient rien d'autre, au fond, que sa propre estime d'elle-même. Non, elle n'allait pas admettre cette culpa-bilité brandie cruellement sous son nez. Sinon, elle ne mériterait pas de vivre.

« Que pourrais-je faire d'autre? L'assassiner peut-être? Ou l'enfermer à double tour? C'est trop facile de chialer, Philippe Lamontagne!

— Tes filles Nicole et Isabelle ont parfaitement raison: Désiré comporte un risque grave pour les enfants, y inclus Nick et Lili quand ils viennent en visite, y inclus la petite Juliette dans quelques années, y inclus tous les autres. Même si certains membres de la famille lui ont pardonné, cela ne te justifie pas de l'encourager.

— Ça va changer quoi si je l'abandonne? Je l'encou-rage à se reprendre en main, Philippe, et à se contrôler. Uniquement cela. Je te le répète: à Acapulco, Désiré n'a abusé d'aucun enfant. Il a remporté une victoire et non essuyé une défaite, que je sache! Une magistrale victoire sur lui-même!

— Et tu as cru ça? Belle naïve! Ce type a brisé ta vie

et tu t'acharnes à lui tenir encore la main. Lâche-le donc, et vis donc ta vie à toi, merde! Moi, en tout cas, j'en ai assez de cette atmosphère insupportable. Je te quitte, Florence.

— Ce ne sera pas une grosse perte, à ce que je vois.»

Une fois de plus, Désiré avait entendu la conversation du haut de l'escalier. Il descendit pesamment les marches, à la grande stupéfaction de Philippe, et se mit à dévisager hostilement le visiteur en affichant son air des mauvais jours. Puis il s'approcha avec une lenteur infinie et vint se planter directement en face de lui, tendu comme un tigre en position d'agression.

«Déguerpis d'ici, Philippe Lamontagne! Tu ne viendras pas insulter ma mère chez nous et lui dicter sa conduite. Ton manque de respect est dégueulasse. Si tu n'es pas capable de reconnaître la bonté et la compassion, c'est ton problème, pas le sien! Allez, fous le camp! Fais de l'air!

— Je vais faire mieux que ça, putain de merde!»

Philippe assena un coup de poing inattendu au visage de Désiré qui vola contre l'armoire sous le choc. Noir de colère, le fils, plus costaud, ne mit pas de temps à répliquer. Ils tombèrent par terre en se frappant mutuellement.

Paralysée de terreur, les deux poings serrés sur sa figure, Florence regarda les deux hommes de sa vie se battre comme s'il s'agissait d'une lutte à mort. Elle devait rêver, elle se réveillerait dans un instant et les verrait en train de trinquer pour célébrer son retour du Mexique et souhaiter bonne chance à Désiré en passe de se trouver un emploi. Au lieu de cela, le sang giclait sur son plancher, les coups volaient, les insultes pleuvaient.

Elle se mit à hurler à fendre l'âme.

«Arrêtez, arrêtez! Je vous en supplie, pour l'amour de moi, arrêtez!»

Désiré se ressaisit le premier et lâcha prise en se

tournant vers sa mère. Le sang coulait à flots de ses narines. Le peintre se releva à grand-peine. L'espace d'une seconde, Florence eut envie de l'aider, mais elle ne bougea pas d'un poil. Après tout, c'est lui qui avait provoqué l'échauffourée.

Désiré lui lança ses bottes et son manteau par la tête et lui désigna la porte.

« Débarrasse au plus sacrant! Et qu'on ne te revoie plus dans les parages. À moins que ma mère... »

Il se tourna ensuite vers Florence et la prit par les épaules.

« Maman, tu peux le suivre si tu veux. C'est ton droit. Tu as le droit au bonheur, ma petite maman. Tu m'as soutenu pendant suffisamment de temps. Oublie-moi, je t'ai déjà bien assez nui. Pars avec lui, ne te gêne pas. D'ici quelques jours, je me serai trouvé un logement à Montréal. Tu pourras garder la maison rouge pour toi toute seule. Elle t'appartient légalement, de toute façon. »

Florence tomba par terre, anéantie. Pourquoi lui proposait-il ce choix? Elle aimait ces deux hommes-là, elle avait même servi de tampon entre les deux. Pourquoi ne pas continuer comme autrefois? Pourquoi suivre l'un impliquait-il de renoncer à l'autre? Pourquoi décider cela en cet instant même? Philippe n'avait-il pas annoncé qu'il la quittait?

Elle se tourna vers le peintre en le suppliant du regard. Il lui suffisait d'un mot d'excuse envers elle ou d'un autre mot d'animosité envers Désiré pour faire basculer son destin d'un côté ou de l'autre. Mais rien ne vint, ni mot d'adieu ni mot d'amour pour aiguillonner son existence sur le chemin du bonheur. Mais vers quel piètre bonheur, à bien y penser? Philippe préféra se taire et quitta la maison en boitillant, fou de rage.

Florence le regarda partir sans l'ombre d'un regret. Une étape de sa vie venait de se terminer.

Une heure plus tard, elle remarqua, à travers la fenêtre, des objets disparates jonchant le sol, entre la route et la maison. Intriguée, elle enfila son manteau et s'en approcha précautionneusement. Elle découvrit quelques boîtes de carton contenant ses objets personnels laissés à leur logement. À côté, traînant dans la boue, sa machine à écrire.

Philippe Lamontagne avait lui-même posé son choix définitif bien longtemps avant ce matin-là.

Chapitre 49

23 mai 1983

Si je ne l'avais pas vu de mes propres yeux, je ne l'aurais pas cru. Je tenais ma réquisition en main, un peu perdue et bousculée par le va-et-vient incessant au milieu de ce corridor d'hôpital, le cœur angoissé par le diagnostic que chacune de mes analyses contribuerait à préciser. Prises de sang, radiographies, auscultations, échographie, contrôles biochimiques et hématologiques, mon médecin avait tout prescrit après avoir découvert une petite protubérance dans mon sein gauche. Ouf! Je n'aimais pas ça, la perspective d'un cancer éventuel me rendait folle d'épouvante. J'ignorais de quel côté me diriger quand quelqu'un s'adressa à moi par-derrière en offrant de m'aider. L'homme demanda à voir mon formulaire afin de m'indiquer l'endroit où aller.

Cette voix, je la connaissais bien, je l'aurais reconnue entre toutes. Cette voix tant aimée et tant haïe à la fois... Désiré! Il me parut tout aussi surpris de se trouver face à face avec moi. Je m'informai sur ce qu'il faisait là, s'il venait pour des tests, lui aussi. Si j'avais voulu me montrer cynique, j'aurais pu lui demander s'il s'agissait d'analyses spécifiques pour son malheureux petit cœur malade, mais j'ai résisté à la tentation. Mon neveu n'entend pas à rire sur ce sujet-là.

Désiré paraissait mal à l'aise, comme si je l'avais surpris en flagrant délit. Il répondit si vaguement à mes questions que, l'espace d'un moment, je le crus réellement malade. C'eût été le bout du bout pour ma sœur! Je remarquai alors le sarrau bleu qu'il portait. Quand je l'interrogeai sur la nature de ce déguisement, il se mit à sourire modestement, puis plongea ses yeux verts suppliants dans les miens. Il m'informa faire partie de l'équipe de bénévoles de cet hôpital depuis bientôt deux ans. En fait, depuis son retour du Mexique. Il y venait un matin par semaine. Puis il me supplia de ne le dire à personne.

Ça alors! Mon neveu faisait du bénévolat à l'hôpital Notre-Dame quand il venait en ville chaque semaine? Ce «personne» signifiait Florence, naturellement. Ma sœur n'en savait rien, je l'aurais juré. Le jour de sa visite à Montréal, mon neveu rentrait pourtant à Mandeville avec de nouveaux manuscrits à corriger, j'en avais la certitude.

Devant mon regard ahuri, il crut bon d'expliquer qu'il consacrait quelques heures de son temps à aider des patients externes comme moi à s'orienter dans l'hôpital, il poussait des chaises roulantes, déplaçait des malades d'un département à l'autre ou allait porter d'urgence des médicaments ou des dossiers requis par les médecins sur les étages. Quand il lui restait un peu de temps, il allait même faire un brin de causette avec les patients les plus esseulés de l'hôpital. Bref, Désiré se convertissait en homme généreux et bon, empathique, prêt à rendre service à chacun. Lui, le taciturne, le sauvage, le solitaire s'adressait à de purs inconnus, malades par surcroît, durant quelques heures pas semaine! Oh là là! Je n'en revenais pas!

Je lui manifestai mon admiration pour ces gestes d'altruisme, mais il s'empressa de changer de sujet et de m'indiquer le chemin du laboratoire et du département de radiologie tout en s'informant poliment sur mon état de santé. La menace d'un cancer sembla le déconcerter et, spontanément, sans prononcer une parole, il me pressa contre lui. Ce geste silencieux contenait toute la tendresse du monde, je l'ai bien senti. Puis il m'a quittée à la hâte, sollicité par un patient, et me souhaita simplement bonne chance.

Je le regardai s'éloigner la tête haute mais le dos déjà courbé, cet homme mystérieux à la fois grand et petit, vieilli prématurément. Comment gonfler le torse quand la fierté se limite à garder la tête hors des eaux putrides du marais où la vie le maintenait? Désiré traînera comme un boulet ses appétits sexuels désaxés pour le reste de ses jours, comme l'aveugle supporte l'obscurité et l'amputé, sa jambe de bois. Mais tant qu'il se fera violence pour se tenir debout et émerger du marécage, tant qu'il se refusera à lui-même d'accomplir l'œuvre de destruction vers laquelle ses instincts le poussent, il restera à mes yeux un être respectable. Un pauvre malheureux respectable, mais parfois si condamnable...

À l'autre bout du corridor, je l'ai vu se pencher avec bienveillance sur une petite vieille à la démarche trébuchante. Gentiment, il l'a menée vers un banc, puis a couru chercher une chaise roulante pour la conduire à la clinique de gérontologie. La dame, arrivée sans doute en taxi, a dû s'imaginer avoir affaire à un ange! Si Florence voyait ça... D'ailleurs, je me demande bien pourquoi elle n'est pas au courant.

J'ai senti les larmes embrouiller ma vue. Cette rencontre m'a secrètement réconciliée avec Désiré. Depuis Acapulco, j'avais tendance à l'éviter. Là-bas, je l'ai jugé et condamné pour sa récidive, je l'avoue. Je l'ai même détesté, non seulement pour le mal causé aux enfants et pour avoir gâché la vie de sa mère, mais surtout pour ce qu'il a fait à mon fils, jadis.

Il a suffi de cette histoire de prostitution infantile au Mexique pour que le passé cauchemardesque de mon petit Olivier ressurgisse dans mon esprit. Étrange... Je croyais avoir sincèrement pardonné à mon neveu, à l'époque. Et, durant toutes ces années, j'ai tout fait pour oublier cette terrible épreuve. Mais au Mexique, la haine et la rancœur sont remontées à la surface avec la même force qu'autrefois, et cela m'a déconcertée. J'ai réussi à ne rien laisser paraître à Florence, mais je n'avais qu'une seule idée: rentrer chez moi. M'éloigner de ce nouveau cloaque dans lequel Désiré risquait de tous nous entraîner. Au retour, j'ai inventé sa soi-disant maladie cardiaque uniquement pour protéger ma sœur déchirée une fois de plus. Désiré, je m'en foutais carrément!

J'avais oublié que l'essence même de la vie consiste en un éternel recommencement. J'avais oublié que, du fond de sa faiblesse, l'humanité devra se reprendre à pardonner, toujours et sans cesse, jusqu'à la fin des temps. J'avais oublié que moi aussi, durant ma jeunesse, j'ai eu des choses à me reprocher pour avoir allègrement participé aux tromperies de certains maris envers leur femme. Qui sait si certaines familles n'ont pas été brisées jadis à cause de moi? J'avais oublié que le père de mon fils est le mari de ma sœur avec qui j'ai triché. J'avais oublié que le Christ a chuté par trois fois avant de se rendre à la croix. N'a-t-il pas recommandé de pardonner «soixante-dix fois sept fois»?[16]

Cette rencontre dans un corridor d'hôpital a changé ma vision étroite des choses. Elle m'a causé un bien suprême. Me voilà prête à te redonner sincèrement mon respect et mon estime, mon cher neveu. À cause de l'ange bénévole rencontré ce matin-là.

---

16. Matthieu 18, 21-35.

Chapitre 50

La vie reprit son cours à Mandeville, un cours de temps anciens, monotone et sans histoire comme la période de l'«avant-Montréal» ou plutôt celle de l'«avant-Philippe». La femme de la maison restait solitaire et penchée sur ses écrits, et le fils rembruni se réfugiait dans son grenier avec ses manuscrits à réviser.

Florence avait finalement réinstallé sa machine à écrire près de la fenêtre du salon, et s'était remise à l'écriture autant pour combler le vide causé par l'absence de Philippe que par souci de laisser en héritage un recueil de contes dédié à son arrière-petite-fille Juliette. Nick aussi, de son côté, réclamait à sa grand-mère du Québec un roman de science-fiction. Désiré ayant mis du temps à dénicher son nouvel emploi de correcteur pour une maison d'édition spécialisée dans le domaine scientifique, l'argent ne rentrait qu'au compte-gouttes. Les dettes continuaient de s'accumuler. De nouvelles publications aux États-Unis apporteraient certainement de l'eau au moulin qui tournait plutôt à sec. Encore fallait-il que les Américains acceptent de publier ces nouveaux écrits.

Mais le cœur n'y était pas. Bien sûr, les mots emportaient Florence loin du réel et, pour de longues heures, elle devenait le merle Dési désespéré de voir son nid jeté par terre lors d'une gigantesque tempête, ou bien elle se métamorphosait en la chèvre blanche Florette, défendue par son fils contre les assauts du méchant bouc Philou, ou encore, en la tante gazelle dangereusement tombée malade et soignée par un grand médecin savant. Évidemment, le brave merle reconstruisait courageusement son nid, le vieux bouc retournait dans sa montagne, et le mal de la gazelle s'avérait sans gravité et disparaissait rapidement.

Mais Florence savait, dans son for intérieur, que le merle mettrait un temps indéfini à se remettre de ses émotions, que le bouc ne redescendrait plus jamais de sa colline, que la belle tantine se remettrait, en effet, facilement de sa maladie.

Hélas, tous ces événements inspirateurs avaient tellement bouleversé l'auteure que même l'écriture n'exerçait plus sur elle son effet de catharsis comme jadis. Malgré elle, une partie de son esprit restait rivée à la réalité et à ses aléas redoutables. Et si la chèvre se mettait à se languir du vieux bouc, malgré tout? Et si le médecin s'était trompé de diagnostic en soignant la gazelle? Perdre Andréanne serait perdre le double d'elle-même, l'être auquel elle tenait le plus au monde, elle ne pourrait le supporter. L'adénome bénin extirpé du sein de sa sœur ne comportait aucun signe de néoplasie, mais, qui sait, en vieillissant, quels méchants loups déguisés en virus, bactéries, cellules malignes, diabète et autres dangers de tout acabit guettaient les gazelles, les chèvres blanches et tous les merles qui continuaient de s'aimer pendant trop longtemps...

Jamais Florence n'avait songé avec autant d'acuité à cette perspective de la vieillesse et de la mort. La lorgnette du temps ne manquerait pas de la préciser, au fils des années. Quant au vieux bouc Philou, elle savait qu'il ne reviendrait pas. Elle aurait pu tout au moins en conserver un agréable souvenir, mais les conditions déplorables de son départ avaient réussi à détruire jusqu'à ses meilleurs souvenirs du temps passé en sa compagnie. Ne restait qu'un poids énorme d'amertume, comme une prise de conscience aiguë que le bonheur, même quand il mérite de porter ce nom, n'est jamais parfait.

Au début, le peintre lui avait manqué. Auprès de lui, elle avait écoulé des années heureuses, parmi les plus paisibles de son existence. Mais elle s'était maintes fois demandé si elle aimait cet homme pour lui-même ou pour le genre de vie qu'il lui avait fait connaître. L'amitié semblait toujours prendre le pas sur l'amour passionné. La vivacité du peintre, son originalité, son appétit de vivre, sa bonne humeur, ses petits plats cuisinés avec passion, son brin de folie, son amour de la nature, son immense talent d'artiste, tout cela avait apporté du piquant dans sa vie.

Un mois après son retour du Mexique, quand le ballon avait cruellement crevé de manière inattendue, elle s'était retrouvée face à elle-même, seule dans la cuisine de la maison rouge avec, pour seul défi, celui de ramener à la vie l'homme qui broyait du noir, tapi là-haut. Un défi de taille... À tel point que la déprime de Désiré escamota la perte, non seulement de l'amant, mais celle, surtout, de l'excellent compagnon qu'avait représenté Philippe Lamontagne.

Obnubilée par les problèmes de son fils, Florence n'espéra pas le retour du peintre, et ne prit même pas le temps de lui en vouloir pour son attitude impardonnable. Si, au moins, il s'était montré contrit au lendemain de l'esclandre, s'il avait manifesté quelques regrets pour avoir perdu les pédales devant Désiré, s'il avait supplié Florence de reprendre leur vie commune, elle aurait peut-être accepté de pardonner.

Mais l'image de sa machine à écrire lancée méchamment sur le sol aux côtés de ses affaires extirpées avec fureur de ses tiroirs, cela, elle ne pourrait pas l'oublier. Une crise de rage pouvait toujours excuser certains gestes insensés, mais l'absence de regrets et le silence indifférent des lendemains, non! Sur ce silence-là, Florence ne passerait pas l'éponge.

Une fois le recueil de contes terminé, elle s'attellerait au roman pour adolescents réclamé par Nicolas. Les idées de drame ne manquaient pas, mais elle hésitait à confier le sort de personnages humains aux mains d'étranges sorciers ou de robots bizarroïdes, ou encore de princes menaçants dotés de tous les pouvoirs. Ni les rayons au laser, ni la transmission magnétique de la pensée virtuelle, ni les ondes indécodables et énigmatiques ne méritaient de telles puissances. À bien y songer, l'inspiration lui faisait gravement défaut.

Florence ne connaissait de magique que la «pensée magique», ainsi dénommée par les psychologues pour décrire l'illogique conviction que tout ira toujours pour le mieux dans le meilleur des mondes. Cette pensée l'avait pourtant maintenue bien vivante et sereine jusqu'à maintenant, et elle s'y appuyait encore pour croire en l'avenir. Un avenir de vieille femme qui ne manquait pas de l'effrayer, pourtant. Le simple fait d'y penser lui redonnait des crampes. Un soir, n'en pouvant plus, elle décida de confier explicitement ses appréhensions à Désiré. Si elle gardait encore le silence, elle finirait par en mourir.

Elle déposa ostensiblement une bouteille de vin rouge sur la table. Désiré mordit à l'hameçon.

«On attend de la visite?

— Oui... toi!»

Il se mordit les lèvres et remplit lui-même les verres à ras bord. Puis, sentant sans doute la menace d'un orage, il s'empressa de vider le sien d'un seul trait.

«Je suis prêt. Dis-moi tout ce que tu as sur le cœur, maman.»

Florence prit une bouffée d'air pour se donner du courage. Puis elle plongea, tête première.

«Depuis la première fois où je t'ai vu en train de

tripoter Olivier sur la plage, il y a je ne sais combien d'années, je suis constamment morte de peur de te voir recommencer tes folies, Désiré, tu dois bien t'en douter. Ces craintes n'ont jamais cessé de m'empoisonner l'existence, tu comprends? Mais pour le temps qu'il me reste à vivre, je voudrais enfin connaître la vraie tranquillité de l'âme. Sinon, je vais en crever...»

Désiré se servit une autre rasade de vin. Elle remarqua que sa main tremblait.

«Oui, je peux comprendre cela. Tu aurais dû rester avec ton mec et m'oublier. Je ne t'ai jamais rien demandé, moi!

— Laisse Philippe Lamontagne là où il se trouve! Après ce qu'il nous a fait, je t'avoue m'en ficher pas mal! Cet homme-là ne mérite pas mon amour. C'est de toi dont je me préoccupe à cause de tes ennuis. Ça m'énerve sans bon sens! Il faut que je t'en parle, Désiré. Je ne suis plus capable de vivre avec cela.

— Mes ennuis... Allez-vous finir par me ficher la paix avec ça? Ça fait des années que je n'ai pas touché à un enfant, bon Dieu de la vie! Reviens-en, maman!

— Il y a tout de même eu Acapulco! Tu as raison, je suis probablement folle de m'inquiéter de la sorte. Parfois j'aurais envie de te séquestrer pour que tu n'affrontes plus jamais la tentation, pour que tu ne rencontres plus d'enfants, pour que tu oublies qu'ils existent. Je voudrais te garder ici, avec moi, à l'abri, enfermé dans l'écrin de la maison rouge.

— C'est à peu près ce qui arrive, non? Je vais en ville avec ta vieille Chevette, une fois par semaine, pour porter mes manuscrits et rencontrer ma psychologue. Que veux-tu de plus, maman?

— Je ne sais pas, je ne sais plus...»

Florence vida son verre à son tour. Par la fenêtre, un couple d'hirondelles faisait sa tournée et batifolait joyeusement autour de la maison d'oiseaux suspendue à l'érable.

«Dis-moi seulement que c'est fini, que tu ne commettras plus jamais ce... ces actes répréhensibles. Vois-tu, Désiré, Marie-Hélène s'en vient avec ses enfants, le mois prochain et, comme à chacune de ses visites, je m'inquiète de toi par rapport aux petits. Nick aura bientôt douze ans... Je n'arrive plus à supporter ces craintes. Elles me tuent!»

Elle se mit à pleurer à gros bouillons, comme si un nuage venait de crever au fond de son âme. Étrangement, ce flot semblait emporter sa peur et la soulageait comme l'abcès vidé de son pus nauséabond. Un vieil abcès, gonflé et enkysté... Pour une fois, elle étalait la tumeur au grand jour devant son fils. S'il avait été conscient de l'existence de ce mal, Désiré ne le laissa pas savoir. Mais il se leva de table et vint entourer sa mère de ses bras.

«Maman, maman, tu t'en fais pour rien! Viens t'asseoir auprès de moi sur le divan du salon. Je vais te parler. Viens, apportons nos verres, qu'on en finisse avec ce maudit silence. Parce que, d'un silence à l'autre, tu as mis de l'engrais sur tes frayeurs, et moi, j'ai creusé ma solitude. C'est trop de souffrance inutile. Puisque nous nous retrouvons encore ensemble pour un bout de temps, il faut nettoyer nos plaies et mettre les choses au clair, hein? Vivre enfin à la lumière...»

Florence fit un signe affirmatif de la tête en reniflant. Pour la première fois de sa vie, elle se faisait toute petite avec l'impression que Désiré prenait tout à coup les choses en main. Mais elle se sentait davantage une petite vieille qu'une petite fille. Une petite vieille de soixante-huit ans avec des cheveux gris, une toile d'araignée autour des yeux et un persistant mal de dos. Et une monstrueuse cicatrice sur le cœur.

Désiré remplit les verres de nouveau.

«Viens, ma petite maman, viens tout contre moi. Ce n'est plus à toi de me protéger, maintenant, mais plutôt l'inverse. À moi de prendre soin de ma mère. J'ai grandi, tu sais. Et à la dure école, crois-moi!

— Quand tu avais seize ans...

— Bon. Si tu veux en parler, on va en parler... Quand j'avais seize ans, j'ai commis mes premiers actes de pédophilie sur mon cousin Olivier. Au début, il s'agissait d'un jeu et je n'étais pas vraiment conscient de ce que je faisais. Avec le temps, avec le temps seulement, c'est devenu plus sérieux et... plus grave! J'ai mis du temps à réaliser l'horreur de mes gestes. Je me rappelle le jour où l'on m'a jeté à la porte du Grand Séminaire, j'ai compris à quel point j'étais odieux. Mon problème m'est apparu mille fois plus sérieux que je ne croyais.

— Si j'étais intervenue, alors...

— On ne peut refaire le passé, maman. Je voulais mourir. Tu te rappelles ma tentative de suicide? On aurait dû me laisser mourir, d'ailleurs, à ce moment-là. On aurait débarrassé l'humanité d'une nuisance publique!

— Ne dis pas cela. Je t'aimais, moi!

— Tu sais, maman, personne au monde ne choisit délibérément de devenir un abuseur d'enfants. Pas moi, en tout cas. Il s'agit d'une pulsion plus forte que la raison, aussi impérative que celle de coucher avec une femme pour un homme normal. Peux-tu comprendre ça?

— La plupart des hommes ne violent pas les femmes dont ils ont envie, Désiré.

— C'est là le danger pour le pédophile. Les enfants sont consentants en quelque sorte. Trop innocents, trop vulnérables pour résister, ils restent sans défense. Ils ne savent même pas ce qui leur arrive... Voilà le côté révoltant de la pédophilie. »

Florence renchérit d'une voix à peine audible.

« Sans oublier qu'on enferme l'enfant et son entourage dans un silence terrible, parfois pour le reste de son existence. N'eût été de Charles, Olivier n'aurait sans doute jamais parlé.»

Florence glissait machinalement la main dans les cheveux de Désiré. Les boucles de son père...

«Promets-moi de ne plus recommencer, je t'en supplie. J'ai tant besoin de me sentir rassurée. Je ne veux plus avoir mal au ventre, tu comprends? Et je veux dormir la nuit!

— Qui, à part une mère, serait assez naïf pour croire dans les promesses éternelles d'un être humain, surtout celles d'un pauvre type détraqué comme moi? Je pourrais bien te promettre tout ce que tu veux, maman, te jurer par tous les dieux, t'écrire les serments les plus solennels, prendre les plus grandes résolutions, consulter les plus grands spécialistes, cela ne changerait rien!

— Ne me dis pas ça, je t'en prie, ne me dis pas ça!

— Je n'arriverais même pas à croire à mes propres promesses! Cet engagement-là, il faut le recommencer chaque matin et chaque soir où Dieu me prête vie. Et je l'ai fait, maman, chaque jour de mon existence depuis l'âge de seize ans, quoi que tu en penses. Oui, j'ai perdu la carte à quelques reprises, mais j'ai tenu bon un million de fois plus souvent que je n'ai failli. C'est sur cela que tu dois, que dis-je, que je dois m'appuyer pour garder le contrôle.

— Il reste donc un risque de rechute?

— Oui, maman, il reste un risque de rechute. Tant que je vivrai, il existera. Mais avec le temps, j'ai pris des forces. Ainsi, malgré les apparences, je suis sorti grandi du Mexique. Et si je refuse par pure honnêteté de te faire des promesses, je peux t'affirmer en toute franchise qu'à cinquante ans, je me sens plus solide que jamais. Alors, de grâce, cesse d'avoir peur, et vis ta vie, pour l'amour du ciel! VIS TA VIE!»

Il avait presque crié. Florence se pelotonna au creux de son fils.

«Je vais te confier un secret, maman. Depuis mon retour de voyage, je fais du bénévolat un matin par semaine à l'hôpital.

— Ah? Tu ne me l'avais jamais dit!

— À cause de ma nature secrète, tu le sais bien! L'autre jour, j'ai croisé tante Andréanne par hasard. Elle venait pour des analyses. Elle ne t'en a pas parlé?

— Pas du tout!

— Sais-tu pourquoi je consacre ces heures à servir les autres?

— Pourquoi donc?

— Te rappelles-tu, durant ma jeunesse, un juge m'avait condamné à des travaux communautaires? Cela s'était avéré bénéfique, j'avais le sentiment de réellement me racheter vis-à-vis de la société. Eh bien! Cette fois aussi, le juge m'a obligé à dix ans fermes de bénévolat.

— Quoi? Le juge? Quel juge? Ne me dis pas que tu es passé devant un juge sans m'en avoir parlé!

— C'est moi, le juge, maman.

— Désiré, je t'aime!»

Les teintes du couchant embrasaient le ciel et, à travers la fenêtre, allumaient un incendie à l'intérieur de la maison rouge. Jamais autant de chaleur ne s'y était retrouvée.

«Merci, maman, de m'avoir offert de prendre du vin avec toi. Je me sens mieux, maintenant. Toi aussi, j'espère! Tu vas m'inviter encore, dis?»

L'homme enfouit sa tête contre la poitrine de sa mère. Celui qui prétendait avoir grandi se mit à sangloter comme un petit garçon. Moment de grâce où l'ange de l'absolu jette par terre les barrières dressées entre les pauvres humains et accomplit le grand miracle de la fusion des âmes. Moment béni où l'espérance se recrée et devient permise, ce seul et unique support qui garde encore l'humanité debout.

Combien de temps la mère et le fils restèrent-ils

ainsi, serrés l'un contre l'autre dans une même souffrance, un même silence, cherchant l'un avec l'autre et l'un dans l'autre à générer l'espoir, à s'en nourrir pour continuer de marcher, la tête haute et main dans la main, sur le chemin ardu qui était le leur? Demain leur appartenait, ils le dessineraient à la fois beau et humble, à leur mesure et à leur image.

La nuit étendit son voile de paix sur le lac et, au loin, le huard lança son long cri mélancolique.

Dieu était là.

Chapitre 51

La pancarte marquée *À vendre,* au milieu du terrain en face de la maison, n'était restée en place que deux jours, le temps pour Désiré de faire la crise du siècle.

«Ça n'a pas de sens! Pourquoi ne m'as-tu pas consulté? C'est une folie, une pure folie! Je suis très fâché, maman...

— La vraie folie, c'est de recommencer à vivre dans la pauvreté, à gratter les fonds de tiroir chaque semaine pour arriver à remplir convenablement le réfrigérateur. Je n'ai plus l'âge, Désiré...

— Mais je gagne honnêtement ma vie, moi! Je partage mon salaire avec toi et paye toutes les dépenses de la maison. De quoi as-tu à te plaindre? Que voudrais-tu de plus?

— Tu es criblé de dettes, mon fils! Je vois bien l'abondant courrier certifié que tu reçois et pour lequel le facteur réclame très souvent une signature lors de la livraison. Tu t'empresses de dissimuler ces lettres à ma vue en t'imaginant que je n'y comprends rien. Je ne suis pas dupe, que diable! Il s'agit de réclamations et de menaces de la part de tes créanciers, je le sais bien! Ils te poursuivent et te poursuivront sans relâche tant et aussi longtemps que tu ne les auras pas remboursés jusqu'à la dernière *cenne.*

— Je ne gagne pas beaucoup d'argent pour le moment, mais je rembourse au moins une partie des intérêts. Maudite faillite!

— Une partie des intérêts seulement? Autrement dit, une large partie de tes dettes continue de s'accumuler et d'élargir le capital impayé. Et nous devons de l'argent à Andréanne, en plus, n'oublie pas! La vente du terrain réglera tout.

— Pourquoi dis-tu "nous"? MOI, je lui dois ce montant, pas toi, maman. Arrête d'assumer mes bêtises et mes dettes. Occupe-toi de tes affaires, je vais m'occuper des miennes, est-ce clair?

— Justement, cette maison m'appartient et le terrain qui mène à la plage aussi. J'ai le droit d'en faire ce que je veux. Entre des goussets vides mais une belle vue sur le lac, et des goussets remplis et pas de vue sur le lac, j'ai choisi les goussets pleins. Je ne vais pas revivre la misère de ma jeunesse, ça, non, jamais! Tu m'entends, Désiré? Jamais! Tant pis pour le panorama, et tant pis pour la plage. Je ne suis ni matérialiste ni exigeante, je ne recherche ni l'abondance ni les plaisirs terre-à-terre, je veux seulement finir mes jours dans une tranquillité d'esprit raisonnable sans que ni toi ni moi ayons à calculer constamment nos sous. Et si cette quiétude exige de sacrifier le champ devant ma maison, je vais en payer le prix. Le terrain, MON terrain est à vendre, un point c'est tout. »

Elle avait commencé par prendre un rendez-vous à la banque afin de rencontrer un conseiller financier. L'homme sembla saisir immédiatement son problème et il lui déconseilla d'hypothéquer la maison pour rembourser les dettes de son fils.

« Emprunter pour rembourser un emprunt ne s'avère pas nécessairement une bonne idée, d'autant plus que ces dettes appartiennent à quelqu'un d'autre que vous-même. D'ailleurs, la banque ne vous prêterait pas sans d'excellentes garanties. Connaissez-vous un bon endosseur? »

Elle avait songé à Marie-Claire, mais y renonça finalement. La jumelle prévoyait ouvrir une succursale de son magasin sur la rue Mont-Royal, et elle y investirait sans doute toutes ses économies. Restait l'autre jumelle, à Vancouver. Elle continuait de rouler sur l'or, sa compagnie *Marie-Hélène* étant toujours sur pied et florissante. Mais, comme les autres, Marie-Hélène avait cru aux malaises cardiaques de son frère au Mexique, et ignorait totalement la vérité. Florence n'avait pas envie de lui expliquer en long et en large les raisons de son endettement.

Elle décida donc de requérir les services d'un agent immobilier pour faire évaluer l'espace entre la maison et la plage, de l'autre côté de la route. L'homme devant elle se frottait les mains, flairant la bonne affaire. Tous les terrains des environs avaient pris de la valeur à cause de la montée en flèche du tourisme dans la région.

«Vous risquez toutefois de voir s'ériger des chalets, un hôtel ou un restaurant dans votre champ de vision, ma chère dame.

— C'est tout réfléchi. J'ai un urgent besoin d'argent. »

Le contrat de vente fut signé quelques jours plus tard avec un entrepreneur pour lequel Florence n'éprouvait pas réellement de sympathie. Le brasseur d'affaires, prêt à payer le gros prix pour ce coin de paradis, ajoutait des clauses et réclamait des conditions particulières de paiement auxquelles Florence ne comprenait pas grand-chose, peu habituée au jargon des affaires. Elle regrettait l'absence de Désiré qui s'objectait toujours à cette transaction, et n'eut pas le choix de faire confiance au notaire. De son côté, elle n'avait émis qu'une seule exigence : celle de conserver un droit de passage vers la plage d'une largeur de dix pieds sur le côté droit du terrain. Pour le reste... Tant qu'on la payait loyalement et dans l'immédiat, elle se montrerait satisfaite.

Elle ne put retenir quelques larmes, cependant, le matin où une grue géante planta sa gueule meurtrière au milieu de son petit jardin. Elle avait aimé y cultiver ses légumes et ses fruits, jadis, entourée de ses enfants. Encore, ces dernières années, Philippe y avait passé une partie de ses étés à tripoter ses fines herbes, soigner ses tomates, dorloter ses échalotes et ses asperges. On aurait dit que la pelle fouillait les entrailles de la terre avec rage, extirpant les souvenirs du cœur de Florence en même temps qu'elle arrachait les mottes de terre pour les rejeter plus loin.

En quelques semaines, une construction avait jailli du sol. Au fur et à mesure que s'érigeaient les solives et les murs, la vision des herbes folles et des petites fleurs sauvages s'amenuisait, puis celle du lac à la surface lisse ou ridée selon les jours. Lentement se dissolvaient les teintes enchantées du couchant sur le miroir liquide et la pimpante verdure de la forêt au fond de la baie. Tout le magnifique panorama se dissipait dramatiquement, rapetissait, devenait morcelé, traversé de poutres et de barres horizontales ou verticales, disparaissait petit à petit derrière l'odieuse charpente d'un motel.

Affalée sur sa galerie, Florence tentait désespérément d'imprimer dans sa mémoire ces images qu'elle chérissait depuis sa jeunesse avant qu'elles ne s'évanouissent à jamais. Elle n'aurait pas cru souffrir autant de leur disparition. Comme des tableaux adorés, elles avaient habité son âme, participé à ses petits bonheurs, partagé chacune des étapes de sa vie, l'avaient réconfortée dans la peine. Car les souvenirs ne s'avéraient pas tous joyeux... Il n'y avait qu'à penser à la mort d'Adhémar sur le lac, aux scènes de pédophilie sur la plage, au jour où elle avait brûlé les meubles d'enfant, puis à l'incendie du chalet, un certain soir d'été. Mais bien d'autres évocations s'ajoutaient. Les cris de ses enfants s'amusant dans les eaux claires, puis ceux de

Nick et de Lili, le chant du violon de Samuel, un soir de feu de camp, les baisers de Philippe, et ceux de Vincent, jadis, tellement plus tendres. Ah! Vincent...

Elle gardait les yeux rivés sur le côté droit du champ, là où elle possédait encore un droit de passage. Dix petits pieds de large... Symbole d'espoir et mince consolation de savoir que tout n'était pas complètement perdu. Cette plage lui appartiendrait toujours un peu, même partagée avec des dizaines d'inconnus.

Motel *Au lièvre argenté*. L'horrible bâtiment de deux étages recouvert de briques rectangulaires d'un blanc grisâtre allait porter ce nom *quétaine*. Affreux! On l'avait écrit et éclairé au néon sur l'énorme enseigne installée sur le toit, dérobant à la vue un large pan du ciel. Un trop large pan... Comme si ça ne suffisait pas de masquer la plage et le lac! Encore si on avait donné à la construction des allures champêtres, petite auberge au charme pastoral, vieilles pierres, fenêtres à carreaux. Non, on avait préféré ériger une bâtisse fonctionnelle de deux étages aux lignes très modernes, étirée d'un bout à l'autre du terrain et entourée d'un horrible parking d'asphalte.

Florence n'aurait jamais admis devant son fils l'inutile et trop tardive remise en question qui l'assaillait nuit et jour. Désiré, lui, avait pris l'option de se taire devant l'ampleur des dégâts s'étalant devant son domicile. Quant aux autres, ni Marie-Claire, ni Andréanne, ni Charles, ni Olivier, ni personne n'osa émettre un seul commentaire et affirmer sa consternation. Et ce silence fut plus difficile à supporter pour Florence que toute allusion à la laideur et la folie de l'entreprise. Adieu au calme autour de la maison rouge, adieu à la vue imprenable à travers les fenêtres, même celles du grenier, adieu à l'exotisme de la campagne. Bienvenue à l'éclairage multicolore, à la circulation de voitures à toute heure du jour et de la nuit, bienvenue aux promeneurs qui écorniflent dans ta cour et dans ta fenêtre si tu as oublié de refermer tes rideaux, bienvenue aux fêtards qui prennent la nuit pour le jour, aux adolescents propriétaires d'appareils de radio diaboliques, et qui n'ont pas appris à respecter les voisins.

Mais qu'importe tout cela! Florence disposait maintenant d'un bon montant d'argent pour assurer ses vieux jours, elle avait déjà remboursé Andréanne, une partie des dettes de Désiré se trouvait effacée et il pourrait se débrouiller avec le reste grâce à son salaire de correcteur. L'honneur était sauf et la paix, retrouvée. Tant pis pour la quiétude du dehors, Florence vivrait à l'intérieur, voilà tout! Avec le climat du Québec, cela ne représentait rien de bien original! Mais le but se trouvait atteint: la sérénité fleurissait de nouveau dans son esprit. Elle en payait largement le prix, en l'occurrence, elle méritait cette paix. À l'intérieur de la maison rouge, le calme avait réintégré ses quartiers généraux.

Et cela valait tous les sacrifices du monde.

Chapitre 52

18 juillet 1984

Comme les enfants de Marie-Hélène ont grandi! Je les trouve méconnaissables et... adorables! Les caractères asiatiques mêlés aux traits caucasiens donnent des résultats magnifiques. Ces jeunes aux visages délicats et ouverts, aux yeux en amande et aux cheveux de jais m'apparaissent d'une grande beauté.

Lili fera des ravages dans les cœurs avant longtemps si ce n'est déjà fait. À dix-sept ans, elle est devenue une belle jeune fille à la mode, pétillante et débordante de vie comme Marie-Hélène. Grâce à l'atmosphère familiale heureuse dans laquelle elle évolue maintenant, elle est sans doute plus sereine que sa mère au même âge.

Ce Pierre Labrecque semble un mari en or pour ma nièce toujours sobre mais fragile côté drogue et alcool. Ses écarts de conduite semblent maintenant devenus de l'histoire ancienne. Les yeux cernés de Marie-Hélène témoignent davantage d'une grande fatigue et d'une vie trop remplie plutôt que d'égarements insensés dans le monde morbide de l'illusion. Mais, pour elle comme pour nous tous, le temps ne manque pas de laisser ses traces, à la longue. Ma nièce a vieilli... Pas facile pour une femme de gérer une compagnie en même temps que sa famille! Mais l'homme semble là pour la soutenir et pour l'aimer.

Quant à Nick, il me fait bien rire. À l'instar de son père chinois, il ne deviendra pas un géant, mais quelle énergie! Et quelle belle personnalité! Un champion au soccer, paraît-il. Michèle, elle, la blonde fillette issue du premier mariage de Pierre, m'est apparue tout aussi mignonne et sereine. Tous ces enfants parlent un français impeccable, à peine teinté d'un léger accent anglais. À eux tous, ils forment une belle famille qui respire le bonheur et la quiétude.

Dès leur arrivée à l'aéroport, j'ai vu les jeunes accourir vers leur grand-mère muette de bonheur, pour se jeter spontanément dans ses bras. Malgré moi, je n'ai pas réussi à réprimer un vague sentiment d'envie. Chanceuse, va! À moi, cela n'arrivera jamais. Olivier monte peut-être en grade dans les Forces armées, mais pour la fabrication d'une progéniture, hum!...

À trente-neuf ans, il est presque trop tard pour y penser. Katherine et lui ont pourtant subi tous les tests possibles pour évaluer la fertilité de leur couple. Tout s'est avéré normal, selon les dires des médecins. Sauf que... ils n'ont toujours pas d'enfants! Et ils n'en auront sans doute jamais, à mon humble avis. Si ces deux-là menaient une vie plus stable au lieu de partir en mission durant des mois à l'autre bout du monde, cela faciliterait certainement les choses. De toute façon, je me demande comment Katherine accepterait de rester à la maison entourée de marmots alors qu'elle parcourt le monde entier depuis des années, d'une aventure à l'autre, à titre de médecin de l'armée.

Il reste que j'éprouve une certaine frustration dans mes projets illusoires de grand-mère. Je n'ai pas à me plaindre, pourtant. Par rapport à ma sœur, la vie m'a gâtée et je vis une retraite douce et paisible, sans heurt. Pas assez de heurts, à bien y songer. Le calme plat. Et même l'ennui, parfois. Heureusement, j'ai mon piano!

Je ne comprends pas Marie-Claire qui a choisi volontairement le retour au célibat et une existence de solitaire. Son ex-mari lui a mené la vie dure durant quelques années, je veux bien croire, mais est-ce une raison pour vivre isolée et repliée sur elle-même pour le reste de ses jours? Comment le banal contact avec les clientes de son magasin peut-il pallier à sa solitude? Et comment se satisfaire du simple défi de réussir en affaires comme raison de vivre? Bof! chacun son idéal, n'est-ce pas? Moi, si je n'avais pas eu mon fils...

Conformément à ses habitudes quand elle vient au pays,
la famille de Marie-Hélène a séjourné quelques jours à
Mandeville, en l'absence inattendue de Désiré envoyé à l'exté-
rieur du Québec par ses nouveaux patrons. Ma nièce n'a pas
tenu sa promesse d'une rencontre par année avec sa mère, mais
tout de même, elle n'a jamais dépassé deux ans sans se pointer.

Évidemment, on s'est montré consterné à la vue du
désastre dénommé Au lièvre argenté, *mais chacun a gardé*
pour soi son opinion devant le regard suppliant d'une
Florence qui dissimulait mal ses sentiments partagés entre la
honte d'avoir dû prendre une telle décision et la fierté d'avoir
réglé elle-même le financement de son avenir.

Quand Nick s'est approché pour lui demander à quand
la publication de son roman pour adolescents, j'ai vu le
regard de ma sœur rayonner de joie. Elle venait justement de
terminer son recueil de contes pour les tout-petits et avait déjà
amorcé la rédaction d'un récit d'aventures pour jeunes ados.
L'inspiration était revenue! Préférait-il l'épopée du chevalier
de l'espace à l'épée de feu, ou celle du dragon bleu trouvé au
fond d'une caverne mystérieuse? À moins qu'elle ne raconte
les aventures palpitantes de ce champion au soccer capable de
remporter toutes les victoires au monde... sauf une. Sauf une?
Je vis Nick bondir sur ses pieds.

« Laquelle, grand-maman?

— Ah... tu verras... »

Devant le regard curieux du garçon, je vis ma Flo savourer
intensément ce moment unique où son petit-fils adoré tendait
vers elle un visage avide d'un plaisir qu'elle seule avait le
pouvoir de lui procurer. Ce pouvoir de l'amener par la main
dans son monde imaginaire, ce pouvoir de lui donner du
plaisir, de l'enthousiasmer, de l'enchanter. Le pouvoir de le
faire rêver. Le pouvoir fabuleux de l'écrivain...

J'ai alors vu l'exaltation illuminer le visage de Florence.
Décidément, le soleil a repris ses tournées au-dessus de la
maison rouge.

Chapitre 53

Le troisième recueil des *Contes de grand-maman Flo*, dédié, celui-là, à son arrière-petite-fille Juliette, de même que la deuxième série d'histoires de *Grand-mère Flo et les ados* dédiée à son petit-fils Nick virent le jour presque deux années plus tard, et connurent tous les deux un franc succès, autant au Québec que chez les Américains.

Florence avait mis du temps à trouver un nouvel éditeur et avait connu la dure expérience de se confronter au monde de l'édition, elle qui n'avait pas eu à convaincre Lit-Tout de publier ses écrits antérieurs. Elle apprit que même un nom connu garant de succès peut se buter parfois à des portes fermées. «*Programmation déjà planifiée pour l'année*», «*Impossibilité d'ajouter un nouvel auteur à notre équipe déjà comblée*», «*Contes excellents mais hors des créneaux de notre maison*», «*Priorité aux récits historiques*», et blablabla... «*Nous serons dans l'obligation de détruire votre manuscrit si vous ne le réclamez pas d'ici trois mois. Sachez que nous apprécions... Veuillez accepter, chère madame...*»

Finalement, les éditions Richard Lévesque, spécialisées en littérature pour la jeunesse et autrefois compétitrices de Lit-Tout, offrirent un contrat intéressant à Flo D'Or. On l'invita à venir rencontrer le directeur pour la signature, au siège social de la maison, à proximité du Vieux-Port de Montréal.

L'homme appuyé sur le coin de son bureau, vêtu

d'un jeans et d'un simple chandail, ne ressemblait en rien, avec son allure décontractée, au Désiré de naguère, tiré à quatre épingles, droit et digne derrière son pupitre, quand il dirigeait Lit-Tout. Florence poussa un léger soupir. C'était le bon temps. Dieu qu'elle se sentait fière de son fils à ce moment-là!

« Avez-vous des préférences pour le choix des illustrations, madame?

— Euh... À vrai dire, je ne connais pas beaucoup d'illustrateurs et je n'y ai pas pensé sérieusement.

— Écoutez. Vous avez connu un succès remarquable avec Philippe Lamontagne, il y a quelques années, quand il illustrait vos contes chez Lit-Tout, n'est-ce pas?

— Exact!

— Auriez-vous objection à ce qu'on prenne contact avec monsieur Lamontagne? Habituellement, quand un style de dessin convient bien à une forme d'écriture, il est sage de ne rien changer pour assurer la continuité de l'œuvre.

— Tenez, j'ai ici sa carte de visite. »

Abasourdie, Florence avait fouillé dans son sac à main et lui avait tendu, d'une main mal assurée, la vieille carte oubliée. Ce coup-là, elle ne l'avait pas prévu. Lui proposer de travailler de nouveau avec Philippe Lamontagne, tu parles! Pas un seul instant elle n'y avait songé! Soudain consciente de sa bévue, elle s'avança sur le bout de sa chaise.

« Avez-vous des dessinateurs attachés à votre maison, monsieur Lévesque?

— Bien sûr! Laissez-moi vous montrer quelques échantillons. »

Le travail de l'un d'eux plut particulièrement à Florence. Ses dessins infiniment précis et enrichis de mille et un petits détails paraissaient peut-être moins colorés et tape-à-l'œil que ceux de Philippe, mais ils convenaient parfaitement bien pour illustrer ses contes, surtout ceux destinés aux adolescents.

« À bien y penser, monsieur, je ne détesterais pas changer d'illustrateur. Après tout, les jeunes lecteurs de ces recueils seront différents de ceux d'il y a dix ans, n'est-ce pas? Tant pis pour la continuité! »

Elle se mit à rire un peu trop nerveusement et se demanda si le directeur connaissait sa liaison ancienne avec Philippe Lamontagne. Que le diable emporte le vieux bouc! En refusant elle-même sa collaboration pour illustrer ses deux livres, elle eut l'impression de lui lancer virtuellement sa tablette à dessin par la tête comme il avait lancé sa machine à écrire sur la neige. « Chacun son tour, mon vieux, de s'envoyer paître, même si tu n'apprends jamais que je viens de t'évincer royalement! » Elle se sentit fière d'elle comme si, dans un certain sens, leur rupture définitive ne dépendait plus uniquement de lui. Elle venait, elle aussi, d'y mettre vertement du sien!

***

Au fil des années suivantes, Florence aurait pu connaître l'ennui et la déprime, n'eût été de sa machine à écrire. Les saisons défilaient, l'une derrière l'autre, couvrant de verdure, d'or et de sang, ou de pompons d'hermine les branches de l'érable devenu gigantesque devant la maison rouge. À la longue, elle s'était habituée à un champ de vision restreint et attachait moins d'importance au mur qui s'étirait entre elle et l'horizon. Mais, à l'intérieur de la maison, rien ne changeait. Florence se consolait en se disant que les gens heureux n'ont pas d'histoire.

Désiré effectuait fidèlement son travail au deuxième étage et ne descendait qu'à l'heure des repas. Sans le réaliser vraiment, il avait replongé dans son mutisme naturel peu après la fameuse soirée d'explications autour d'un litre de vin. Certains soirs, Florence remettait une bouteille sur la table, histoire de délier les cordons du cœur de son fils. Désiré se laissait questionner en souriant, répondait gentiment, simplement, sans se faire prier, et posait même des questions à sa mère, lui qui n'avait jamais eu l'air de s'intéresser à elle. Parfois, ils éclataient de rire à l'évocation d'un souvenir joyeux ou à la suite d'une réflexion drôle sur un problème d'actualité. Florence ne se sentait plus seule, et ces soirées lui tenaient lieu de ressourcement. Elle ne mit pas de temps à prendre conscience que ces moments bénis importaient tout autant à son fils solitaire.

Elle profitait de son escapade hebdomadaire à Montréal, en général le mercredi, pour l'accompagner et visiter Andréanne. Florence ne voulait plus conduire son automobile, le trafic de la ville l'énervait au point de l'empêcher de dormir. Désiré s'était procuré une autre vieille bagnole et déposait sa mère, tôt le matin, rue Sherbrooke où sa sœur l'attendait, une tasse de café à la main. Les deux femmes en profitaient pour bavarder longuement et régler tous les problèmes de l'univers. Elles jouaient souvent des duos sur le piano à queue d'Andréanne. Florence éprouvait maintenant quelque difficulté à exécuter un jeu rapide et précis à cause de ses doigts raidis par l'arthrite.

« Dire que je t'ai déjà enseigné le piano!

— Pas grave, ma Flo! L'important, c'est de s'amuser! »

Pendant quelques heures, elles redevenaient les adolescentes d'autrefois. Elles riaient, se taquinaient, s'émerveillaient devant un passage difficile parfaitement réussi. Florence enviait l'énergie de sa sœur, sa santé encore parfaite et son talent musical resté intact malgré l'âge.

Parfois, elles se rendaient au Musée des beaux-arts

ou à l'un des concerts *Sons et brioches* pour les travailleurs du midi à la Place des Arts. D'autres jours, elles allaient simplement marcher au parc Lafontaine et s'attardaient longuement devant la fontaine. Il arrivait qu'elles poussent une pointe jusqu'à la boutique de Marie-Claire, rue Saint-Hubert. Geneviève, la femme de Charles, les rejoignait souvent pour un lunch au restaurant sans la compagnie de la jeune Juliette qui avait maintenant pris le chemin de l'école. «Déjà! ne cessait de clamer Florence, pendant que moi je prends de plus en plus des allures d'arrière-grand-mère!»

Elle n'avait pas tort. Les courbatures avaient commencé à endolorir ses membres et son dos. Dieu merci, la colite n'avait pas reparu ces dernières années. Quant à l'esprit, lui, il ne semblait pas vieillir. D'ici peu, elle entreprendrait l'écriture d'un autre roman pour adultes. Elle y mettrait le temps qu'il fallait. Pour l'instant, l'œuvre marinait dans sa tête, et elle se contentait de prendre des notes sur des feuilles éparses. Elle avait tant de choses à raconter, tant de sujets à approfondir! Et elle se sentait riche de temps, enfin! Elle avait tout son temps.

Un mercredi midi, les deux sœurs trouvèrent Marie-Claire pâle et la mine déconfite, effondrée sur une chaise au fond de son magasin. Même si elle attendait sa mère et sa tante, ce matin-là, elle avait accroché la pancarte du côté *Fermé* sur la porte d'entrée. Florence plissa les yeux. Tout cela ne lui paraissait pas de bon augure.

«Que se passe-t-il, ma grande?»

Marie-Claire secoua la tête, mais refusa de parler. Andréanne insista, mordue par la curiosité.

«Allez, parle! Ne nous laisse pas languir comme ça, Marie-Claire! Tôt ou tard, tu vas bien finir par nous raconter ce qui t'arrive!

— À moi, il n'arrive rien. C'est ma sœur Isabelle...

Elle ne va pas bien du tout. Nicole vient tout juste de m'appeler pour m'apprendre l'affreuse nouvelle. Elle aussi se sent dans tous ses états.

— Comment cela? Isabelle est malade?

— Oui... Elle a un cancer du sein. Le médecin le lui a annoncé ce matin. On va lui enlever le sein, elle va devoir recevoir une chimiothérapie majeure, perdre ses cheveux et tout le tralala. Il semblerait que c'est grave.»

Andréanne porta instinctivement la main sur son sein gauche. La chance se trouvait de son côté, sa bosse à elle avait été déclarée bénigne. Pauvre Isabelle! À cinquante-quatre ans, elle ne méritait pas ça. Mais existait-il des êtres au monde qui méritaient d'attraper cette cochonnerie?

Florence se leva brusquement, traversa le magasin et vint se coller le front contre la paroi intérieure de la vitrine en retenant ses larmes. Sa fille souffrait d'un grave cancer... Sa fille, qu'elle ne connaissait pas, qu'elle ne connaissait plus, qu'elle ne pouvait même pas prendre dans ses bras pour la consoler, l'encourager...

Pourquoi donc pleurait-elle? Cette mauvaise nouvelle ne la concernait pas, ne devait plus la concerner. Pourquoi s'en faire pour Isabelle qui l'avait rejetée pendant une grande partie de son existence? S'inquiétait-elle pour sa mère, elle?

Florence aurait voulu s'enfuir, se trouver ailleurs, ne plus exister, pour ne pas savoir que sa fille vivait de terribles épreuves loin d'elle et hors de sa portée. Pour ne pas savoir que cette fille n'avait plus de mère, qu'elle avait cessé d'en avoir besoin et qu'elle n'en voulait plus depuis des années. Et la perception soudaine et concrète de cette non-existence, cet insignifiant rien, officiel et évident, que Florence était devenue, ce néant tangible dans lequel cette triste nouvelle la plongeait pesait si lourd qu'elle faillit s'évanouir là, sur le plancher du magasin.

Étonnées de sa lividité subite et des perles de sueur sur son visage, Marie-Claire et Andréanne la firent asseoir et lui badigeonnèrent les tempes avec de l'eau glacée.

«Calme-toi, maman, Isabelle ne va pas mourir. Elle va se battre, et nous allons toutes la soutenir, nous allons l'aider, la réconforter. Ensemble nous allons lui donner la main, la...»

Marie-Claire s'arrêta net, brusquement consciente de la maladresse de ses paroles. Par la force des choses, sa mère se trouverait totalement exclue de ces élans du cœur envers la malade.

«Pardonne-moi, maman! Je viens de dire une grosse bêtise, n'est-ce pas? Quelle conne je fais, parfois! Je ne voulais pas te blesser, je sais bien qu'Isabelle et toi...»

La jumelle se jeta dans les bras de sa mère et se mit à sangloter.

«Pardon, pardon... Je n'ai jamais été une bonne fille pour toi, maman. Je n'ai même pas été foutue de te donner des petits-enfants pour remplacer ceux qu'on t'a arrachés du cœur.»

Florence caressa la chevelure de sa fille et l'étreignit davantage.

«Ne dis pas cela, Marie-Claire. Tu m'as pardonné mes erreurs d'autrefois, toi! Tu ne m'as pas abandonnée comme l'ont fait les deux autres. Tu es souvent venue me visiter, tu as continué à fréquenter ton frère sans le juger et à l'aimer comme si de rien n'était. Tu as toujours été là, présente, sans faire de bruit. Penses-tu que je ne l'ai pas apprécié? Le penses-tu vraiment, Marie-Claire? Peut-être ne te l'ai-je pas assez dit. Toujours ce maudit silence...

— Je ne sais pas, maman. Je me suis souvent sentie coupable de n'être pas à la hauteur, de ne pas arriver à remplacer mes autres sœurs.

— Mais voyons! Personne ne t'en a jamais demandé

autant! Agir de façon effacée et discrète n'empêche pas de se montrer à la hauteur! Retiens bien cela, Marie-Claire : à mes yeux, tu représentes la plus chère de mes filles. À toi toute seule, tu vaux les trois autres. Il était temps que je te le dise, tu ne penses pas? Le silence a brouillé trop de cartes. Et si le cancer d'Isabelle me permet de te l'affirmer aujourd'hui en toute franchise, eh bien, il n'aura pas été inutile! On dirait parfois que les drames existent seulement pour extirper les mots d'amour enfouis au fond des cœurs...

— Maman...

— Chasse vite tes sentiments de culpabilité, mon amour. Je te le répète, tu es ma fille la plus précieuse. Tu ne m'as apporté que du bonheur. Et je te remercie d'être là! »

Andréanne assista à la scène en spectatrice muette, sans intervenir, sa main droite couvrant toujours son sein déclaré en bonne santé. Elle semblait éprouver un vague sentiment de gêne.

***

Ce soir-là, Florence posta une carte adressée à madame Isabelle Vachon-Lalonde, Berthier, P.Q. Elle portait un court message écrit d'une main tremblante :

Ma chère Isabelle,
J'ai appris la mauvaise nouvelle et je pense beaucoup à toi. Parce que je t'aime toujours aussi fort. Si jamais tu as besoin de moi, je suis là...
Ta mère

Sur le dessus de la carte, des coquelicots semblaient se balancer au milieu d'un champ de grands foins dorés balayés par le vent.

Un vent de fol espoir.

Chapitre 54

En déposant sa carte destinée à Isabelle dans la boîte aux lettres, Florence avait l'impression de tendre l'autre joue tel que prescrit dans l'Évangile. Impitoyablement, le second soufflet s'étira des jours et des jours, le temps d'attendre une réponse qui n'arriva jamais. Elle dut se contenter de suivre l'évolution de la maladie de sa fille par personnes interposées. Providentiellement, on n'avait pas décelé de métastases, et le pronostic ne semblait pas aussi sombre qu'au début. Isabelle avait une chance de remporter la bataille.

Pour oublier sa peine, Florence se remit à l'écriture, tête première. Ce nouveau roman pour adultes raconterait l'histoire pathétique de la mère d'un pédophile. SON histoire... Non pas la sienne toute crue, mais sa vie déguisée en celle d'une autre mère. Une histoire fort ressemblante et inspirée de sa propre expérience, bien qu'enrobée de fiction. Elle commença par décrire sa jeunesse de manière romancée, altérant certains passages, modifiant, bien sûr, les noms et les caractères des personnages, inventant de nouveaux figurants, changeant les lieux et les dates. Malgré le miroir déformant, le fil conducteur restait constant, puisé à même son drame épouvantable de mère de pédophile.

Tranquillement, son existence se mit à se dérouler dans sa mémoire comme un film rembobiné et visionné de nouveau. Certains souvenirs qu'elle croyait oubliés remontaient à la surface, la réjouissaient ou la chagrinaient encore, malgré le recul du temps. Elle pleurait et riait avec son personnage principal.

Par contre, contrairement à la réalité d'autrefois, l'écrivaine disposait de tous les pouvoirs sur la destinée de son héroïne. Elle pouvait mener ses souvenirs à sa guise, transformer les événements, manipuler ses personnages, interférer à son gré sur leurs réactions et leurs agissements comme le joueur déplace les pions sur son échiquier. Elle devenait le seul maître de leur existence, elle les remplissait de haine ou d'amour, y ajoutait quelques rayons de soleil ou certaines gouttes de pathétique. En réalité, elle redessinait sa vie à sa façon.

Quand Flo D'Or écrivait, elle endossait en quelque sorte la toute-puissance de Dieu. N'était-il pas écrit quelque part que Dieu avait créé l'homme à son image? C'est en faisant œuvre de création que l'homme ressemblait à son Créateur, elle l'avait compris dès le premier moment où elle s'était mise à l'écriture, grisée par ce pouvoir virtuel.

Petit à petit, sans trop s'en apercevoir, elle s'attachait à ses personnages, réels pour la plupart, obsédée par leurs rapports évidents avec leurs modèles encore vivants. Elle devenait eux, ils devenaient elle. Elle en venait à ne plus savoir distinguer la réalité de la fiction dans la trame qui se dessinait peu à peu, comme si elle recommençait sa vie dans une autre dimension.

Elle se sentait emportée, impliquée dans l'intrigue, mais d'une manière insolite. Cette liberté d'intervenir dans le scénario la rendait euphorique. En n'importe quel temps, elle pouvait tout arrêter, tout recommencer ou tout anéantir dans une sorte de fuite rassurante, alors que dans la réalité elle avait subi les affres de la fatalité sans disposer ni du choix ni de la possibilité de changer les choses.

Toute l'action du récit concourait vers le drame de la pédophilie, et la mère et son fils se trouvaient au nœud du roman. La mère excédée, dépassée, le fils attachant mais détraqué. Ah!... décrire les états d'âme de la femme, sa honte, ses peurs effroyables, son sentiment d'impuissance. De culpabilité aussi. Et son désarroi. Et sa désolation. Et l'immense souffrance due au rejet du reste de sa famille, cette déchirure plus douloureuse que la perte d'un être cher emporté par la mort. Le prix, cruel et trop élevé, à payer par une mère pour ne pas avoir abandonné le fils fou... Et le silence, ce terrible silence qui enveloppait tout, englobait tout dans la maison rouge devenue la chaumière aux auvents bleus pour les besoins du roman...

Jour après jour, le cliquetis de la machine à écrire résonnait dans la maison trop tranquille. Florence écrivait sans pudeur, se laissait aller sans retenue. Elle revivait elle-même l'horreur, mais aussi la peur, la solitude, le silence. Et elle réinventait l'espoir, le seul élément permettant à la lumière du jour de poindre dans la noirceur de son existence. Tant pis si elle mettait son âme à nu, elle aviserait plus tard. Pour le moment, le lecteur éventuel n'avait pas d'importance, il n'existait pas encore. Florence Coulombe-Vachon se vidait le cœur. Ne subsistait plus maintenant que le déchaînement de ses sentiments à travers les personnages, enchevêtrés dans le tissu de l'intrigue.

Soudain, l'écriture devenait une véritable délivrance, elle ne pouvait plus s'arrêter. Elle outrepassait largement son simple rôle d'écrivain, elle n'était plus une auteure mais une pauvre femme que l'intensité des émotions d'autrefois avait failli tuer et qui trouvait enfin, enfin, une voie bénie d'échappement. La libération...

D'un mot à l'autre, d'une page à l'autre, Florence laissait écouler le trop-plein de son âme en ébullition. Que ses écrits soient lus ou non ultérieurement n'importait plus. Pour l'instant, elle répondait à une urgence, celle de se libérer, à l'âge où les autres dressent le bilan de leur vie. Elle écrivait sans relâche, jusque tard dans la nuit. L'écriture obsessive s'était emparée d'elle. Elle sentait qu'elle ne s'arrêterait plus avant le point final. Après, seulement, elle mériterait le repos.

Le dénouement du roman lui posa problème. Le pédophile ne pouvait gagner sur tous les points, abuser d'enfants et préserver son intégrité, se comporter en minable prédateur et conserver ses ports d'attache et l'amour de sa mère.

Désiré n'était pas un minable, pourtant, il ne l'avait jamais été. Florence sentait la révolte monter. Peut-on commettre des gestes aussi ignobles sans être minable? Et rester digne d'estime? La question demeurait entière. Pourtant, elle n'aurait pas su l'aimer autant si elle n'avait pas senti sous la carapace une source d'eau pure et inaltérée, comme un reste d'enfance que son père n'avait pas réussi à lui briser. Elle n'aurait pas dû être la seule à payer pour les folies de son fils.

Elle ne le fut pas non plus. Le pédophile, s'il avait rarement exprimé au grand jour sa propre souffrance, n'en avait pas moins mené une vie de reclus, réfugié dans l'isolement de son grenier. Et si, au moins une fois dans sa vie, il avait cherché à se créer une place au soleil dans la société des bien-pensants, il avait essuyé un cuisant revers. Sa maison d'édition n'existait plus.

Pouvait-on considérer le bénévole penché sur les malades de l'hôpital comme un homme de valeur, capable d'offrir généreusement son temps aux plus démunis que lui? Aux yeux de ses sœurs, Nicole et Isabelle, et à ceux de la société en général, non! À ciel ouvert, Désiré Vachon ne représentait rien d'autre qu'un abominable danger public. Aux yeux de Dieu... et de sa mère, oui, Désiré demeurait un grand homme, car toute sa vie durant il n'avait jamais cessé de lutter contre le terrible mal dont le destin l'avait affligé.

Mais les victimes, alors? Là se trouvait le point faible

du roman sur lequel Florence bûchait jour et nuit : elle ne donnait pas assez de voix aux victimes. Toute la trame aurait dû converger vers ces malheureux enfants abusés, agressés non seulement dans leurs corps mais dans leur innocence. Comment décrire leur souffrance ? Quelles avaient été les conséquences des abus subis ? Arrivaient-ils à s'en sortir véritablement ? Elle aurait dû écrire le roman de l'agressé et non celui de l'agresseur ! Charles, Olivier, et peut-être quelques autres inconnus...

Dans son prochain roman, Florence se promit de raconter l'histoire d'Olivier, ce petit garçon aux deux pères absents, victime des agressions sexuelles de son cousin. Olivier à la jeunesse dépravée et inquiétante... Un jour, pourtant, il avait changé de cap, grandi par la magnanimité de son pardon. Olivier, devenu modèle d'intégrité et de grandeur d'âme. Olivier, qui écoulait sa vie en mission de paix avec sa femme, un peu partout sur la planète. Florence s'était toujours secrètement demandé s'il n'avait pas eu d'enfant à cause de ses mauvais souvenirs d'enfance...

Elle dormait mal, la nuit, cherchant un dénouement plausible et acceptable pour son roman. Acceptable pour qui ? Pour elle-même ou pour le lecteur anonyme, l'étranger qui lirait froidement cette histoire comme une œuvre de pure fiction ? À quoi s'attendait-il, ce fameux lecteur auquel elle avait rarement songé tout au long de la rédaction ? À une glorification de la mère ? À la répression pure et simple du pédophile ? Qu'on le pende par les couilles, selon l'adage populaire ? Ou à une fin heureuse comme dans les films et les romans à l'eau de rose ?

La thèse du suicide la turlupina un peu. Désiré l'avait tenté au cours de sa jeunesse, mais il l'avait humblement surmonté. Elle n'allait certainement pas prêter une lâcheté de plus à son personnage. Non ! Il lui fallait trouver une autre conclusion à cette œuvre qu'elle intitulerait *Le Temps des orages* pour faire le pendant à son premier roman *Le Temps des coquelicots*, devenu best-seller. Quoi, alors? Le terminer par la guérison parfaite et irréversible de l'agresseur? Irréaliste! L'achever par le retour des enfants rancuniers vers la mère lors d'une joyeuse fête? Trop facile! Trop à l'américaine!

Comment, alors, mettre un terme à ce long roman à la fois dur et émouvant pour que le lecteur et surtout, son auteure, poussent un soupir de soulagement? L'image de la carte envoyée à Isabelle lui revenait sans cesse à l'esprit. Ces coquelicots... N'avaient-ils pas évoqué le bonheur quand, jeune fille, elle les avait brodés au coin du feu sur les taies d'oreiller de son trousseau? Des taies qu'elle avait remises à ses deux filles rebelles, sans jamais y avoir posé la tête. Elle se rappelait en avoir également orné une nappe dont elle ne s'était jamais servie, laissée à l'abandon au fond de son coffre d'espérance dans quelque recoin du grenier.

Comment réinventer le bonheur, au terme de cette histoire bouleversante? Comment ramener la lumière à la fin d'une vie remplie de calamités? Comment terminer *Le Temps des orages* sur une note optimiste? La créatrice saurait-elle y arriver? Saurait-elle dessiner le bonheur en forme d'arc-en-ciel?

Et, au fait, quel bonheur?

Chapitre 55

25 novembre 1989
Charles Désautels a perdu la vie la semaine dernière dans un grave accident de la circulation. Verglas, carambolage, explosion. La faucheuse l'attendait ce matin-là. Mort sur le coup. La souffrance, il nous l'a laissée à nous, les siens, qui l'aimions tant. «Il laisse dans le deuil sa femme Geneviève, sa fille Juliette, ses parents, Nicole Vachon et Réal Désautels, un frère et deux sœurs, Serge, Aline et Suzanne, et de nombreux parents et amis.» *Dans l'avis de décès publié dans* Le Journal de Montréal *et le principal quotidien de Berthier, on n'a nullement fait mention de l'existence de sa grand-mère. Comme si Florence n'avait jamais existé pour lui, comme si elle n'avait pas droit à la sympathie des gens!*

Dieu sait pourtant à quel point ce petit-fils a adoré sa grand-mère et l'a toujours fréquentée assidûment, en dépit des barrières sans cesse dressées par sa mère Nicole. Sans le savoir, Charles a constitué une solide bouée de sauvetage et une eau de source apaisante et toujours renouvelée dans la vie difficile de ma sœur. Il l'a confortée dans son rôle de grand-mère, lui, le seul petit-fils vraiment accessible, Lili et Nick se trouvant à l'autre bout du continent. Entre Charles et sa grand-mère a grandi une complicité jamais trahie par ni l'un ni l'autre. Je n'oublierai jamais avec quelle joie et quelle fierté lui et Geneviève lui avaient annoncé son nouveau statut d'arrière-grand-mère. Déjà neuf ans!

Quelle tristesse! Toute la famille, encore sous le choc, s'est réunie autour du cercueil. *Même Marie-Hélène a réussi à se trouver un billet d'avion à la dernière minute. Ne manquaient que Florence et Désiré. Anéantie, ma sœur, de peur de causer un esclandre, n'a pas osé se présenter au salon funéraire pour saluer une dernière fois son petit-fils. Elle a bien fait! Nicole aurait pu se montrer assez méchante pour lui interdire l'entrée du salon devant tout le monde. Quand on vit des années avec une merde sur le cœur, on finit par en prendre l'odeur... et l'aspect!*

Désiré m'avait promis de rester auprès de sa mère éplorée, et de ne pas la lâcher une minute. Pour le jour des funérailles, il fut décidé que la cérémonie religieuse aurait lieu à l'église paroissiale de Charles et Geneviève à Montréal, et que le cortège funèbre se transporterait ensuite jusqu'au cimetière de Saint-Didace pour l'enterrement dans le terrain des Coulombe.

Florence a exprimé le désir d'assister au moins à l'enterrement. Elle attendrait l'arrivée du convoi au cimetière en compagnie de son fils, dans leur voiture stationnée à distance. À la dernière minute, prise de panique, elle laissa Désiré en plan et s'enfuit dans l'église de son enfance, à l'abri des regards. Elle se sentait incapable de faire face à tous à la fois, ses deux filles, leurs maris et leurs enfants qu'elle n'avait pas vus grandir et qu'elle ne reconnaîtrait sans doute pas. Mieux valait les garder encore tout petits dans son souvenir. Afin d'éviter un malaise de part et d'autre, elle refusa de quitter son refuge à l'intérieur de l'église, avant leur départ. Elle viendrait se recueillir, seule, sur la tombe de son Charles chéri une fois la foule retirée.

Désiré, lui, attendait dans sa voiture de l'autre côté de la rue. Il me fit signe de ne pas m'inquiéter. Toutefois, pendant qu'on descendait la bière dans la fosse, je fis du sang de nègre en songeant à ma pauvre sœur en train de prier et de pleurer, seule dans l'église. J'avisai discrètement Geneviève que Florence préférait éviter une confrontation avec le reste de la famille et qu'elle sortirait plus tard de l'église.

Tous devaient se retrouver ensuite dans un restaurant de la région. À mon étonnement, Geneviève avertit tout le monde qu'elle tarderait un peu avant de les rejoindre. Puis, accompagnée de la petite Juliette, elle accourut à la porte de l'église pour chercher celle qu'elle avait toujours appelée affectueusement «grand-maman». L'enfant, à la vue de son arrière-grand-mère éplorée, se jeta dans ses bras, suivie de près par Geneviève. Elles prirent Florence par la main et la menèrent sur la motte de terre sous laquelle dormirait Charles pour l'éternité. Elles pleurèrent longtemps, toutes les trois dans les bras l'une de l'autre, sans prononcer une parole. La nouvelle veuve se ressaisit la première.

«Florence, sur la tombe de mon mari, je vous fais le serment de ne jamais vous abandonner. Vous pourrez voir votre arrière-petite-fille Juliette aussi souvent que vous le désirerez. Je souhaite que nous restions amies, toutes les deux. Je ne pourrai jamais remplacer Charles, mais si vous voulez d'une petite-fille, je suis là... »

Florence fit signe que oui de la tête, mais resta enfermée dans le cloître du silence, la gorge étranglée par trop d'émotions.

Chapitre 56

Florence mit du temps à se remettre de la perte de Charles. L'absence du jeune homme créa un vide insoutenable. Chacun y mit du sien pour la distraire et la visiter plus souvent. Mais rien n'y faisait. Même Geneviève, elle-même aux prises avec son chagrin et son récent statut de veuve, réussissait rarement à lui arracher un sourire. Des rapports nouveaux se créaient pourtant. Les deux femmes s'étaient rapprochées, tissaient des liens plus serrés, se faisaient davantage de confidences. Petit à petit, la promesse de Geneviève prit forme, et une fleur se mit à grandir dans le cœur de Florence, une fleur d'amitié, de tendresse, de confiance entre une grand-mère dépossédée et une jeune femme convertie en petite-fille fidèle et aimante.

Il n'était pas rare que, lors de congés scolaires, Juliette passe quelques jours à Mandeville. Florence lui racontait des histoires, l'amenait au village, lui fabriquait une jolie robe ou concoctait avec elle des petits plats à congeler pour «ta maman qui travaille si fort». Florence vivait ces moments comme des éclaircies au milieu des intempéries.

Progressivement, les nuages finirent par se dissiper, et la vie reprit ses droits. Florence mit finalement un terme à son roman après l'avoir peaufiné, lu et relu des dizaines de fois. Le temps était venu de penser à la publication.

Elle n'avait pas réalisé que la maison d'édition

Richard Lévesque se consacrait exclusivement à la littérature pour la jeunesse et qu'on ne ferait pas d'exception pour éditer *Le Temps des orages.* Sur les conseils de Désiré qui s'y connaissait tout de même dans ce milieu, elle fit parvenir une copie du manuscrit aux cinq maisons d'édition les plus connues de la province. Chaque envoi était accompagné d'un bref résumé et d'une lettre explicite sur sa démarche d'auteure et son espoir réel de se voir publiée «*dans votre maison de si bonne réputation*».

Elle apposa sa signature non sans une certaine anxiété. En remettant son œuvre entre les mains des éditeurs, Florence se sentait vulnérable et impuissante. La créatrice, celle qui se prenait pour Dieu quelques mois auparavant, venait de rapetisser à la dimension humaine et se plaçait vertigineusement en position de dépendance au bon vouloir de parfaits inconnus, éditeurs de métier, qui assumeraient le risque de publier son ouvrage ou bien repousseraient ces deux années de travail éprouvant d'un indifférent revers de la main.

«À la grâce de Dieu», songea-t-elle en voyant Désiré s'acheminer vers le bureau de poste avec la pile de manuscrits. «Et advienne que pourra!» Si elle n'avait nullement songé à la publication durant la rédaction de ce roman, elle réalisait maintenant à quel point il lui importait de partager ses écrits avec des lecteurs. Elle ne pouvait pas concevoir avoir rédigé toutes ses pages pour elle seulement. Elle se comparait à ce chef cuisinier qui, chaque matin, inventerait une recette nouvelle, un plat fantastique sur lequel il travaillerait toute la journée. Mais le soir, personne ne se présenterait pour y goûter et l'apprécier. Il jetterait donc son chef-d'œuvre à la poubelle. Le lendemain matin, dévoré par l'inspiration, emporté par un nouvel enthousiasme et un élan irrésistible de créativité, il recommencerait un autre plat original. Hélas, chaque soir, le même scénario se reproduirait. Au bout de quelques semaines, ou bien le bonhomme cesserait ses activités, en toute rationalité, ou bien on le retrouverait à l'asile! La nécessité d'être lu faisait intrinsèquement partie de l'acte d'écrire, à part le journal intime couché sur le papier strictement pour soi-même.

Une fois son roman parti, Florence ressentit un grand vide. Il lui importait de se trouver un autre centre d'intérêt en attendant d'entreprendre son projet d'écrire l'histoire romancée d'Olivier. Pour le moment, elle avait besoin d'un répit, une coupure, non seulement pour l'activité d'écrire elle-même, mais pour interrompre le flot d'émotions dans lequel elle avait surnagé depuis des mois et des mois.

Toutefois, cette rétrospective sur sa propre vie lui avait fait grand bien. Elle se sentait à la fois épuisée et vidée, mais aussi plus légère, prête à affronter plus sereinement la vieillesse qui se pointait allègrement à l'horizon.

Le mercredi suivant, au moment de partir pour Montréal, Désiré lui jeta un coup d'œil espiègle.

«Mets-toi belle, aujourd'hui, ô mère. Tu as un important rendez-vous à onze heures, ce matin.

— Ah oui? Quel rendez-vous? Ne me dis pas qu'un éditeur a déjà accepté mon manuscrit, tu les as postés avant-hier!

— Non, non, il ne s'agit pas du tout de ça!»

Le fils, un reflet malicieux dans l'œil, refusa d'en dire davantage et mena sa mère directement chez Andréanne.

«Ben quoi? On va chez ma sœur? Et ce rendez-vous?»

Andréanne semblait au courant, vêtue de sa plus belle robe, maquillée, coiffée, parfumée, prête à sortir.

«Tu viens avec nous, Andréanne? Dieu du ciel, mais où s'en va-t-on?

— Eh! eh! Tu verras!»

Ils s'acheminèrent rue Saint-Denis, vers l'agence Ortour, spécialisée en voyages de tous genres pour les clients de l'âge d'or.

«Une agence de voyages pour les vieux? Qu'est-ce que je fais ici, moi, suis-je à ce point âgée? As-tu envie de m'envoyer à Vancouver, mon fils? Marie-Hélène vient le mois prochain. Ou au Mexique? Ah! non, pas au Mexique! Je n'ai absolument pas envie de retourner là-bas!»

Andréanne prit sa sœur par les épaules et la gratifia de son plus beau sourire.

«Que dirais-tu, ma Flo, d'aller en Europe avec moi? Après tout, on mérite bien ça, toutes les deux.

— Quoi? Nous deux ensemble en France? Je n'avais jamais songé à cela! Pince-moi, je dois rêver!

— En France, ou en Italie, ou... où l'on voudra! À nous de décider.

— Et je paye pour toi, maman! C'est mon cadeau pour tes soixante-quinze ans. Je suis un peu à l'avance, mais cela n'a pas d'importance.»

Désiré rayonnait. Depuis sa conversation avec sa mère sur le divan, le soir où ils avaient enfilé le litre de vin, il semblait méconnaissable, comme libéré d'un poids de mille livres. Plus ouvert, plus joyeux, plus abordable, plus volubile. À la maison, elle l'entendait monter les marches de l'escalier quatre à quatre en sifflotant, il lui parlait de ses manuscrits à corriger, il ouvrait la radio en arrivant, discutait des méfaits de la température, s'offrait pour essuyer la vaisselle, partait pour une randonnée à vélo. Désiré Vachon redevenait vivant, et sa mère n'en remercierait jamais assez le ciel.

«Assieds-toi là, la mère, madame Masson va s'occuper de nous.»

L'agente leur proposa différents tours organisés, huit pays en trois semaines ou un seul en quinze jours, «selon vos intérêts, votre forme physique et vos moyens financiers, mesdames». Les deux sœurs avaient le choix, discutaient, calculaient, dépliants éparpillés sur le bureau, offrant des tournées toutes plus alléchantes les unes que les autres.

Florence ne savait où donner de la tête. Andréanne, elle, avait eu le temps d'y songer et de se faire une idée. D'ailleurs, elle était l'instigatrice du projet et n'avait pas mis de temps à convaincre son neveu du bien-fondé de cette initiative. Elle ignorait, cependant, que Désiré avait contacté son cousin présentement en congé à Kingston.

Les deux femmes se branchèrent finalement pour un tour organisé d'une quinzaine de jours en France en incluant la ville de Paris, suivi de quelques jours, seules toutes les deux, dans le merveilleux village médiéval de Saint-Paul-de-Vence, histoire de se reposer un peu avant de retraverser l'Atlantique. Le départ fut fixé pour le début de juin. «Le plus beau mois pour voyager en Europe», avait spécifié madame Masson.

Les deux sœurs ne tenaient plus en place, riaient, s'exclamaient à tue-tête comme des adolescentes. Quand vint le moment de verser un montant d'argent pour les réservations, Andréanne sortit son sac à main à la recherche de son carnet de chèques. Désiré l'arrêta.

«Ce ne sera pas nécessaire, Andréanne. Olivier a déjà donné un dépôt pour ton voyage. Lui aussi te fait cadeau de cette aventure. Il veut, d'ailleurs, que tu l'appelles en sortant d'ici.

— Olivier? Comment ça, Olivier?

— On s'est arrangés, lui et moi.»

Andréanne se mit à larmoyer et à rire en même temps.

«Des plans pour me faire subir une crise cardiaque, Désiré Vachon! Et je t'en aurais tenu responsable!»

Les trois compères quittèrent l'agence de voyages

dans un gai tintamarre, sous l'œil attendri et quelque peu fané de madame Masson. Vieillir ne paraissait pas toujours dramatique, en fin de compte, devait-elle sans doute songer.

«Pour fêter ça», le groupe se retrouva au restaurant où les attendaient Marie-Claire et Geneviève qui en étaient déjà à leur deuxième apéro.

***

La préparation du voyage produisit une bienfaisante diversion dans la vie de Florence et lui permit d'oublier momentanément la perte de Charles et l'envoi de ses manuscrits. Elle se rendit à la bibliothèque pour rafraîchir ses connaissances sur l'histoire de France enfouies depuis belle lurette sous le couvert de l'oubli. Dire qu'elle avait commencé à enseigner cela à l'école du rang, il y avait des siècles! Puis, elle ressortit sa machine à coudre. Il ne serait pas dit que la petite dame de la campagne ne serait pas vêtue à la mode pour déambuler dans les rues de Paris, ma chère! Désiré participa aux préparatifs et à l'excitation du voyage.

«Tu devrais venir avec nous, Désiré!

— Moi, avec le Club de l'âge d'or? Jamais dans cent ans! Une autre fois, peut-être, j'irai seul avec toi, maman. On pourrait louer une voiture, tous les deux, comme des amoureux, et visiter la Suisse et l'Italie. Ou encore l'Espagne. Mais pour cette fois, pars donc tranquille avec ta sœur.

— Je considère cela comme le couronnement de toute une vie, tu sais. Tu ne pouvais me faire un plus beau cadeau. Je nous vois, Andréanne et moi, une paire d'inséparables, toujours unies pour le meilleur et pour le pire, partir ensemble à la conquête de la France. Dans ma vie, sans elle, je n'aurais pas tenu le coup, certains jours, je te jure. De partager ce voyage et de me retrouver dans le pays de nos ancêtres avec elle me procurent le plus grand des bonheurs. Je te dois mille mercis, mon fils.

— Tu me dois aussi mille grimaces, maman, pour mes bêtises. Mais aujourd'hui, j'essaye de me racheter un peu. Un tout petit peu, mais j'en suis fier. Parce que des mercis, moi, je t'en dois des millions! »

Chapitre 57

24 juin 1990

Ah! quel voyage! Et quel magnifique pays que la France, contrée de tous les paysages, pays de ports de mer autant que de montagnes aux neiges éternelles, pays de châteaux, de cathédrales flamboyantes, de villages au décor moyenâgeux, pays de Renoir, de Rodin et de Claudel, pays de Debussy et de Ravel, pays où l'histoire respire encore à chaque carrefour, pays de grandes villes fascinantes, Paris, Bordeaux, Lyon, mais aussi d'adorables petits patelins nichés au creux des montagnes, derrière la palissade ou au bord d'un lac, Chamonix, Carcassonne, Annecy... Pays de ma culture et de ma langue, pays de mes aïeux.

Ce que j'en ai appris, des choses! Florence, elle, m'a éblouie par sa culture. Où a-t-elle appris tout ça? Chaque jour, elle posait au guide des questions pertinentes et fort à propos, sous le regard admiratif des autres voyageurs du groupe. Des femmes pour la plupart, à l'exception de deux ou trois couples. Nous nous sommes fait des amies, avons partagé avec elles des moments extraordinaires, des bouffes orgiaques, des tournées mémorables dans les boutiques sans oublier nos séances de placotage ou de fou rire autour d'un demi-rouge sur les terrasses des bistrots. Un autre monde, un autre régime de vie, une autre planète. Et le bonheur... momentané, temporaire, dans un paradis artificiel trop loin de l'ordinaire, certes, mais si ardent, si intense. Le bonheur... enfin! À me couper le souffle. J'y ai mordu à belles dents.

Le soir, dans notre chambre en général minuscule et

vieillotte, je retrouvais ma grande sœur avec plaisir. Ma belle Florence rayonnante. Vivre en symbiose avec elle, vingt-quatre heures sur vingt-quatre, m'a comblée. Jamais je ne l'ai entendue autant rire, elle que j'ai tant vue pleurer. Ma sœur, tout à coup si différente... Nous échangions nos impressions de la journée, discutions sur nos visites, parlions de l'un ou de l'autre de nos compagnons, faisions nos commentaires en même temps que nous partagions la même salle de bain et parfois le même lit.

Cré Flo! Si pleine de vie, si emballée, si joyeuse quand elle se trouve loin des problèmes de sa vie, ces entraves traînées à la dérive depuis le commencement du monde! À croire qu'elle ne peut trouver le bonheur qu'à des milliers de milles de la maison rouge et de... son habitant! Quoique, ces dernières années, les choses semblent se tasser de plus en plus. Quand on commence à accepter ce que l'on ne peut changer...

Après notre tournée avec le groupe, nous avons pris le train pour Saint-Paul-de-Vence, perché au-dessus de Nice. Une charmante vieille maison de pierres grises nous attendait derrière le village, dans l'arrière-pays, pour cinq jours de repos bien mérité. Autour de la maison, des prairies couvertes de fleurs s'étendaient à perte de vue. Les tournesols, curieux, dressaient leurs têtes de géants. La lavande bleue et des milliers d'autres fleurs sauvages embaumaient l'air pur et doux. Un coin de paradis.

Nous avons pris un plaisir fou à acheter nos fruits et nos légumes au marché, notre fromage à la fromagerie, notre viande à la boucherie. En un rien de temps, nous avons attrapé l'accent provençal si chantant. Il faut dire que Florence s'y connaissait déjà après toutes ces années vécues auprès de Philippe Lamontagne. Pas une seule fois elle n'a évoqué le souvenir du peintre ni prononcé son nom. L'illustrateur semble bel et bien enterré dans le cœur de ma sœur.

À part avoir levé nos verres à plusieurs reprises à la santé de nos fils, artisans de cette merveilleuse aventure, rien de notre univers habituel et quotidien, rien de nos préoccupa-

tions, rien de nos souvenirs ou de nos aspirations n'a trans-
piré. Nous nous trouvions ailleurs, nous vivions autre chose,
il n'était pas question de traîner de boulet à nos pieds. Voilà
le côté magique et bénéfique d'un voyage : oublier et se régé-
nérer pour envisager la réalité plus facilement par la suite.

Un matin, je me suis réveillée en sursaut et ai constaté
l'absence de Florence dans notre chambre. Instinctivement,
j'ai jeté un regard par la fenêtre. Sans doute était-elle partie
marcher, au petit matin, en attendant que sa paresseuse de
sœur ne daigne ouvrir un œil. Je l'aperçus, debout, dans le
champ de coquelicots derrière la maison. Je ne sais combien
de fois, cette semaine-là, elle en a fait le tour ou l'a scruté du
haut de notre fenêtre.

Cette fois, elle s'y trouvait, là, en plein soleil, toute seule
au beau milieu du pré, revêtue de sa longue robe bleue.
Étrangement, je l'ai vue se mettre à genoux. Était-ce pour
prier ou pour admirer les petites fleurs rouges de plus près, je
l'ignore. Mais cette image si émouvante de ma sœur dans la
lumière, cheveux au vent, agenouillée au milieu d'un champ
de coquelicots, restera gravée dans mon esprit jusqu'au fin
fond de l'éternité.

Chapitre 58

Le retour au bercail de Florence s'avéra plutôt ardu. Sur le bureau de sa chambre s'empilaient les cinq copies retournées du manuscrit envoyées plusieurs semaines avant son départ. La poste les avait toutes ramenées durant son absence, accompagnées d'une lettre de refus, polie et désolée. Elle n'en croyait pas ses yeux.

On refusait le deuxième roman de l'auteure d'un best-seller! Les raisons restaient à peu près les mêmes de la part de chacun des éditeurs. «*Écriture excellente mais sujet trop périlleux...*», «*La pédophilie reste répugnante et n'accrochera pas le lecteur...*», «*Roman bien construit, personnages plausibles mais sujet insuffisamment vendeur...*», «*Notre créneau de lecteurs préfère les histoires d'amour qui finissent bien...*», «*Les grandes qualités de ce roman ne surpassent pas l'horreur du sujet...*»

Florence sentit la colère s'emparer d'elle. Une colère titanesque, insurmontable. Bande d'hypocrites! Comme si la pédophilie n'existait pas! Comme si des gens n'avaient pas à vivre avec ça! Ces éditeurs préféraient se mettre la tête dans le sable et se faire croire que tout allait pour le mieux dans le meilleur des mondes. Ces autruches n'arrivaient pas à la hauteur de leur fonction. Littérature, miroir d'un peuple, hein? Littérature, porte-parole de la société, expression d'une culture, d'une réalité, hein? Et elle avait cru cela, la naïve! Parler des vraies choses de la vraie vie... Balivernes! Les éditeurs s'en contrefichaient! Seul l'argent les obsédait! Rien de plus!

Elle lança tous les manuscrits par terre, un à un. Jamais Désiré n'avait vu sa mère dans un tel état. Il se demanda si c'était la colère ou la douleur qui la faisait agir de la sorte. Il avait tant espéré la voir revenir de voyage sereine et détendue.

«Calme-toi, maman, voyons! Il faut essayer ailleurs, voilà tout! C'est simple: on n'a pas choisi les bonnes maisons d'édition. Un grand nombre d'auteurs ont vécu cela, tu sais...

— Qu'attendent-ils donc de la part des auteurs, tes chers éditeurs? Qu'ils se limitent à écrire strictement les guili-guili qui vont faire sonner leurs caisses enregistreuses? Quand un écrivain décide de parler des vraies affaires, ils lui mettent des bâtons dans les roues au cas où ça ne rapporterait pas assez gros? C'est scandaleux! Le droit de s'exprimer me semble pourtant fondamental. Et ils sont subventionnés avec l'argent du peuple, ces gens-là, non? Dans quelle société vit-on? On veut se leurrer, ne lire et ne connaître que le beau côté de l'existence? Et la réalité, alors? Et la vraie vie?

— Les maisons d'édition ont un budget à boucler, elles doivent vendre le plus grand nombre de livres possible pour pouvoir subsister. Et la concurrence s'avère féroce, ne l'oublie pas, maman.

— Et ils pensent qu'ils vont faire avancer la société de cette manière? La prise de conscience, le questionnement après la lecture d'un roman, ils s'en contrefoutent?

— Là n'est pas leur rôle et leur but premier, tu le sais bien! Ce sont avant tout des maisons d'affaires. Des compagnies. Bien sûr, certains livres expriment des idées et suscitent la réflexion. Mais la réflexion n'intéresse pas tout le monde. Pas tellement les lecteurs de romans populaires en tout cas! Pour la plupart des gens, la lecture représente un passe-temps et un simple loisir. Ils n'ont pas envie de se casser la tête, vois-tu, ils recherchent la belle histoire qui va les amuser et les distraire de leur vie déjà assez dure. Ils n'en ont rien à foutre de réfléchir aux problèmes de l'humanité. Surtout la pédophilie! Ils refusent de devenir sérieux ou tristes, condescendants, philosophes ou juges. Les lecteurs cherchent bien plus l'évasion que l'introspection, quoi que tu en penses.

— Mais la pédophilie, ça existe! Et la drogue, la violence, la prostitution sont des réalités. Il se trouve des malades sur les lits d'hôpital mais aussi des prisonniers dans les pénitenciers. Et la fraude, l'injustice, le crime, le laxisme, tout comme la maladie, l'aliénation et la perversion constituent une part du pain quotidien dont se nourrit notre monde d'aujourd'hui. Si les écrivains, même les romanciers, ne peuvent souligner ces problèmes-là et les creuser à fond, qui d'autre en parlera? Comment y trouver une solution si on en fait le déni? Oui, les belles histoires d'amour existent... le soleil aussi! Les jolies vacances, les beaux enfants, les grandes réussites et les coquelicots se retrouvent sur la planète, mais de temps à autre, crois-moi, il est nécessaire que l'humanité se regarde elle-même dans le blanc des yeux. Tout n'est pas que rose ici-bas...

— Tu n'as pas tort, maman, mais tu n'as pas à prendre sur tes épaules tous les maux de l'humanité. Nous trouverons un autre éditeur avec une conscience sociale plus développée, voilà tout. Il suffit de s'armer de patience. Au fait, tu ne m'as jamais dit de quoi parlait ton roman... Le titre me semble pas mal récalcitrant. *Le Temps des orages...*»

Pour rien au monde Florence n'aurait confié à son fils le sujet de son ouvrage. Surtout pas à lui! Il l'avait bien interrogée à quelques reprises, mais n'avait obtenu que de vagues réponses.

«Tu le liras quand il existera sous forme de livre, pas avant!»

Ce mutisme lui avait mis la puce à l'oreille. Il s'était permis d'insister.

«Il raconte l'histoire d'un pédophile, je suppose?

— Oui... mais il parle moins du pédophile que de sa mère et de son cheminement personnel à travers ce problème, si tu veux savoir.

— À travers ce calvaire, tu veux dire! Ainsi donc, ton roman traite de notre histoire?

— Pas la tienne, Désiré, mais plutôt la mienne. J'ai changé les noms, inventé des personnages, créé des situations nouvelles qui n'ont jamais eu lieu. Personne ne t'aurait jamais reconnu, je t'assure. Mais à la base, ce roman traduit une réalité qui m'appartient, certes, mais qui existe sûrement en dehors de nous. Je me disais qu'un jour, à l'âge adulte, mes petits-enfants inconnus mettront peut-être la main sur ce livre et comprendront pourquoi leur grand-mère a choisi son fils plutôt qu'eux...

— As-tu vraiment choisi, maman?

— Non, à bien y penser! Mais si j'avais eu à choisir, je ne t'aurais jamais abandonné, Désiré... J'ai plutôt subi tout cela, en réalité, et j'ai composé avec! Je peux jurer avoir fait de mon mieux et donné le meilleur de moi-même dans toutes les circonstances. Au bout du compte, j'ai écouté mon cœur à chacun des jours de ma vie.

— Tous les humains ne peuvent se vanter de cela!»

Dérouté, Désiré ne savait quoi ajouter, lui, le responsable de cette vie de souffrance. Il prit sa mère dans ses bras et la sentit encore raidie par la colère.

«Calme-toi, maman.

— Rends-moi service, Désiré, allume un petit feu de camp sur le sable, au bord de l'eau.

— À cette heure? Sur la plage, devant le motel?

— Nous possédons un droit de passage. On peut

bien se servir de la plage, pour une fois. Elle nous appartient encore un peu, non? Il est deux heures du matin, ça ne dérangera personne.

— Pourquoi allumer un feu de camp à une heure aussi tardive? Tu veux absolument me raconter ton voyage à côté d'un feu de camp? Une bouteille de vin avec ça?

— Il ne s'agit pas de cela. Je te conterai mes péripéties plus tard. Pas avant d'avoir terminé ce que je veux accomplir. »

Effaré, le fils vit sa mère jeter dans le feu chacune des pages de l'un des manuscrits. Puis procéder de la même manière pour les autres. Il bondit sur ses pieds.

« Ah, non! Tu ne vas pas tout brûler? Ne fais pas ça, tu vas le regretter. Tu n'as pas le droit d'abdiquer aussi rapidement. Il faut tenter ta chance ailleurs, essayer avec d'autres éditeurs. Si je me fie à ton premier roman, il s'agit peut-être là d'un chef-d'œuvre. J'ai confiance en ton talent, moi! Tu aurais dû me le faire lire, ce maudit manuscrit!

— Chef-d'œuvre mon œil! Ma vie n'intéresse personne! Aussi bien la réduire au silence comme je l'ai toujours vécue. La lumière de ces mots aura au moins éclairé une partie de ma vie. Récemment, la rédaction de ce manuscrit m'a permis de voir clair en moi et de faire le point. Ce soir, on en est à la délivrance.

— Ne dis pas ça, maman...

— Et si, une fois tout ça brûlé, Désiré, je renaissais de mes cendres à soixante-quinze ans, hein? Si je recommençais une vie nouvelle d'une autre dimension, un petit bonheur calme et sans histoire pour les années à venir? Si je soufflais un peu, pour le temps qu'il me reste à vivre? Je pourrais peut-être finir par m'éteindre doucement comme s'éteindra ce feu, à la première lueur du jour.

— Maman, laisse-moi lire le dernier manuscrit avant de le jeter au feu. S'il te plaît...

— Non, Désiré, personne ne le lira. Surtout pas toi!
Ce silence m'appartient. À moi seule. Personne ne veut
de moi et de mon histoire? Alors, laisse-moi la détruire.
Respecte au moins cette liberté.»

Désiré finit par accéder au désir de sa mère et
l'aider à lancer dans les flammes, une à une, les pages
de sa vie. Le feu se mit à monter bien droit dans la nuit
étoilée de Mandeville. Le feu de l'oubli, le feu du
silence. Peut-être bien la mort du silence.

À un moment donné, il s'arrêta net et se tourna
vers elle.

«Dis-moi au moins comment se termine l'histoire
de ton roman.»

Elle vit qu'il pleurait, mais hésita tout de même à lui
répondre. Il insista.

«C'est important pour moi de savoir si ce récit finit
bien, maman, même si tu m'empêches de le lire. Essaye
de comprendre cela...

— Ça se termine très bien, Désiré.

— Dis-moi comment, dis-moi au moins comment!

— La mère et le fils connurent des années heureuses et sans histoire dans leur chaumière aux auvents
bleus, sur le bord de la rivière. Quand elle tomba
malade, il prit soin d'elle jusqu'à la fin.

— Rien de plus?

— Rien de plus... Quoi d'autre pourrait se produire au terme d'une telle vie?»

Chapitre 59

9 août 1995

Voilà! Mes petits plats sont prêts à congeler. C'est Florence qui va se montrer contente : deux contenants de veau marengo, un de bœuf bourguignon, un autre de poulet aux amandes, et trois tartes aux pommes. Après tout, il faut bien la gâter, ma grande sœur, de moins en moins mobile et habile de ses mains à cause de l'arthrite. Désiré fait bien de son mieux dans la cuisine, mais, hum! la nature ne l'a certainement pas doué pour les arts culinaires! Chaque soir, je remercie le ciel de ne pas souffrir d'un mal de vieux, moi qui suis Florence d'un an et demi à peine. Loin de nous les maladies débilitantes et autres, arthrose, sclérose, lordose, scoliose, cirrhose, Parkinson, Alzheimer et compagnie!

Demain, Désiré viendra me chercher et je vais passer quelques jours avec elle, comme on l'a fait souvent, ces dernières années. Je nous vois déjà, assises toutes les deux dans nos berceuses, savourant notre tasse de thé sur la galerie d'en avant. Sans nous le dire, nous regretterons une fois de plus de ne pouvoir jeter un œil sur le lac comme autrefois. Mais qu'importe! Notre vue est moins bonne, on n'y verrait sans doute rien.

Désiré a placé des jardinières et des bacs à fleurs autour du balcon et y a semé des pétunias et des géraniums. Ça sent bon et les couleurs sont magnifiques. Maintenant qu'il a pris sa retraite, mon neveu s'est converti en jardinier et homme à tout faire. Il n'y a pas à dire, il se montre aux petits soins pour sa mère. Évidemment, l'essentiel pour lui est de rester sage, loin des tentations. Dieu merci, il tient bon! À moins que cela ne m'ait échappé, on ne lui a plus connu de mésaventures dans le genre de celle d'Acapulco. Il poursuit toujours son bénévolat à l'hôpital et je trouve cela rassurant et de bon augure.

Florence, devenue ermite, écoule ses journées à lire et à écrire. Je lui envie ce don d'écrire. Moi, je m'exerce encore sur le piano, mais je commence à manquer de souplesse. Les heures paraissent interminables quand on vieillit. J'ai appris à jouer au bridge et participe maintenant à un club de débutants près de chez moi, histoire de rencontrer des gens et de passer le temps.

Selon ma sœur, je devrais m'acheter un ordinateur. Peuh! très peu pour moi! Ces machines-là me paraissent trop compliquées, je n'ai plus envie de me casser la tête. Par contre, je pourrais communiquer directement avec Olivier en Indonésie à n'importe quelle heure du jour ou de la nuit, d'après elle. Hum... je vais y penser. Florence, elle, se sert tous les jours de l'ordinateur offert par son fils. Non seulement elle pianote allègrement ses écrits sur le clavier, mais elle dit naviguer sur Internet. Moi, je n'y comprends rien! Je n'en reviens pas de la voir manipuler aussi facilement le petit dispositif muni de boutons et comiquement appelé souris. Une vraie habileté de jeune fille!

Elle a finalement renoncé à écrire l'histoire romancée d'Olivier. Avec le refus du Temps des orages, Florence n'a pas persévéré dans sa recherche d'un éditeur. L'ère des romans pour adultes s'est éteinte définitivement. Elle n'en aura écrit qu'un seul, au bout du compte, mais pas n'importe lequel: un succès en librairie, ma chère, mais dont l'édition semble épuisée depuis belle lurette. Elle se contente maintenant de composer de loin en loin quelques poèmes ou des contes pour enfants. Son intérêt semble amenuisé, même si, dernièrement, elle a appris qu'un arrière-petit-fils venait de naître à Vancouver. Eh oui! notre Lili, un an à peine après son mariage, a rendu Marie-Hélène grand-mère et mis au monde un gros garçon éclatant de santé. Florence a vaguement parlé d'un autre recueil de contes pour le petit, mais elle remet continuellement son projet au lendemain. La prochaine visite de la nouvelle grand-mère rayonnante, en compagnie de Lili et du bébé, prévue pour l'automne prochain, va peut-être la stimuler.

À bien y penser, ma sœur, bien entourée, écoule des jours paisibles. Marie-Claire lui rend visite presque chaque semaine. La veuve de Charles, Geneviève, et sa fille Juliette ne manquent pas, non plus, de venir assez souvent passer quelques jours dans la maison rouge. L'arrière-grand-mère se sent comblée. Brillante élève dans un collège de Montréal, l'adolescente de quinze ans rêve de devenir ingénieure comme sa mère et son père. Mais les garçons tournent déjà autour d'elle. Espérons qu'ils ne lui feront pas changer d'idée.

Restent les grands absents dont on ne parle guère. Nicole et Isabelle vieillissent de leur côté auprès de leurs familles. Isabelle a réussi à vaincre son cancer, mais elle reste fragile et vulnérable, davantage émotionnellement que physiquement. Tant pis pour elle, elle n'avait qu'à fréquenter normalement sa mère, elle y aurait trouvé une source inépuisable de force et de consolation.

Quant à mon fils Olivier, toujours marié à sa chère Katherine, il coule des jours heureux, décoré, médaillé, galonné et sans cesse monté en grade par l'armée. Mais quand il prendra sa retraite, il devra se contenter de ses trophées, de ses rubans et de ses médailles, car nul enfant ne viendra l'embrasser, nul fils n'ira à la pêche avec lui, nulle petite-fille ne jouera du piano pour lui.

Ainsi va la vie... Avec l'âge, Florence et moi nous ressemblons davantage, d'après les dires. La blonde et la brune sont devenues grises... et frileuses! Et nos visages égratignés par le temps ont pris le même teint brouillé. Mais les regards restent lumineux, ils pétillent toujours sur les petits bonheurs, s'embrasent à la vue des êtres chers, savent encore contempler le beau et farfouiller à la recherche du bon. Puissent-ils demeurer flamboyants pendant de nombreuses années encore...

Chapitre 60

La vie suivit son cours, parfumée aux odeurs de la campagne. La lumière persista au-dessus des eaux dormantes du lac Mandeville. Florence et son fils goûtèrent enfin des années de paix. Mais le silence des absents demeura toujours insupportable pour Florence. L'espérance d'une réconciliation avec ses filles resta pour elle à l'état de rêve, comme une petite flamme allumée dans le coin le plus secret de son être. Nul orage ne réussit à la souffler définitivement. Elle emporterait avec elle, dans l'autre monde, ce rêve jamais réalisé, comme un stigmate de la dure condition humaine.

La venue de l'an deux mille engendra des célébrations un peu partout dans le monde. La maison rouge n'y échappa pas. Désiré organisa une grande fête et réussit à réunir tous leurs proches. Même Olivier et sa femme, et Marie-Hélène et les siens, se joignirent au petit groupe. Le champagne coula à flots, autant pour souhaiter à chacun un heureux millénaire que pour souligner les quatre-vingt-cinq ans qu'atteindrait Florence au cours de cette année-là. La vieille dame se montra joyeuse, accepta de danser avec son fils, se pencha avec émotion sur les deux enfants de Lili, et ne donna pas sa place pour savourer quelques verres de champagne.

À la fin de la fête, cependant, elle ne put s'empêcher de verser quelques larmes au moment du départ de chacun, comme si elle appréhendait secrètement de voir ces chaleureux «au revoir» prendre la tournure d'adieux. Incertitude des lendemains, denrée amère dont les vieux se nourrissent au quotidien, mais peut-être aussi pressentiment...

Le premier hiver du millénaire parut long à Florence, et elle vit surgir le printemps avec soulagement. Enfin, elle pourrait sortir à l'extérieur, humer l'air frais, entendre le chant des oiseaux, sentir encore une fois la caresse du vent sur son visage.

Un jour, Juliette arriva à Mandeville sans s'être annoncée. Elle tenait à bout de bras un énorme bouquet de roses rouges qu'elle remit à Florence et accompagna d'un baiser.

«Toutes mes félicitations, arrière-arrière-grand-maman!

— Comment cela?

— Tu as un arrière-arrière-petit-fils ou petite-fille en marche...

— Quoi?

— Je suis enceinte, et tu es la première à l'apprendre. Ta cinquième génération a commencé à germer.

— Oh là là! Quelle bonne nouvelle! Mais j'y songe, Juliette... Qui est le père? T'es-tu mariée en cachette, *coudon*?

— Non, grand-maman. Les choses ont changé depuis ton temps. On ne se marie presque plus de nos jours. À vrai dire, cette grossesse est un accident... et je ne suis pas particulièrement amoureuse du père.

— Si je comprends bien, cet enfant aura une mère célibataire de dix-neuf ans et pas vraiment de père!

— Peut-être ferais-je mieux de me faire avorter?»

La jeune fille se mit à larmoyer. Cette grossesse non désirée l'avait prise au dépourvu et de l'annoncer avec éclat à son arrière-grand-mère l'officialisait en quelque sorte. Elle avait envisagé l'idée d'un avortement mais y avait renoncé après mûre réflexion. Par respect de la vie. Et parce qu'elle aimait déjà ce petit être qui grandissait dans le secret de son ventre.

«Garde ton bébé, Juliette! Je ne pourrais te donner meilleur conseil. Mais, dis-moi, qu'en pense ta mère?

— Je ne l'ai pas encore mise au courant. J'espérais te voir sauter de joie et trouver en toi une alliée pour le lui annoncer. »

Florence pria Juliette de s'asseoir en face d'elle et s'empara de ses mains avec le sentiment qu'il lui fallait sauver l'enfant à tout prix. Cette fois, elle ne commettrait pas d'erreur, et on ne pourrait pas l'accuser de déni ou de naïveté. On ne lui reprocherait pas son silence. Ah non! Elle n'allait pas se taire, imbue de la mission de convaincre son arrière-petite-fille de préserver la vie de son enfant.

«Mais je suis ton alliée, ma chérie! Viens, je vais te parler, je vais te raconter toute ma vie. Un jour ou l'autre, ce moment devait bien arriver. Ce sera mon legs...»

Florence sembla ne plus pouvoir s'arrêter. Elle lui raconta tout, à partir du premier jour où elle avait entrevu Adhémar Vachon dans son magasin général de Saint-Charles jusqu'à aujourd'hui, sans négliger aucun détail sur les écarts de conduite de Désiré. Ah! rompre le silence, enfin! Et laisser la vérité, sa vérité à elle, éclore dans le cœur de la jeune fille en plein jour, comme le papillon sort du cocon en dépliant les ailes.

Cette rétrospective de sa vie lui causa une vive émotion. Elle avait l'impression de lui déclamer son manuscrit brûlé, sur la plage, une certaine nuit. Elle frissonna et réclama son châle. La vie s'était acharnée à abîmer ses propres ailes, même si elle avait réussi à survivre à tous les orages. Elle croyait encore au bonheur, elle avait appris que le pardon accomplit des miracles, qu'on ne doit jamais cesser de cultiver l'espoir, même dans les pires tempêtes. Florence Vachon n'avait jamais cessé de grandir.

«Moi aussi, ma fille, j'ai songé à l'avortement à l'âge

de dix-huit ans. Désiré a failli ne jamais venir au monde. Mais comme toi, j'ai rejeté cette solution et j'ai tout fait pour lui sauver la vie. J'ai épousé un homme qui ne l'a jamais aimé. On a dû te renseigner grosso modo, Juliette, sur les erreurs de ton grand-oncle Désiré et sur leurs conséquences sur notre famille, mais on a dû passer très vite sur la violence dont il a fait l'objet durant son enfance.

— Je ne l'ai jamais mal jugé, grand-maman. J'ai plutôt essayé de comprendre sans connaître le fin fond de l'histoire.

— Il s'est bien rattrapé, mon fils! Sans sa présence, je serais restée toute seule au monde une grande partie de ma vie. Sans ses encouragements, je n'aurais probablement jamais publié de livres. Sans lui, ma vieillesse s'écoulerait depuis quinze ans dans un hospice. Désiré s'est largement racheté pour ses bêtises, crois-moi. Bien sûr, la présence de Philippe se serait peut-être prolongée jusqu'à maintenant...

— Tu n'as jamais regretté la rupture avec cet artiste, grand-maman?

— Quand j'ai vu de quelle sorte d'homme il s'agissait, je ne l'ai pas pleuré très longtemps. Je n'aurais pas fait long feu avec lui, sans doute.

— Le père de mon bébé ne m'enchante guère, non plus.

— Ne t'avise jamais d'épouser le géniteur uniquement pour sauver la face comme je l'ai fait! Que mon expérience te serve de leçon. Donne-toi le temps, ma fille, tu en as tellement devant toi! Un jour, l'amour passera et tu le saisiras. Mais garde ton bébé, et aime-le très fort. Il a droit à la vie. »

Juliette écoutait religieusement, sidérée par la saga mouvementée de son arrière-grand-mère dont elle avait ignoré une grande partie. Elle fit un signe d'assentiment de la tête, en reniflant. Quelle histoire pathétique!

Florence se sentit épuisée mais satisfaite d'avoir déversé dans le cœur de son arrière-petite-fille les eaux agitées de son héritage. Au moins, quelqu'un dans sa lignée connaissait maintenant son histoire. Puisse la belle enfant, représentante de tous ses autres descendants, en tirer des leçons de vie. Tel était son testament spirituel. Elle se moucha bruyamment, puis posa sa main glacée sur le ventre de la jeune femme.

«Et c'est pour quand, ce précieux trésor?

— Pour décembre.

— J'ai hâte de le prendre dans mes bras... si j'en suis encore capable!

— Mais oui, grand-maman, tu en seras capable, voyons!»

Florence se renversa sur son fauteuil, le souffle court. Ainsi sa vie se perpétuerait encore une fois. Au fond, elle ne cesserait jamais de vivre puisqu'à travers ses descendants, les grands et les petits, les proches et les lointains, les connus et les inconnus, les bons et les mauvais, non seulement son souffle de vie et une partie de ses gènes continueraient de palpiter dans leurs cellules, mais, surtout, les valeurs auxquelles elle avait tenu durant toute son existence, celles de l'amour et du respect de la vie. Celles du pardon aussi...

***

Quelques semaines après la visite de Juliette, Désiré trouva Florence inconsciente, par terre, à côté de la table de la cuisine. Il tenta de la ranimer, la secoua, détacha ses vêtements, l'aspergea avec de l'eau froide. Rien n'y fit. Quelques minutes plus tard, une ambulance la transportait à l'hôpital où le diagnostic explosa comme un coup de tonnerre sur la vie de la mère et du fils : accident vasculaire cérébral, paralysie partielle d'un côté, aphasie irréversible. L'orage était revenu. Si elle survivait, Florence serait confinée à la chaise roulante et demeurerait incapable de parler. Le silence, dans sa cruauté, venait de se refermer sur elle. La boucle était bouclée.

Elle garda sa lucidité jusqu'à la fin et s'éteignit paisiblement entre les bras de son fils et dans la quiétude de la maison rouge, quelques mois plus tard, une dizaine de jours avant la date prévue pour l'accouchement de Juliette.

Épilogue

20 décembre 2000
Ma sœur Florence n'est plus. Elle vient d'accomplir son dernier pas sur le dur chemin du silence. Encore une fois, il aura remporté sa cruelle victoire. Tant d'orages et tant de rayons de soleil ont surgi depuis les événements qui ont scindé sa famille. Ces dernières années, elle et moi n'avons plus reparlé de cette période noire. Les non-dits sont devenus à la longue un espace dense et inviolable entre nous. S'il a contenu certains regrets et d'anciennes blessures mal cicatrisées, ce silence n'aura pas réussi à nous séparer. Nous sommes restées, malgré tout, des sœurs et des amies unies par nos souvenirs, nos souffrances, nos petits bonheurs mais aussi nos solitudes.

Toute la nuit, veille de l'enterrement, la pluie a fouetté les vitres, et le vent n'a cessé de hurler aux fenêtres des maisons comme s'il s'affairait à secouer les démons de la mort, ces loups-garous avides de s'emparer de l'âme des défunts. On n'aurait pu imaginer un temps plus lugubre pour des funérailles.

Aux premières heures du matin, dans le cimetière perdu dans le brouillard, derrière le presbytère de Saint-Didace, nous nous sommes rassemblés autour de la fosse creusée devant la pierre tombale de la famille Coulombe. Après le service funèbre, aucun de nous ne s'est attardé sur le perron de l'église, trop pressé de franchir, l'un derrière l'autre, le grand portail sur lequel le Requiescant in Pace *gravé dans le fer forgé disparaissait sous la rouille. Bousculés par la rafale, nous tenions à peine sur nos pieds enfoncés dans la boue. « Un vent à écorner les bœufs », aurait pu clamer l'un des gendres de la* morte. *Mais aucun gendre ne s'est déplacé pour lire l'épitaphe:* Florence Vachon, née Coulombe, 1915-2000.

J'ai resserré mon collet en songeant que la nature manifestait sans doute son désarroi de voir une âme aussi seule s'envoler vers le néant. Et quand la bourrasque a failli virer mon parapluie et me faire perdre pied, je me suis mise à frissonner en m'appuyant désespérément sur ma canne. Personne n'a songé à me soutenir. Les autres personnes présentes restaient impassibles et sans voix, les yeux fixés sur le trou creusé dans la terre comme une blessure ouverte qui allait se refermer bientôt pour engloutir, en quelques minutes, quatre-vingt-cinq ans de vie. Dans une heure, ma sœur ne serait plus qu'un souvenir. Un silence éternel... Et la prochaine fois, ce sera mon tour! ai-je songé, de nouveau secouée par une toux sèche et caverneuse.

Mon neveu Désiré, le fils de la défunte, se tenait à l'écart, le visage défait et baigné de larmes. Personne ne lui a adressé la parole. Existe-t-il, de toute manière, des mots pour le consoler de la perte de l'unique amour de sa vie? Ce fidèle amour maternel, reçu sans failles jusqu'à la fin? Pauvre bonhomme... Un bon diable, au fond. Réalise-t-il à quel point il a brisé la vie de sa mère? Il la lui doit, cette vie, pourtant. Et bien plus encore! Il lui doit d'avoir marché la tête haute durant la majeure partie de son existence. Il lui doit la liberté.

Ah! comme sa mère va lui manquer, à ce cher neveu! Le sourire bienveillant de Florence lui faisait retrouver la dignité de sa jeunesse. Ne fût-ce qu'une illusion, je sais qu'il a toujours éprouvé la nostalgie de ces temps lointains où ses sœurs jetaient encore sur lui un regard normal, dépourvu de haine et de méfiance. Il s'est pourtant racheté, le pauvre. Lui seul a pris soin de sa mère jusqu'à la fin. Mais il devra payer pour ses bévues jusqu'à la fin de ses jours. Les humains ont la mémoire longue... En trente-cinq ans, Désiré a vieilli de cent ans. Ces pas hésitants, cette barbe blanche, ces cheveux hirsutes, ce regard vert, liquide et effaré, lui donnent des allures de gourou. Mais le gourou n'en a jamais mené très large dans sa vie personnelle, ni ici ni ailleurs, même s'il a connu des jours de gloire, durant quelques années, grâce à son travail prestigieux dans l'anonymat de Montréal.

Les autres silhouettes restaient penchées dans la tourmente, dans l'attente silencieuse du convoi. J'ai ressenti une bouffée de tendresse pour mon fils Olivier, bel homme mûr, solide et accompli, irréprochable dans son uniforme de colonel. Ma fierté, enfin! Il tenait une rose blanche à la main, sans doute le symbole de son ultime pardon à sa tante pour son silence d'autrefois. Moi-même, j'ai déposé sur la poitrine de ma Flo quelques cahiers de musique avant qu'on ne referme la boîte qui l'emporterait.

Une autre silhouette difforme chancelait, appuyée sur sa tante Marie-Claire. Juliette, arrière-petite-fille de la morte, tenait son ventre à deux mains, comme si elle avait l'intention, dans un dernier sursaut, de présenter à son aïeule le bébé qu'elle mettra au monde d'un jour à l'autre, le premier enfant de la cinquième génération que Florence ne connaîtra jamais...

À part ma nièce Marie-Claire, dévorée de chagrin, aucune autre fille de ma sœur, aucun de ses petits-enfants et arrière-petits-enfants, aucun cousin ou cousine n'a assisté au service funèbre. Même Geneviève n'a pu se libérer. Florence est partie seule comme elle a vécu la fin de sa vie, malgré la foule qui aurait dû l'entourer. Elle aura payé cher les folies de son fils. Trop cher...

Une branche à moitié cassée, la nuit dernière, n'a cessé de frapper contre ma fenêtre. S'agissait-il de Florence venue me retrouver pour s'agripper à moi? Pour me parler encore? Pour implorer une dernière fois ce pardon que sa famille lui a refusé? Comment a-t-elle pu partir en paix sans serrer les siens dans ses bras au moins une fois, une seule fois? Que Dieu pardonne leur cruauté. Ma sœur était une sainte. Elle mérite enfin le repos éternel.

En voyant le curé traverser le portail à la hâte, suivi du corbillard, j'ai sourcillé. Un inconnu marchait lentement derrière le convoi. Quand il a relevé la tête, à la vue de son *teint bistre et de ses yeux légèrement bridés, j'ai compris qu'il s'agissait de Nick, le petit-fils de Florence venu de Vancouver pour faire ses adieux à sa grand-mère. Il s'en trouvait au moins un! Fébrile, j'ai accueilli celui qui, sans le savoir, portait sur ses épaules, ce jour-là, le poids de l'indifférence de tous les autres. Il pressait un livre sur sa poitrine comme s'il s'agissait d'une relique précieuse.*

Il s'est approché de moi et, sans dire un mot, a ouvert le recueil de contes à la première page en protégeant de la pluie, avec sa large main, la dédicace de sa grand-mère.

Je t'aime, mon petit Nick, je vous aime tous sans exception, chacun de mes enfants, de mes petits-enfants et tous les autres qui viendront. Je vous aimerai toujours, même au-delà de l'Au-delà.

Florence

Ironie du sort, ma sœur, qui n'a connu que la misère, a accompli son ultime voyage en Cadillac. Je lui devais bien ça! Bien plus, quatre porteurs luxueusement vêtus se sont occupés de la transporter. Mais leurs mines affligées n'étaient qu'hypocrisie et mise en scène. Personne d'autre que nous six ne se sentait triste, ce matin-là. Les sans-cœur pouvaient bien rester couchés, nous seuls avons sincèrement aimé Florence. Et nous seuls avons le droit de pleurer le départ de la femme la plus belle, la plus merveilleuse de la terre.

Les croque-morts ont descendu le cercueil jusqu'au fond du trou, et le curé, dissimulé sous son parapluie, a précipitamment jeté quelques gouttes d'eau bénite vite dissoutes dans la pluie torrentielle. Florence nous a quittés sous l'orage. Olivier a lancé sa rose et effectué un salut militaire. Nick s'est brusquement éloigné. Marie-Claire, Juliette et moi avons réprimé un sanglot. Désiré, lui, n'a pas bronché. Puis notre petite troupe a rapidement repris le chemin du retour, les uns serrés contre les autres. Une famille...

À l'autre bout du cimetière, le vent agitait furieusement

le roseau planté près du caveau du docteur Vincent Chevrier. Sur le déclin du jour, la croix blanche érigée sur le dessus étend son ombre jusqu'au-dessus de la fosse de la famille Coulombe où repose ma sœur.

Avant longtemps, la faucheuse tranchera aussi le fil de mes jours. D'un silence à l'autre, je sais que ma sœur m'attend dans ce lieu d'où on ne revient plus, mais où l'amour embrase les jours à l'infini. Ce lieu de lumière...

DISTRIBUTEURS EXCLUSIFS

Distributeur pour le Canada et les États-Unis
LES MESSAGERIES ADP
MONTRÉAL (Canada)
Téléphone: (450) 640-1234 ou 1 800 771-3022
Télécopieur: (450) 640-1251 ou 1 800 603-0433
www.messageries-adp.com

Distributeur pour la France et autres pays européens
HISTOIRE ET DOCUMENTS
CHENNEVIÈRES (France)
Téléphone: 01 45 76 77 41
Télécopieur: 01 45 93 34 70
www.histoire-et-documents.fr

Distributeur pour la Suisse
TRANSAT S.A.
GENÈVE
Téléphone: 022/342 77 40
Télécopieur: 022/343 46 46